– VERA –

SZKLANY POKÓJ

WYBITNE LITERACKIE KRYMINAŁY

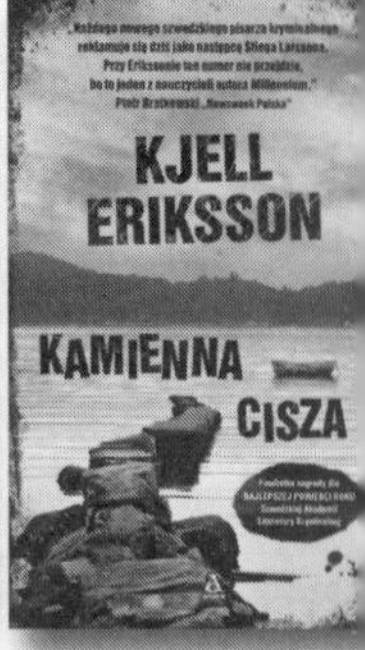

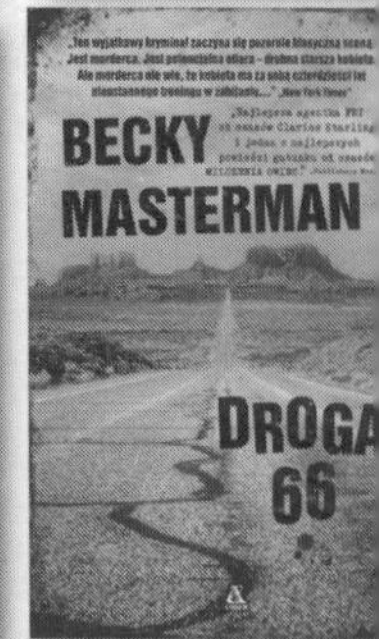

– VERA –

ANN CLEEVES

SZKLANY POKÓJ

Przekład
MAŁGORZATA STEFANIUK

Korekta
Joanna Egert-Romanowska
Barbara Cywińska

Projekt graficzny okładki
Małgorzata Cebo-Foniok

Zdjęcie na okładce

Tytuł oryginału
The Glass Room

Druk
Drukarnia ReadMe

ISBN 978-83-241-5080-9

Warszawa 2014. Wydanie I

Wydawnictwo AMBER Sp. z o.o.
02-952 Warszawa, ul. Wiertnicza 63
tel. 620 40 13, 620 81 62

www.wydawnictwoamber.pl

Dla mojej siostry, Sue

1

Vera Stanhope wysiadła ze starego land rovera Hectora i jak zawsze zastrzykało jej przy tym w kolanach. Land rover Hectora. Ojciec nie żył od lat, ale ona wciąż uważała, że auto jest jego. Na chwilę przystanęła, żeby popatrzeć na rozciągającą się w dole dolinę. Kolejna rzecz, którą zostawił jej ojciec: dom. Pieprzyć to, pomyślała, może ze względu na dom powinna mu wybaczyć. Był październik, dni stawały się krótsze. W powietrzu unosiła się woń palonego drewna i chłodu. Drzewa w większości były już ogołocone z liści, łabędzie powróciły do zatoczki.

Po drodze z pracy zajechała do supermarketu na obrzeżach Kimmerston, dlatego na miejscu dla pasażera piętrzyły się torby z zakupami. Przepełnionym poczuciem winy spojrzeniem powiodła dokoła, żeby się przekonać, czy teren jest czysty. Jej dbający o ekologię sąsiedzi nie akceptowali używania plastiku, a po całym dniu w biurze nie miała ochoty wysłuchiwać płomiennych mów o ratowaniu planety. Ale na podwórku u sąsiadów nie było nikogo, nie licząc kilku podszczypujących zielsko kur. Nic też nie było słychać, a gdyby Jack pracował w szopie, docierałaby stamtąd głośna rockowa muzyka. Lub zawodzący blues. Vera wyciągnęła torby z samochodu i postawiła je na schodku przed drzwiami, żeby poszukać kluczy.

Ale drzwi nie były zamknięte. Przebiegł ją dreszcz niepokoju połączony z ekscytacją. Niemożliwe, żeby wyszła do pracy, nie zamknąwszy drzwi. Nigdy nie wierzyła w te romantyczne gadki, że na wsi jest tak bezpiecznie, że można wszystko zostawiać otwarte. Na terenach wiejskich też dochodziło do przestępstw. Czytała raporty i wiedziała, że w tych milusich szkołach w Northumberland, do których chodziły dzieciaki z rodzin klas średnich, zażywa się tyle samo narkotyków, co w szkołach w mieście. Tylko nauczyciele lepiej tu trzymali języki za zębami. Pchnęła drzwi łokciem, myśląc sobie, że włamanie to naprawdę ostatnia rzecz, jakiej jej trzeba. Nie miała wiele do ukradzenia. Każdy szanujący się włamywacz wykrzywiłby nos na jej ciuchy z Oxfam*, żałosny pecet i dziesięcioletni telewizor. Ale niedobrze jej się robiło na myśl, że ktoś łazi po jej domu. Poza tym musiałaby wezwać kryminalnych, a oni zostawiliby dom w chaosie, wszystko byłoby obsypane proszkiem daktyloskopijnym. Potem wróciliby do biura i opowiadali, w jakim syfie mieszka.

Pomimo swoich kilogramów poruszała się cicho. Nauczyła się tego w dzieciństwie. Zatrzymała się w holu i nasłuchiwała. Po domu nikt nie chodził. Chyba że włamywacze poruszali się tak samo bezgłośnie jak ona. Nagle coś jednak usłyszała: trzask pękającego drewna, syczenie iskier. Ktoś napalił w kominku. Zapach dymu docierał z jej domu, a nie z domów w dolinie, jak pierwotnie sądziła. Ale to na pewno nie był ogień niekontrolowany. Dym nie docierał do reszty pokojów. Nie było szalejących płomieni. W miejscu, gdzie stała, nie czuła gorąca.

Otworzyła drzwi małego salonu i ujrzała Jacka, sąsiada, siedzącego w najwygodniejszym fotelu. Tym, w którym zawsze siadywał Hector. Podpalił drewno, które wcześniej przygotowała, i teraz wpatrywał się w płomienie. Zdumienie i uczucie schodzącego z niej napięcia, jakie ją ścisnęło,

* Oxfam – międzynarodowa organizacja humanitarna, posiada liczne sklepy na całym świecie sprzedające rzeczy z darowizn (przyp. tłum.).

gdy wchodziła do domu, wywołały w niej gniew. Cholerni hippisi! Dała im klucz, w razie gdyby coś się działo, a nie żeby przychodzili do niej, kiedy im się zachce. Kompletny brak poszanowania granic.

– A co ty tu robisz, do jasnej cholery?

Jack spojrzał na nią i zobaczyła, że płacze. Zaklęła pod nosem. Co się stało? Kłopoty w domu? Rodzinna kłótnia? Popełniła błąd, że się zaprzyjaźniła z sąsiadami. Wpuść ludzi do swojego życia, a od razu będą czegoś chcieli. Nienawidziła, kiedy ktoś czegoś od niej oczekiwał.

Potem przypomniała sobie, jak Jack i Joanna oczyszczali jej podjazd ze śniegu, żeby mogła pojechać do pracy. Jak, gdy musiała się napić, zakradała się do ich domu, żeby wykraść butelkę samogonu. Przypomniały jej się wieczory u nich, gdy przy dobrym jedzeniu siedzieli w trójkę w kuchni, śmiejąc się z durnych dowcipów.

Jack kiwnął głową w stronę kominka.

– Wybacz – mruknął. – Było cholernie zimno, a gdy już postanowiłem, że z tobą porozmawiam, nie chciałem czekać w domu.

– O co chodzi, Jack? Co się stało?

Pokręcił głową.

– Chodzi o Joannę. Nie wiem, gdzie jest.

Jack był liverpoolczykiem, miękkim i sentymentalnym. Kiedyś służył w marynarce handlowej, opłynął cały świat, znał historie, którymi potrafił zabawiać do białego rana. Później zamarzyło mu się wygodniejsze życie, więc gdy skończył czterdziestkę, kupił kawałek ziemi obok domu Very. Chłopak z miasta, ze wsią miał kontakt tylko raz do roku, gdy odwiedzał coroczny festiwal w Glastonbury, a jednak jakoś dawał radę. Pracował od świtu do zmierzchu, a nawet dłużej. Czasami, wracając do domu blisko północy po trudnym dochodzeniu, Vera słyszała, że sąsiad jest w szopie, i zaglądała tam, żeby powiedzieć „dobranoc". I ten przelotny kontakt pozwalał jej wierzyć, że koledzy się mylili. Miała przyjaciół i życie poza pracą.

– Co to znaczy, że nie wiesz? – Starała się nie okazywać zniecierpliwienia, ale zawsze na widok płaczącego mężczyzny miała ochotę dać mu w pysk.

– Nie ma jej od dwóch dni. Nie odezwała się słowem. Myślę, że jest chora. Nie chce o tym rozmawiać.

– Chora na co? – Chwila ciszy. – Rak? – Matka Very zmarła na raka, kiedy Vera była dzieckiem. Dlatego nadal czuła niepokój, gdy miała wypowiedzieć to słowo.

Jack pokręcił głową. Siwiejące włosy miał spięte w kucyk.

– Chyba chodzi o jej stan psychiczny. Depresja. Wyjechała w poniedziałek, kiedy byłem na targu w Morphet. Musiała wezwać taksówkę. Mówiła, że potrzebuje przestrzeni.

– Wspominała wcześniej, że chce odejść?

Znowu pokręcił głową.

– Zostawiła liścik. – Z kieszeni dżinsów wyciągnął kawałek kartki, położył na stoliku obok, przesuwając kubek z pięciodniowymi fusami po kawie, żeby Vera mogła zobaczyć.

Vera rozpoznała charakter pisma. Joanna często komunikowała się z nią za pomocą liścików. Fioletowy tusz, nieskazitelne pochyłe pismo, spiczaste, pięknie wykaligrafowane. *Szambo wybrane*, *Paczka w stodole*, *Wpadniesz wieczorem na kolację?* Tym razem wiadomość brzmiała: *Wyjeżdżam na kilka dni. Potrzebuję przestrzeni. Zupa w garnku. Nie martw się o mnie.* Brak podpisu, nawet „J" lub choćby „x".

– Kilka dni – rzuciła Vera. – Ona wróci. Albo zadzwoni.

Jack popatrzył na nią ponuro.

– Ostatnio nie brała lekarstw.

– Jakich? – Vera wiedziała, że Jack pali trawkę. Ich dom cały nią śmierdział. Czasami po zbyt wielu piwach, kiedy był u niej, skręcał ogromnego skręta, nie myśląc o tym, że ją naraża. Raz nawet zaproponował jej jednego. Kusiło ją, ale odmówiła. Wiedziała, że ma osobowość skłonną do uzależnień; lepiej mieć legalne nałogi. Przypuszczała, że Joanna też pali, ale nie pamiętała, żeby widziała ją ze skrętem. Trucizną Joanny było czerwone wino pite z dużego kieliszka firmy Bristol Blue Glass. „Moje jedyne dziedzictwo" – powiedziała kiedyś, podnosząc kieliszek do światła. „Tylko to mi zostało z domu".

– Pigułki – rzekł Jack. – Lit. Na zachowanie równowagi.

– I dlatego tak się martwisz?

– Martwię się od tygodni. Dziwnie się zachowywała. Nie odzywała się. A teraz zniknęła.

Dla Very, gdy tylko poznała parę, było jasne, że Jack uwielbia Joannę. Ciągle na nią zerkał, pławił się w jej obecności. Joanna była ciężkiej budowy, długie włosy o barwie kukurydzy nosiła związane w opadający na plecy warkocz. Miała dramatycznie ciemne brwi. Usta szerokie, oczy duże, brązowe. Wszystko w niej było duże i obfite – również dłonie i stopy. Nosiła czerwone skórzane buty o półokrągłych czubkach, pstrokate ogrodniczki i robione na drutach swetry w jaskrawych kolorach. Gdyby Vera miała ją opisać jednym słowem, wybrałaby określenie „wesoła". Nigdy nie przyszło jej do głowy, że Joanna może być w depresji. Może nawet przeciwnie – czasami zbyt głośno się śmiała, zawsze ostatnia wychodziła z przyjęć, wszystkich całując i ściskając. Vera myślała, że w przeszłości Joanna albo występowała w teatrze, albo była artystką. Albo damą. Mówiła jak arystokratka takim głosem, jakie się słyszało w BBC w latach sześćdziesiątych. Ale nikt nigdy nie wspominał o jej życiu, zanim zeszła się z Jackiem.

Vera wróciła po torby, które wciąż stały na schodach przed drzwiami, i z jednej wyciągnęła dwie butelki piwa. Obok kubka na stoliku leżał otwieracz. Mogła się pożegnać z domowymi planami na wieczór: zmianą pościeli, wrzuceniem do pralki kilku ręczników.

– Kontynuuj – mruknęła. – Opowiadaj o wszystkim.

– Nigdy nie wiedziałem, co ona we mnie zobaczyła. – Głos miał rozleniwiony, liverpoolski akcent był jeszcze bardziej wyczuwalny.

– Przestań się pieścić i liczyć na komplementy – warknęła Vera. – Nie mam czasu na takie zabawy.

Spojrzał na nią; był zaszokowany. Oczekiwał współczucia i że będzie przyjemnie.

– Gdzie ją poznałeś? – Vera nie miała pewności, czy to istotne, ale i tak była ciekawa, poza tym uważała, że to rozwiąże Jackowi język.

– W Marsylii – odparł. – W kafejce przy przystani. Pracowałem tam, właśnie skończyła mi się umowa z armatorem. Miałem kasę. Siedziała sama przy butelce wina. Piła, żeby się upić, a nie żeby ryba na kolację była smaczniejsza. Usłyszała, że próbuję się dogadać z kelnerem, zdała sobie sprawę, że się nie dogadam, więc przetłumaczyła. Zawsze lubiła się popisywać. Zaczęliśmy rozmawiać. No wiesz.

– A ona, co robiła w Marsylii?

– Uciekła od męża – wyjaśnił Jack. – Jakiegoś bogatego sukinsyna. – Zmienił ton głosu, zanucił melodię z jakiegoś musicalu: *On prowadził firmę w Paryżu.* – Biznesmen. Albo bankier. Albo zwykły palant. Marsylia była najdalszym miejscem, do którego mogła przed nim uciec.

– Dlaczego nie wróciła do Anglii? – Vera pomyślała, że kiedy się zrywa z facetem, chciałoby się mieć przy sobie przyjaciół. Może nawet rodzinę.

– Nie miała tam czego szukać. W rodzinie była czymś w rodzaju czarnej owcy. Grozili, że jeśli odejdzie od męża, ubezwłasnowolnią ją. No wiesz, zamkną u czubków. – Jack na moment zamilkł. – Próbowała się zabić. Ma szramę na nadgarstku. Zauważyłem ją już wtedy, kiedy siedzieliśmy przed kafejką w pełnym słońcu. Nadal ją ma. Nazywa ją swoją wojenną blizną.

– Nigdy na nią nie zwróciłam uwagi.

– To dlatego nosi tyle bransoletek. Tak czy inaczej, to było dawno temu. Domyśliłem się, co z nią jest. Zaprowadziłem do lekarza. Gdy bierze lekarstwa, wszystko jest okej. Lekarze twierdzą, że to choroba dwubiegunowa. Ja tam się nie znam, ale też bym zwariował, gdybym przeszedł przez to, co ona.

– Ale mówisz, że przestała brać lekarstwa?

– Aye. Twierdzi, że już się dobrze czuje, że ich nie potrzebuje. – Znowu zamilkł i podniósł wzrok, spoglądając Verze prosto w oczy. – Myślę, że kogoś ma. – Potem dodał: – Myślę, że chce czuć to odurzenie, kiedy się człowiek zakocha. Dlatego przestała brać lit.

– A gdzie miałaby poznać kogoś innego? – Vera uważała, że Jacka ponosi wyobraźnia. – Kogo ona spotyka poza Chrisem z pubu i Arthurem weterynarzem?

– Ma grono własnych znajomych – odparł Jack. – Własne zainteresowania. Taka była umowa od samego początku. Miałem jej nie kontrolować. – Zawahał się. – W zeszłym tygodniu, kiedy rozmawiała przez telefon, a ja wszedłem, rozłączyła się. Nie chciała powiedzieć, z kim rozmawiała.

– Więc twoim zdaniem, dokąd mogła pojechać? – Vera zdała sobie sprawę, że wypiła już całe piwo. Wolałaby, żeby Jack sobie poszedł, zanim otworzy następne. Wtedy mogłaby rozkoszować się drinkiem w spokoju.

– Nie wiem – odparł. – Gdybym wiedział, pojechałbym po nią.

– Mimo że miałeś jej nie kontrolować? – Vera popatrzyła na Jacka wyzywająco, czekając, aż wymyśli rozsądniejszą odpowiedź. – Może jest tak, jak napisała. Potrzebuje kilku dni dla siebie – dorzuciła, myśląc, że dość łatwo mogłaby sprawdzić, dokąd Joanna uciekła. W promieniu dziesięciu mil funkcjonowała tylko jedna firma taksówkarska i wszyscy z niej korzystali. Gdyby pogadała z Tommym

Woolerem, szybko by się dowiedziała, gdzie Jo się ukryła. Gdyby Jack nie był tak wystraszony, na pewno też by na to wpadł.

– Przestała brać lekarstwa – powtórzył, nachylając się, żeby mieć pewność, że Vera rozumie wagę tego, co mówi. – Od długiego czasu jest jak na huśtawce: najpierw szybuje wysoko niczym latawiec, śpiewa, śmieje się, a już za chwilę jest wściekła i o wszystko się czepia. Nie jest sobą. Nie zamierzam jej tu ściągać wbrew jej woli. Sądzisz, że byłbym z nią, gdyby mnie nie chciała? Sądzisz, że zmuszałbym ją do tego, żeby była nieszczęśliwa? Posłuchaj, wiem, że masz mnie za mięczaka i dupka, ale ja za Joannę Tobin oddałbym życie. – Urwał, żeby nabrać powietrza. – Boję się o nią, boję się, że coś sobie zrobi.

– Myślisz, że mogłaby znowu próbować się zabić?

– Tak – odrzekł. – Tak właśnie myślę. Jeśli jej się nie uda. Jeśli to, co sobie wymarzyła, się nie ziści.

Vera podźwignęła się na nogi. W torbach miała mrożonki, które za chwilę się rozpłyną.

– Więc, czego ode mnie oczekujesz?

Spojrzał na nią, jakby była niespełna rozumu.

– Oczywiście, żebyś ją znalazła. Żebyś sprawdziła, czy jest bezpieczna.

– A potem?

– To wszystko. – Jack również wstał i oboje poszli do wyjścia. Na zewnątrz było bardzo zimno, na niebie migotały gwiazdy. – Upewnij się tylko, czy jest bezpieczna.

2

Boże, myślała Vera, gdyby ktoś z wydziału chciał to zrobić – zabawić się w wolnego strzelca, prywatnego detektywa –

dostałby ode mnie niezły opierdziel. Stała w przybudówce i przekładała zawartość toreb do zamrażarki. To była zamrażarka otwierana od góry, za duża dla niej, osoby mieszkającej samotnie. Po raz pierwszy uzmysłowiła sobie, że zamrażarka jest tej samej wielkości co ta, w której Hector trzymał swoje martwe zwierzęta i ptaki, jądro jego nielegalnego biznesu związanego z wypychaniem zwierząt. Po jego śmierci pozbyła się lodówki, bo śmierdziała. Więc dlaczego kupiła następną, dokładnie taką samą? Jakiś psychiatra mógłby z tego zrobić dużą sprawę. Lub uznać, że jest bezmózgą, pozbawioną wyobraźni idiotką.

I dlaczego przystała na prośbę Jacka i zgodziła się ganiać po okolicy w poszukiwaniu Joanny? Bo jestem miękką cipą. Bo lubię szczęśliwe zakończenia i chcę, żeby ta para się nie rozpadła, jakbym była jakimś tłustym Kupidynem w kaloszach. Bo będzie cholernie niewygodnie tu mieszkać bez sąsiadów obok.

W kuchni otworzyła następne piwo, na talerz nałożyła wieprzowinę w cieście i pomidora. Dodała do tego ćwiartkę chrupkiego chleba i masło w opakowaniu i wszystko zaniosła na tacy do salonu. Ogień już przygasał, więc dorzuciła kilka szczap. Stojący na gzymsie okrągły zegar z lat trzydziestych pokazywał, że jest dziewiąta. Lepiej od razu spróbować złapać Tommy'ego Woolera. Zwykle ostatnie kilka godzin przed zamknięciem spędzał w Percy Arms w Sallyford.

Rozpoznał numer jej komórki.

– To gdzie jesteś? Wściekła i pewnie nie dasz rady wrócić do domu i trzeba cię podwieźć?

– Nie miałam w ustach nawet kropli, Tommy. No przynajmniej nie tyle, żeby dało się zauważyć. Poza tym jestem w domu. Ale mam pytanie.

– O co chodzi? – Przybrał obronny ton. W młodości trochę chuliganił. Nie jakoś strasznie, ale zdarzało mu się robić głupoty. Trzymał się z dwójką zabijaków, których poznał w poprawczaku w Castington. Vera nigdy o to nie pytała, ale myślenie Tommy'ego tak właśnie funkcjonowało.

– Dwa dni temu wiozłeś Joannę Tobin. – To było stwierdzenie, nie pytanie.

– Aye, tak było. – W jego głosie nie wyczuwało się podejrzliwości. Raczej mu ulżyło, że nie chodzi o stare szemrane znajomości. Vera zastanawiała się, co ci chłopcy wtedy knuli i dlaczego Tommy jest taki drażliwy. Zanotowała sobie w pamięci, żeby to sprawdzić. Albo żeby Holly to sprawdziła.

– Dokąd ją zawiozłeś? – Pytanie zadała, jakby tak naprawdę wiedziała, tylko jakoś jej to uleciało z pamięci.

Tommy już się nie przejmował. Chciał jak najszybciej wejść do pubu.

– Na wybrzeże. Drogą na Howick.

– A dokładnie? – Poczuła bulgotanie w żołądku; z zapiekanką było coś nie tak.

– Nie umiem podać dokładnego adresu. Joanna musiała mnie kierować. To było jakieś odludzie. Nie podała kodu pocztowego, więc nie mogłem wbić miejsca do nawigacji. Koszmar! – Umilkł. – Nazywała to Domem Pisarza. Dziwna nazwa. – Znowu przerwa. – A tak w ogóle, dlaczego o nią pytasz?

Ale Vera nie odpowiedziała. Rozłączyła się, czując, że ma pełne usta zapiekanki.

Następnego dnia rano Jack czaił się na podwórku, licząc, że ją złapie w drodze do Kimmerston. Wychodziła wcześniej niż zwykle i sądziła, że go nie spotka. Od której tu sterczał? Udawał, że dłubie przy starym traktorze, ale dobrze wiedziała, że czeka, żeby się czegoś dowiedzieć. Podeszła do niego i stając w rozkroku, z rękami na biodrach, zaczęła mówić ostrym tonem, tym, którym czasami zwracała się do podwładnych, żeby dać im do zrozumienia, że to nie przelewki.

– Obiecałam, że jej poszukam. Ale zrobię to na swój sposób i w odpowiednim czasie. Jak tylko będę coś wiedziała, dam ci znać.

Skinął głową, ale nic nie powiedział, co w jego przypadku – gaduły, stale snującego historie kwiecistym językiem – znaczyło więcej niż tysiące słów. Wsiadła do land rovera i odjechała, świadoma, że Jack odprowadza ją wzrokiem.

W biurze wygooglowała Dom Pisarza i od razu go znalazła. Miejsce nie wyglądało złowieszczo. Chyba że za złowieszczych uznać poetów i pisarzy. Był to ośrodek szkoleniowy dla wszelkiego rodzaju literatów, na przestrzeni roku odbywały się tam stacjonarne kursy dla pisarzy o różnym stopniu doświadczenia. Czego się spodziewała? Gotyckiej wieży, w której Joannę uwięził szaleniec, a potem nakłonił, żeby się w nim zakochała? Zdjęcia umieszczone na stronie przedstawiały duży bielony wapnem wiejski dom. Z reklamy wynikało, że jego część jest bardzo stara, z fortyfikacjami, które przed wiekami miały strzec farmy przed najazdem Szkotów. Na jednym ze zdjęć faktycznie widniał kamienny wał obronny. I była tam też mała ciemna kapliczka. Ale wystrój wnętrza był bardzo gustowny, zupełnie nie gotycki. Kamienne płyty na podłodze w kuchni, nagie belki, proste drewniane drzwi. Niskie kanapy i fotele, gdzieniegdzie tablice konferencyjne – jedyny znak, że to nie prywatny dom. Miejscem, jak się wydawało, zarządzała firma o tej samej nazwie, prowadzona przez jakąś kobietę o nazwisku Miranda Barton.

Na stronie podano listę osób prowadzących seminaria i Vera nawet rozpoznała kilka nazwisk: poety, który czasami pojawiał się w telewizji i mówił o upadku kultury brytyjskiej; dramatopisarza. Opłaty, jej zdaniem, były mocno wyśrubowane; z pewnością przekraczały zasobność kieszeni Joanny. Chyba że posiadała tajne fundusze z poprzedniego małżeństwa. Dużymi czerwonymi literami na stronie ogłaszano, że udzielane są stypendia dla utalentowanych pisarzy. Vera zrozumiała, że zniknięcie Joanny to żadna tragedia, a tylko właśnie to: Joannie zamarzyło się zostać pisarką. Może nawet uzyskała stypendium, ale wstydziła się powiedzieć Jackowi, czym się zajmuje. Może chciała zaczekać, aż dokończy książkę lub nowelę, i dopiero wtedy zamierzała mu powiedzieć.

Kurs rozpoczynał się w dniu, w którym Joanna opuściła Myers Farm: „Krótkie cięcie. Artyzm współczesnych opowiadań kryminalnych". Cięcie, pomyślała Vera. Bardzo dowcipnie. Widać, że ci ludzie są biegli w języku. Miała właśnie kliknąć w odnośnik, ale usłyszała kroki na korytarzu: Joe Ashworth, jej sierżant, punktualnie jak w zegarku przybywał na poranną odprawę. Wyłączyła komputer, przepełniona poczuciem winy, sama nie wiedząc dlaczego.

Po południu przeszła do pomieszczenia z otwartymi boksami, gdzie Joe wypełniał formularz nadgodzin.

– Znikam – rzuciła. – Odbiorę sobie trochę godzin, jakie mi zostały po sprawie Lister.

– Idzie pani na siłownię? – Chytry ukradkowy uśmieszek. Wiedział, że dostała przykazanie, żeby schudnąć.

– Odpieprz się! – Ale nie było w tym niechęci. Po tygodniu zebrań, na których omawiali strategię i oceniali wyniki, cieszyło ją, że się wyrwie z biura. Wciąż było jasno i kiedy jechała na wschód wzdłuż świeżo zaoranych pól, a na drogę przed nią kładły się długie cienie porastających pobocze drzew oświetlonych promieniami wiszącego nisko słońca, przepełniał ją optymizm, jakiego nie czuła od dawna. Od czasu ostatniego dużego dochodzenia.

Ze strony Domu Pisarza wydrukowała mapę i teraz musiała się co jakiś czas zatrzymywać, żeby sprawdzić, czy dobrze jedzie. To nie była praca – nie tak naprawdę – więc ze spokojnym sercem wracała do land rovera Hectora. Nie korzystała z nawigacji. Czuła się wolna, jak na wagarach.

Po objechaniu wzgórza rozpostarł się przed nią widok na Alnmouth z jego ładnymi kolorowymi domami i zatoką. Potem skręciła na północ, mijając maszty i hangary bazy RAF-u Boulmer. Potem po serii błędnych skrętów w wąskie uliczki wreszcie ujrzała dom. Stał w dolinie schodzącej do wybrzeża, od strony lądu osłoniętej drzewami. Stara ufortyfikowana farma z nowszą dobudówką. Kaplica zajmowała jedną stronę dziedzińca. Zatrzymała się przy bramie, żeby się rozejrzeć i zastanowić, jaką taktykę zastosuje w stosunku do Joanny. Teraz, gdy już tu była, nie bardzo wiedziała, jak powinna się zachować. Bo co zrobi, jeśli grupa akurat będzie w trakcie zaciekłej dyskusji na temat znaczenia literatury i życia? Vera wyobraziła sobie kursantów siedzących w okręgu w pokoju, który widziała w Internecie: notatniki na kolanach, brwi ściągnięte od koncentracji. Była przekonana, że wszyscy byliby zachwyceni dramatycznym zakłóceniem: Vera wchodzi i domaga się rozmowy z Joanną. Wszyscy oprócz Joanny, która byłaby zażenowana. Pora wykazać się odrobiną taktu, dziewczyno.

W domu musi być jakaś obsługa, dywagowała. Jakiś menedżer, kucharz, ktoś, kto zmienia pościel i sprząta. Ludzie, z którymi mogłaby porozmawiać i wyczuć, co to za miejsce. Jeśli klienci aż tyle bulili za tydzień w dzikich ostępach, na pewno oczekują dobrej obsługi. Postanowiła, że zostawi samochód i pójdzie do domu pieszo, zorientuje się w terenie, zaczeka, aż zajęcia lub warsztaty się skończą, żeby mogła dorwać Joannę na osobności.

Zaczynało się już ściemniać, było coraz chłodniej. Ścieżka, którą szła na wschód, w całości tonęła w cieniu. Z rana dom na pewno przepełniało światło, ale o tej porze wyglądał dość ponuro. Drzewa w zagajniku postrącały liście i ścieżka była nimi zasypana. Raz się na nich poślizgnęła i o mało nie przewróciła. Dotarła do bramy ośrodka. Widniał na niej profesjonalnie namalowany napis i logo z gęsim piórem, które widziała na stronie internetowej. Dalej rozciągał się duży ogród. Tuż za domem uliczka przechodziła w dróżkę, a raczej wąską ścieżkę. Prowadziła w dół stromego zbocza do małej kamienistej plaży, którą Vera dostrzegła z samochodu. W zasięgu wzroku nie było innych zabudowań. Jeśli ktoś szukał miejsca, w którym nic nie przeszkadzałoby mu w pisaniu, to nadawało się w sam raz. Ale Verze przyszło na myśl, że stąd miałaby daleko do pubu.

Zbliżając się do domu, czuła podenerwowanie. Znalazła się poza swoją strefą komfortu. Nie mogła wyciągnąć legitymacji, domagając się szacunku i uwagi. Nie popełniono tu żadnego przestępstwa. Poza tym nigdy dobrze się nie dogadywała z artystami: z ludźmi, którzy używali słów, za którymi kryły się jakieś idee, ale którzy tak naprawdę nie mieli nic do powiedzenia. Pewniej się czuła ze złoczyńcami, których ścigała i sprowadzała przed oblicze sprawiedliwości.

Teraz widziała miejsce dokładniej: duży dom i jakieś stare budynki gospodarcze, może stajnie, przerobione na domki mieszkalne. Jedno i drugie zwrócone przodem do wybrukowanej powierzchni, niegdyś prawdopodobnie podwórza farmy. Po prawej miała małą kapliczkę, w przeszłości zapewne służącą zamieszkującej farmę licznej rodzinie. W domu się paliło, ale okna nie były zasłonięte. To była jej ulubiona pora dnia. Zawsze była ciekawska; idąc ulicą, uwielbiała podglądać przez okna domowe życie ludzi. Zresztą, czyż nie na tym polega praca detektywa? Do domu prowadziły duże drzwi frontowe, ale wolała z nich nie korzystać. Wyglądały na takie, co się automatycznie zamykają od wewnątrz, a nie chciała dzwonić mosiężnym dzwonkiem wiszącym na zewnątrz. Przynajmniej dopóki nie zdobędzie pewności, że Joanna jest w środku, i dopóki się nie zorientuje, co się tam właściwie dzieje.

Obeszła bok domu, uważając, żeby nie stąpać po wysypanej kamyczkami ścieżce; trzymała się trawnika biegnącego tuż przy ścianie. Wszystko, żeby nie było jej słychać. Kiedy dotarła do pierwszego okna, zatrzymała się, przyklejając się plecami do muru. Wtedy przyszło jej na myśl, że pewnie wygląda idiotycznie. Jeśli ktoś stał na zboczu i spoglądał w dół – na przykład jacyś obserwatorzy ptaków z lornetkami – mógł ją wziąć za wariatkę albo za niewprawnego włamywacza. Wciąż przyciskając się do ściany, żeby nikt w środku jej nie zobaczył, zajrzała w okno. Kuchnia. Młody mężczyzna w białym fartuchu stał tyłem do niej i mieszał łyżką w garnku. Na stole stał czajniczek na herbatę i dwa niebieskie kubki. Na krześle siedziała kobieta w średnim wieku, czytająca jakiś maszynopis. Wyglądała dość wytwornie. Farbowane blond włosy. Palec, którym przewracała strony, kończył się czerwonym paznokciem. Czy to Miranda Barton? W każdym razie po Joannie w kuchni nie było śladu, więc zgarbiwszy się, żeby być niżej niż parapet, Vera ruszyła dalej.

Następny pokój był pusty. Wyglądał jak biblioteka, wzdłuż ścian stały regały z książkami. Były tam też dwa małe stoliki i kilka prostych krzeseł z obitymi skórą siedziskami. Vera znowu skręciła za róg i znalazła się na brukowanej werandzie wychodzącej na morze. Na trawie przed werandą stał karmnik dla ptaków z zestawem wyszukanych dozowników wypełnionych orzeszkami i ziarnami. Widać stąd było latarnię morską przy wyspach Farne od północy i od południa wyspę Coquet. Latem w tym miejscu musiało być naprawdę pięknie. Vera wyobraziła sobie klientów Domu Pisarza, jak po całym dniu warsztatów zbierają się na werandzie i popijając wytworne wino, dzielą się uwagami i pomysłami. Pozując. Skąd u niej ta potrzeba szydzenia? Ano stąd, że ludzie dyskutujący o książkach, malarstwie, kinie sprawiali, że czuła się ignorantką i traciła grunt pod nogami.

Zatrzymała się na samym rogu, bo prawie cała ściana od strony morza była wypełniona szkłem. Dwa podłużne okna, od podłogi prawie do sufitu, a między nimi podwójne oszklone drzwi. Pokój był długi, jasno oświetlony. To on widniał na stronie internetowej, to był ten salon z kanapami i fotelami. A w środku znajdowali się ludzie. Wyglądało, jakby właśnie skończyli zajęcia. Stali w grupach i rozmawiali. Pewnie podano herbatę, bo w rękach trzymali filiżanki i babeczki na papierowych serwetkach. Teraz na dworze było już prawie ciemno, więc Vera raczej się nie obawiała, że ktoś ją zobaczy. Zresztą ludzie w pokoju byli zajęci własnymi sprawami. Mieli ożywione twarze. Sześć osób. Ale drzwi prowadzące w głąb domu były otwarte, więc możliwe, że ktoś już wyszedł. Joanny z pewnością w pokoju nie było.

Vera przez chwilę stała przy oknie, zastanawiając się, jakim cudem Joanna mogłaby się wpasować w tę grupę. Joanna z jej dużymi dłońmi i stopami, z jej tubalnym śmiechem i brudem pod paznokciami? Jaskrawymi domowej roboty ubraniami? Jeśli by tu była, czy czmychnęłaby do swojego pokoju, skrępowana wyrafinowaniem kolegów?

Vera uznała, że pora wrócić do drzwi frontowych, zadzwonić i zapytać o Joannę. Miała już przygotowane wyjaśnienie. Rodzinny kryzys, ktoś z bliskich się rozchorował i Joanna powinna się o tym dowiedzieć. I to wtedy usłyszała odgłos, który wprawił w szok osoby stojące po drugiej stronie okna, zmuszając je do przerwania rozmów. Krzyk. Prawie nieprzypominający ludzkiego, niezdradzający ani wieku, ani płci: głośny, przeszywający, przerażający.

3

Vera nie umiała powiedzieć, skąd krzyk dochodził. Z domu? Jeśli tak, dlaczego był taki głośny, nawet na dworze? Krzyk ją opływał, niemal pochłonął. Może dlatego, że był taki piskliwy, chociaż miała wrażenie, że raczej go czuje, niż słyszy. Nie było przed nim ucieczki. Cofnęła się kilka kroków i popatrzyła w górę. Na szczycie domu podwójne szklane drzwi, takie same, jak te tutaj, na tarasie, prowadziły na kamienny balkon. Stała na nim kobieta z kuchni, światło padało na nią od tyłu. Wychylona przez barierkę, opróżniała zawartość płuc w mroźne powietrze. Verze skojarzyła się z wymiotującym pijakiem. Nagle krzyk ucichł.

Vera miała wrażenie, że próby dostania się do domu zajęły jej wiele godzin. Usiłowania, żeby ją usłyszano, wpuszczono do środka przywołały do pamięci jeden z często ją nękających koszmarów: jest dzieckiem i próbuje się dostać do zamkniętego domu, w którym umiera jej matka, a Vera chce ją ratować. Teraz dorosła Vera waliła w drzwi patio, gdzie jeszcze chwilę temu goście pili herbatę. Nikt nie odpowiadał. Wszyscy wybiegli, szukając źródła krzyku. Tą samą drogą, którą przyszła, Vera wróciła do drzwi frontowych. Ale ponieważ było już ciemno, nie widziała ścieżki i wpakowała się w zarośla. Przedzierała się przez nie, starając się zdławić narastającą panikę, aż w końcu uznała, że musiała pójść w złą stroną, bo ścieżki wciąż nie było. Gałęzie drapały ją po twarzy, czepiały się ubrań. Zmusiła się, żeby przystanąć. Nie jest już dzieckiem i nie zgubiła się.

Z oddali doszedł ją słaby odgłos fal uderzających o kamienny brzeg. Kiedy się odwróciła, nad zaroślami na tle nieba ujrzała wyraźny zarys budynku. Wróciła na ścieżkę i obeszła dom, żeby dotrzeć do wejścia. W środku było cicho. Spojrzała na zegarek i uzmysłowiła sobie, że po ogrodzie błądziła prawie dwadzieścia minut. Przeczesała włosy palcami, strzepnęła z kurtki zeschnięty liść i pociągnęła za sznurek wiszącego przy drzwiach mosiężnego dzwonka. Nikt się nie pojawił. W domku po drugiej stronie podwórka świeciło się światło. Pomyślała, że tam zajrzy. Ale wtedy otworzyły się drzwi głównego domu i na progu stanął młody mężczyzna, ten, którego widziała w kuchni. Nadal miał na sobie biały fartuch.

– Tędy – rzekł. Potem rozkojarzonym głosem dodał: – Jakim cudem dotarliście tak szybko?

Vera na chwilę zaniemówiła, czuła się trochę jak gruba Alicja w Krainie Czarów. Kucharz już odszedł wąskim korytarzem, oczekując, że za nim pójdzie. Był szczupły i ciemnowłosy. Kiedy otworzył drzwi, zauważyła ciemne owłosienie na jego dłoniach i przedramionach. Wilk w kuchennym fartuchu, pomyślała. Przez uchylone drzwi dostrzegła gości, ale kucharz szedł tak szybko, że goniąc za nim, nie była w stanie odróżnić poszczególnych twarzy. Jeśli Joanna tam była, Vera jej nie zauważyła. Dom był o wiele większy, niż sądziła, labirynt korytarzy i małych pokojów. Kucharz krótkimi schodami wszedł na piętro. W tym momencie Vera już zupełnie się pogubiła; z zewnątrz musiała widzieć tylko dobudówkę, a teraz nie było już okien, które pomogłyby jej się zorientować, w którą stronę idą.

– Byłam w okolicy. – Wreszcie znalazła się na tyle blisko kucharza, żeby odpowiedzieć. Szli tak szybko, że trochę się zadyszała.

– Wezwałem też pogotowie. Nie wiem, skąd jadą.

– Ach – mruknęła. – Może im to trochę zająć. Prawdopodobnie przyjadą z Alnwick.

– W zasadzie... – młody mężczyzna na chwilę umilkł – nie ma pośpiechu. Chyba i tak nic nie pomogą. – Zatrzymał się na końcu korytarza i otworzył drzwi.

Vera zupełnie się nie spodziewała tego, co zobaczyła. Sądziła, że wejdzie do sypialni, dużej sypialni ze względu na balkon. Ale to był kolejny epizod z Alicji. Kolejna sprzeczność. Tak jakby przestrzeń z zewnątrz sprowadzono do domu. Wszystko było zielone i tętniło życiem. Stanęła w progu i zajrzała do środka.

Znajdowali się w oranżerii urządzonej na pierwszym piętrze domu. Pomieszczenie było wysokie i wąskie, na balkon prowadziły oszklone drzwi, ale szkło było też na spadzistym suficie. Z tarasu na dole nie mogła tego widzieć. Ścianki po bokach też były szklane. Na podłodze płytki. Wiklinowe fotele. Donice z olbrzymimi roślinami o błyszczących ciemnych liściach tworzyły minidżunglę. Wszystkie rośliny były dorodne i mięsiste, jedna kończyła się wysokim szpicem różowych kwiatów. W powietrzu unosiła się woń kompostu i wilgoci. Za dnia musiał się stąd rozciągać wspaniały widok na morze. Na jednej z pełnych ścian wisiało duże lustro w zielonej ramie. Musiało być stare i krzywe, bo odbicie, jakie pokazywało, było lekko zniekształcone. Gdy Vera w nie spojrzała, od razu poczuła mdłości. W pokoju było bardzo ciepło.

– Więc, co mi pan chciał tu pokazać? – Pokręciła głową, żeby oczyścić umysł.

– Nie powiedzieli pani? Kazali mi powtarzać szczegóły. – Młody mężczyzna przeszedł między roślinami i ogrodowymi meblami i otworzył szklane drzwi. Do środka wleciała zimna bryza wraz z odgłosem fal uderzających w nabrzeże. Balkon był szerszy niż prowadzące na niego drzwi i oba jego krańce tonęły w półmroku. Mężczyzna odwrócił się do Very gwałtownie. – To tam!

Vera wyszła na balkon i we wpadającym z pokoju przyćmionym świetle w rogu ujrzała kucającego mężczyznę. Kolana miał prawie przy brodzie. Poza budziła zdziwienie, gdyż krótko obcięte włosy mężczyzny były siwe; mężczyzna był w późnym wieku średnim. Starsi panowie nie siadają na podłodze, bo potem mają kłopoty ze wstaniem. Strzelają im stawy. Poza tym był koniec października, kto siada w takie zimno na kamiennej posadzce? Wpływające z pokoju światło rzucało na twarz mężczyzny dziwny cień. Mężczyzna wyglądał jakby był zły. Oburzony.

Miał na sobie ciemną marynarkę, a pod spodem jasną koszulę. W tym świetle trudno było określić jej kolor. Prawie cała była we krwi. Krew widać było też na kamiennej posadzce i na ścianie. Po bliższych oględzinach Vera przekonała się, że szklane drzwi też są nią obryzgane. Wyglądało na to, że mężczyzna zginął od pchnięcia nożem, ale noża nigdzie w pobliżu nie dostrzegała.

– Kto to jest?

– Już mówiłem, gdy dzwoniłem na policję. – Młody mężczyzna zaczynał coś podejrzewać. – A tak w ogóle, to kim pani jest?

– Aye, cóż, nie wszystko zdążyli mi przekazać. – Vera pokazała legitymację, zadowolona, że udało jej się wyłowić ją z torby już za pierwszym razem. Przechyliła legitymację, żeby światło z pokoju padło na zdjęcie. – Inspektor Stanhope. A pańska godność?

– Alex Barton.

– To pańska matka prowadzi to miejsce? – Sądziła, że mężczyzna jest najętym pomocnikiem i nie potrafiła ukryć zdumienia w głosie.

– Razem je prowadzimy. Jestem wspólnikiem. Chociaż czasami tak nie wygląda. – Ton wypowiedzi pobrzmiewał rozgoryczeniem; widać było, że mężczyzna od razu pożałował swoich słów. Najwyraźniej uświadomił sobie, że to nie pora na dzielenie się rodzinnymi niesnaskami. – Nie chce pani wiedzieć, co tu się wydarzyło? Nie powinna pani porozmawiać…

– Oczywiście, kotku, ale przede wszystkim proszę mi opowiedzieć o ofierze. – Vera nie lubiła, kiedy jej się mówiło, jak ma wykonywać swoją robotę. Ujęła mężczyznę za ramię i wyprowadziła z dziwnego szklanego pomieszczenia na korytarz. – Tylko tutaj, dobrze? Lepiej nie paprać jeszcze bardziej miejsca zbrodni.

W drodze do oranżerii zauważyła mały kącik do siedzenia w miejscu przecięcia korytarzy. Stał tam szezlong i niski stolik kawowy zasypany ekskluzywnymi gazetami i magazynami literackimi. Tu także nie było okna, a światło dawała tylko ciemna lampa ścienna z czerwonym abażurem. Vera pomyślała, że to dość kiepskie miejsce do czytania i że w ogóle cały dom przypominał raczej teatralną inscenizację. Ostrożnie opuściła się na kanapkę; Alex poszedł w jej ślady.

– Gdzie są wszyscy? – zapytała. W podobnych sytuacjach zawsze jest pełno gapiów.

– Kazałem im czekać w salonie.

– I oni zawsze się tak pana słuchają, kotku? – Nie odpowiedział, więc kontynuowała. – Co pan wie o tym biedaku na balkonie?

– Nie poznała go pani? – W pytaniu zabrzmiał ton wyniosłości. Z taką samą reakcją Vera spotkała się w eleganckiej restauracji, gdy zamówiła frytki.

– To ktoś znany?

– To Tony Ferdinand. Profesor Tony Ferdinand. Wykładowca akademicki, krytyk literacki i guru humanistyki. Musiała go pani widywać w *Culture Show*. I jeszcze w BBC4 prowadził program o współczesnej powieści. – Mężczyzna nie czekał na odpowiedź. Możliwe, że już sam się domyślił, iż Vera nie należy do stałych odbiorców BBC4. – O Boże, to będzie koszmar. Po tym wszystkim nie przyjedzie już do nas żaden specjalista z Londynu. Wyobraża sobie pani ten rozgłos! Studenci szaleńcy podcinający gardła wykładowcom! A przecież i tak ciężko ściągnąć tu tych snobów z Londynu.

– A więc ten biedak dla was pracował? – Tylko nie był specjalnie lubiany, skoro Alex bardziej przejmował się interesami niż samym zmarłym, pomyślała Vera.

– Był łaskaw zaszczycić nas swoją obecnością. – Mężczyzna musiał się zorientować, że Vera potrzebuje więcej informacji. – Raz na kilka lat przyjeżdżał do Domu Pisarza poprowadzić kurs. Dając wyraźnie do zrozumienia, że robi mojej matce ogromną przysługę. Znali się od dawna. Ale jego wsparcie ogromnie nam pomogło, kiedy zaczęliśmy prowadzić te szkolenia z pisania. – Alex umilkł, jakby sobie uświadomił, że brzmi bezdusznie. – Proszę wybaczyć. Trudno mi uwierzyć, że Tony nie żyje.

– Jak długo go pan znał? – Vera stwierdziła, że ją to bawi. Alex Barton, jak dla niej, był jeszcze dzieckiem. Nie mógł działać w tym biznesie dłużej niż kilka lat.

– Całkiem długo, w zasadzie, od kiedy pamiętam. Byłem dzieckiem. Tony pracował z matką na uniwersytecie St Ursula i kiedy wydała pierwszą książkę, jego pozytywna recenzja bardzo korzystnie wpłynęła na bieg jej kariery.

Vera nie znała się na tych rzeczach. St Ursula? To był dla niej zupełnie obcy świat.

– Pana matka też jest pisarką?

– Oczywiście. Miranda Barton! – Alex na chwilę umilkł. – Teraz już nie jest tak znana. Ale niech jej pani nie mówi, że pani o niej nie słyszała, bo się załamie!

– Przykro mi, kotku. W moim fachu nie ma za wiele czasu na czytanie. Przynajmniej nie na czytanie powieści. – Przez grube ściany usłyszała stłumiony ryk syren policyjnych. Nadjeżdżała miejscowa kawaleria, dając pokaz tego, co jest warta. Po co te syreny? Żeby przegnać z drogi jeden traktor i stado owiec?

– Czym pan Ferdinand się tu zajmował? – kontynuowała przesłuchanie. – Prowadził wykłady w związku z tym kursem „Krótkie cięcie"?

– Teoretycznie. – Znowu odniosła wrażenie, że usłyszała w głosie młodego mężczyzny nutkę goryczy. Sytuacja wyglądała na skomplikowaną. Przynajmniej taką Vera miała nadzieję. Lubiła trudne sprawy, takie, w które trzeba się było wgryźć, takie, dzięki którym mogła pokazać, jak świetnym jest detektywem.

– A w praktyce?

– Przyjechał, żeby sobie podbudować ego, żeby przekonać samego siebie, że wciąż jest wpływowy, jak dawniej. W tysiąc dziewięćset dziewięćdziesiątym „Observer" nazwał go „twórcą gwiazd". Sądzę, że nadal ich wypatruje, nie chce stracić znaczenia na literackim firmamencie.

Vera znowu nie była pewna, co to oznacza, ale uważała, że nie czas na kolejny pokaz ignorancji.

– Kto znalazł ciało? – zapytała.

Alex odchylił się na oparcie kanapy, jakby nagle poczuł się kompletnie wyczerpany.

– Moja matka. Tony miał przed kolacją poprowadzić nadprogramowe zajęcia. Pytania i odpowiedzi. Wszystko na temat szukania agenta lub wydawcy, jak składać maszynopisy. Zwykle był to najbardziej popularny kurs tygodnia, praktyczna strona oddania tekstu do druku. Wielu kursantów właśnie po to tu przyjeżdża. Oczywiście każdy liczył, że Tony pozna się na jego geniuszu i zarekomenduje go agentowi lub wydawcy. Był charyzmatyczny, rozumie pani. Jedno słowo pochwały z jego strony i zaczynali wierzyć, że są pisarzami. Tony nie przyszedł na podwieczorek, więc matka poszła go szukać. Szklany pokój był jego ulubionym miejscem.

– Tak go nazywacie? Szklany pokój?

– Tak. – Znowu zmierzył ją podejrzliwym wzrokiem.

– Czy to było niezwykłe? Że pan Ferdinand nie zjawił się na czas?

– Raczej tak. Z Tonym nie pracowało się łatwo, ale był profesjonalistą.

– Pańska matka przyszła tu i zobaczyła go na balkonie? – Jakoś nie trzymało się to kupy. Kiedy się kogoś szuka, zwykle zagląda się tylko do środka. Skąd matka Alexa wiedziała, że Ferdinand siedzi w kuckach na balkonie?

– Tak – odparł Alex. – I wtedy rozpętało się piekło! – Choć deklarował zaszokowanie śmiercią profesora, zdaniem

Very Alex wydawał się nieporuszony tym faktem. Odgrywał tylko swoją rolę. Czego nie można było powiedzieć o jego matce. Vera wciąż słyszała w uszach krzyk Mirandy Barton, wciąż czuła jego echo rozchodzące się po ciele. Widok mężczyzny na balkonie – to twarde, zagniewane spojrzenie na jego twarzy, krew – oczywiście mógł szokować. Ale zdaniem Very w krzyku Mirandy słychać było coś więcej niż tylko zaszokowanie. To było coś bardziej osobistego. Jak przeszywający płacz matki, która straciła dziecko. Lub kobiety po utracie kochanka.

– Tuż pod tym pokojem jest salon – ciągnął Alex – więc wszyscy, którzy przyszli na herbatę, ją słyszeli. Pobiegli zobaczyć, co się stało. Nie chciałem żadnych cyrków, więc kazałem im zaczekać na dole. Matka łatwo się nakręca. Jeśli już, to byłem skrępowany. Myślałem, że się pokłóciła z Tonym i zrobiła scenę. Kiedy zobaczyłem Tony'ego, sprowadziłem matkę na dół i poprosiłem innego wykładowcę, Gilesa Rickarda, żeby ją zabrał do domku. Wróciłem do biura i wezwałem policję.

– I pogotowie – przypomniała Vera.

Po raz pierwszy Alex ponuro się uśmiechnął.

– Wiem, to głupie. Ale nigdy wcześniej nie widziałem trupa. Chyba chciałem, żeby ktoś kompetentny, jakiś medyk, potwierdził, że sobie tego nie zmyśliłem. Nie wiedziałem, co powinienem zrobić.

Rozległ się dzwonek przy drzwiach wejściowych.

– Pewnie miejscowa policja – mruknęła Vera. – Lepiej niech pan zejdzie i ich wpuści. Proszę powiedzieć, że tu jestem, i ich do mnie przyprowadzić. Zabezpieczą to miejsce, a ja w tym czasie rozpocznę dochodzenie.

Alex wstał i dziwnie na nią popatrzył.

– Jakie znowu dochodzenie?

– Jak to jakie? Tak zarabiam na życie, ścigam przestępców. – Schwytana w pułapkę w tym ciasnym kącie, z przyćmionym czerwonym światłem rzucającym dziwne cienie na białe ściany, Vera znowu poczuła się, jakby się znalazła w czyimś dziwacznym śnie. Koniecznie potrzebowała swojego sierżanta, Joego Ashwortha, i jego energii młodości oraz zdrowego rozsądku.

– Ale przecież mówiłem, gdy dzwoniłem! – Wydawało się, że Alex już zupełnie stracił cierpliwość do Very. – Wiemy, kto zabił Tony'ego Ferdinanda!

– Pana matka widziała mordercę?

– Nie! Ja widziałem. I już to mówiłem. Mówiłem pani kolegom. W drodze do szklanego pokoju, gdy matka wciąż krzyczała, wpadłem na korytarzu na kobietę. Niosła w ręku nóż!

– Cóż za zbieg okoliczności. – A niech to szlag, pomyślała Vera. Czyli powrót do nudnej roboty, patetycznych ćpunów i barowych bijatyk. A już myślała, że trafiła jej się interesująca sprawa. Potem przyszła jej do głowy następna myśl, jeszcze bardziej przygnębiająca. – Przypuszczam, że ten pański morderca maa jakieś nazwisko?

– To jedna z kursantek. Zamknęliśmy ją w sypialni. Nazywa się Joanna Tobin.

4

Pokój Joanny był mały. Pojedyncze łóżko pod ścianą i pod drugą biurko z lampą, i krzesło. Wąska szafa. Na podłodze leżał czerwony dywan, narzuta na łóżku i zasłony też były czerwone, tylko czerwień była głębsza. Jedne wewnętrzne drzwi prowadzące do maleńkiej łazienki z prysznicem. Pokój był tylko trochę wygodniejszy od celi w więzieniu Durham, gdzie najprawdopodobniej Joanna zostanie zamknięta, ale niewiele większy. Oczywiście, rozmyślała Vera, sąd może uznać, że Joanna jest wariatką, a wtedy zamiast do więzienia trafi do zamkniętego szpitala psychiatrycznego. Vera nie była przekonana, co byłoby gorsze. Gdyby miała wybór, to w podobnej sytuacji prawdopodobnie optowałaby za więzieniem. Też byłoby tam pełno psycholi, ale przynajmniej znałaby termin wyjścia. A w instytucjach takich jak Broadmoor człowiek był zależny od kaprysu zespołu psychiatrów oraz od polityków.

Przed zamkniętymi drzwiami pokoju stał jakiś mężczyzna. Był wysoki i postawny. Vera pomyślała, że kiedyś facet musiał być wysportowany, ale nieco sflaczał. Ubrany w tanie dżinsy i bluzę, stał w rozkroku i ręce trzymał na biodrach. Klasyczna poza bramkarza. Nie widać było tego z twarzy, ale Vera pomyślała, że facet dobrze się bawi. Głęboko w sercu morderstwo ekscytuje wszystkich, prawie tak bardzo jak ją. Uwielbiała ten dramatyzm, dreszczyk strachu, radość z tego, że sama wciąż żyje. Od zarania dziejów ludzie opowiadali historie o zabójstwach i o prowadzących do nich motywach, żeby wstrząsnąć słuchaczami i żeby ich zabawić. Oczywiście trochę inaczej to wygląda, jeśli jest się blisko z ofiarą. Lub z zabójcą. Vera jeszcze się nie zastanawiała, co powie Jackowi o tym, co się tu wydarzyło.

– Kim pan jest? – zapytała strażnika, zanim otworzyła drzwi pokoju.

– Lenny Thomas. – Ta krótka odpowiedź wystarczyła, żeby rozpoznała, iż mężczyzna pochodzi z Ashington lub z którejś innej wsi z kopalnianej południowo-wschodniej części hrabstwa, a nie z rolniczego Northumberland.

– Pracuje tu pan? Czy jest pan jednym z pisarzy? – Wyobrażała sobie, że facet robi w ośrodku za złotą rączkę lub że jest ogrodnikiem, ale spotykała już bardziej niechlujnych inteligentów.

– Jestem pisarzem. – Mężczyzna przybrał zdumioną minę, jakby nigdy wcześniej nie wypowiadał tych słów.

– Uczeń czy nauczyciel?

– Uczeń, ale profesor Ferdinand twierdził, że mam potencjał i mogę liczyć na to, że mnie wydadzą. Mówił, że może przyjmie mnie do swojej grupy na uczelni. Wyobraża sobie pani! Ja i magisterka z pisarstwa, a przecież nawet nie mam matury. Ale profesor mówił, że to nieważne. Że szepnie słówko komu trzeba. A jego słowo się liczy. Wszyscy to wiedzą. – Lenny krótko się roześmiał, ale bez niechęci. – Ale teraz już po ptakach, no nie? Od początku wiedziałem, że to zbyt dobre, żeby mogło się ziścić. Tacy jak ja nie mają takiego szczęścia. Ale fajnie było przez chwilę w to wierzyć, jakby naprawdę miało się zdarzyć.

– Jeśli on uważał, że jest pan dobry, inni pewnie też tak uznają – rzuciła Vera.

– Aye, możliwe. – I Vera zobaczyła, że Lenny'emu prawdopodobnie niewystarczająco mocno zależało na sukcesie lub nie jest wystarczająco pewny siebie, żeby promować swoje dzieło. Kiwnęła głową w stronę drzwi. – Jak ona się trzyma?

– Nie przejęła się – odparł Lenny. – Spokojna, jakby nic się nie stało. – I odsunął się, żeby wpuścić Verę do środka. – Może tam z panią wejść?

– Nie – mruknęła. – Dam sobie radę. Niech pan idzie napić się herbaty.

Widziała, że Lenny jest zawiedziony, ale odszedł bez słowa.

Joanna siedziała na parapecie i wyglądała przez okno na ogród. Było już ciemno, więc niczego tam nie mogła zobaczyć. Musiała słyszeć, że drzwi się otwierają, ale nie odwróciła głowy i wydawała się zagubiona we własnym świecie.

– No, dziewczyno, chyba wpakowałaś się w niezłe bagno.

Vera usiadła na brzegu łóżka. Mogła wybrać krzesło przy biurku, ale łóżko było wygodniejsze i stało bliżej Joanny.

Gdyby kobieta tylko trochę przekręciła głowę, Vera znalazłaby się w polu jej widzenia.

– Jedno pytanie – kontynuowała. – Kazałaś mu usiąść na balkonie, zanim go dźgnęłaś, czy zrobiłaś to w pokoju i dopiero potem wyciągnęłaś go na zewnątrz? Bo to się trochę nie trzyma kupy. Oczywiście dowiemy się, jak było, kiedy przyjedzie patolog, ale zaoszczędziłabyś nam sporo czasu, gdybyś wyjaśniła, jak on się tam znalazł. Nigdzie w pokoju nie zauważyłam krwi, więc domyślam się, że najpierw wyciągnęłaś go na balkon.

Joanna przekręciła się na parapecie, tak że jej wzrok padał na pokój. Wyglądała, jakby dopiero teraz zauważyła Verę. Jej poza – plecy oparte o szybę – była wręcz dostojna.

– Ja go nie zabiłam. – Tak jak mówił Lenny, Joanna była zupełnie spokojna.

– No proszę cię, kotku. Krążyłaś po korytarzu przed szklanym pokojem z nożem w ręce!

– To prawda – zgodziła się Joanna, mówiąc z wyniosłym południowym akcentem, który Verze skojarzył się z dziedziczką posiadłości otwierającą wiejski festyn. Lub z żoną gubernatora kolonii. – Niczym prawdziwa lady Makbet!

– Muszę zabrać twoje ubranie do ekspertyzy. – Vera uznała, że kobieta postradała zmysły i że lepiej zabrać jej ciuchy teraz, kiedy jeszcze chce współpracować.

– Byłam w tym pokoju – odezwała się Joanna. – Ale go nie zabiłam. Nawet go nie widziałam. Przypuszczam, że już był martwy. – Pomimo sprzeciwu ześliznęła się z parapetu i zaczęła rozbierać. Nigdy się nie wstydziła swojej nagości. Któregoś gorącego czerwcowego dnia Vera przyłapała ją, jak się kąpała nago w stawie niedaleko farmy. Roześmiała się, gdy zobaczyła zaskoczenie Very: „Też się wykąp. Woda jest cudowna!"

Wciąż miała opalone ciało od pracy w polu podczas lata. Była miękka i jędrna. Vera dostrzegła podomkę na haczyku na drzwiach łazienki i rzuciła ją Joannie. Pomyślała, że najlepiej będzie zacząć od początku.

– Przede wszystkim powiedz, skąd się tu wzięłaś?

Joanna założyła poły szlafroczka i przewiązała sznurkiem. Szlafrok był jedwabny i przypominał kimono. Joanna kupiła go za kilka pensów w sklepie z używaną odzieżą i przyniosła do domu, żeby z dumą pochwalić się nim przed Jackiem.

– Powinnaś ze mną rozmawiać bez adwokata? – To była Joanna w jej najbardziej władczym wydaniu; Vera była zaskoczona.

– Prawdopodobnie nie powinnam – przyznała. – Jeśli chcesz, możemy zaczekać, aż pojedziemy do komisariatu i tam porozmawiamy. Prawnicy, nagrywanie. Cała procedura. Może to i nawet lepiej. Jeszcze nie przedstawiłam ci twoich praw i kłopoty mogłabym mieć dopiero w sądzie.

Przez twarz Joanny przemknął jakiś cień.

– Przepraszam – mruknęła. – Zawsze robię się opryskliwa, kiedy się boję.

– Jack mówił, że przestałaś brać lekarstwa.

Wzmianka o Jacku nią wstrząsnęła i przez chwilę Vera myślała, że Joanna się rozpłacze.

– Przez kilka tygodni nie brałam, ale znowu biorę. Przekonałam się, że to nie był właściwy moment, żeby przestać. Może nigdy nie będzie. – Popatrzyła Verze w oczy i szeroko się uśmiechnęła. – Ale nic się nie martw. Nie jestem wariatką.

I Vera pomyślała, że to prawdopodobnie prawda. To była Joanna, którą znała: głośna i dziwaczna, ale względnie racjonalna. W takim razie, czy to ona zamordowała profesora literatury?

– Wyjaśnij mi, co tu robisz? – poprosiła powtórnie.

– Myślałam, że potrafię pisać. – Wydawało się, że Joanna usiłuje znaleźć odpowiednie słowa. – Albo przynajmniej, że mam coś do powiedzenia. Czytałam artykuł o Domu Pisarza w „Newcastle Journal". Ogłosili coś w rodzaju konkursu. Przesłałam mój kawałek. To było o Francji, o tym, jak tam żyłam. Takie tam szczegóły, które mi utkwiły w pamięci. Tak czy owak wygrałam i dostałam stypendium. Tygodniowe szkolenie. Wszystko za darmo.

– Dlaczego nie powiedziałaś Jackowi, że tu jedziesz? Nie miałby nic przeciwko. Byłby z ciebie dumny!

– On uważa, że nie powinnam się grzebać w przeszłości. – Joanna znowu na krótko odwróciła twarz do okna. Wszystko, co zobaczyła, to własne odbicie w szybie. – Traktuje to osobiście. Myśli, że powinien mi wystarczać.

– Bo ty wystarczasz jemu? – domyśliła się Vera.

– On mnie uwielbia – rzuciła Joanna. – Powinnam mu być za to wdzięczna. Jestem wdzięczna.

Vera pomyślała, że to nieco dziwna rozmowa, biorąc pod uwagę, że toczyła ją z kobietą oskarżoną o wpakowanie komuś noża w serce, ale przynajmniej Joanna wreszcie się otworzyła.

– Trudna sprawą z tą wdzięcznością – mruknęła. – Nie lubię być komuś wdzięczna. Wolę, jak ktoś jest mi winien przysługę, a nie odwrotnie.

– Tak. – Joanna znowu się uśmiechnęła. – Ja też tak wolę.

– A więc wygrana w konkursie to była okazja na wyrwanie się z domu na kilka dni? Na chwilę czasu dla siebie? Na odsapkę od farmy i Jacka?

Joanna pochyliła się, a długi warkocz zsunął się jej z ramienia.

– Nie chodziło tylko o to. Chciałam przyjrzeć się mojej przeszłości, zrozumieć ją. Chciałam poświęcić trochę czasu na spojrzenie świeżym okiem na moje pierwsze małżeństwo.

– Ech, kochanie, to mi bardziej przypomina terapię niż pisanie!

Joanna odchyliła głowę i wybuchnęła głośnym, dźwięcznym śmiechem, takim, jakim się śmiała na przyjęciach i obiadach na farmie. Ten śmiech zabrał Verę z tego dziwnego domu z jego stosami książek i papierów z powrotem do prawdziwego świata pastwisk, świeżo zaoranej ziemi i deszczu.

– Szkoda, że cię tu nie było – rzuciła Joanna. – Powinni cię wynająć, żebyś siedziała na warsztatach i nie pozwalała kursantom wypisywać pretensjonalnych bzdur.

– Jestem tu – zauważyła Vera, poważniejąc – bo zginął człowiek.

Przez chwilę siedziały, patrząc na siebie w milczeniu.

– Ja go nie zabiłam – rzekła w końcu Joanna. – Nie bardzo go lubiłam, ale go nie zabiłam.

Vera miała świadomość, że popełni wykroczenie, jeśli dalej będzie przesłuchiwała Joannę. W gruncie rzeczy już je popełniła, decydując się wejść do jej pokoju w pojedynkę. Głównym podejrzanym w sprawie była jej sąsiadka, można ją nawet było uznać za przyjaciółkę, więc istniała sprzeczność interesów. Była sam na sam z podejrzaną. Bez świadków, bez magnetofonu. Powinna natychmiast wezwać miejscowego funkcjonariusza policji, żeby odeskortował Joannę do oczekującego wozu i zawiózł ją do komisariatu. Tam dostałaby adwokata z urzędu i ktoś inny by ją przesłuchał. Ale Vera pozostała na miejscu i nic nie powiedziała. Była detektywem i najlepiej ze wszystkiego wychodziło jej słuchanie.

– Tony chciał się ze mną przespać – ciągnęła Joanna. – W pewnym sensie nawet mi to schlebiało i przez chwilę byłam skłonna dać się skusić. Był przystojny w ten porządny, nudny sposób, a mnie już tak dawno nikt nie składał podobnych propozycji. Oczywiście tak naprawdę to w ogóle nie wchodziło w rachubę.

– Dlaczego? – zdziwiła się Vera. Wyobrażała sobie, że hippisi w kwestii seksu nie mają skrupułów. Sprawy ciała traktują lekko i zresztą, czyż nie z tego właśnie słynęli?

Joanna rzuciła jej ostre spojrzenie.

– Bo mi się nie podobał – odparła takim tonem, jakby jej odpowiedź była oczywista. – Nie mój typ. Poza tym był dość przerażający.

– W jakim sensie przerażający? – Vera nie zamierzała zadawać następnych pytań. Wkrótce miał przyjechać Joe. Zadzwoniła do niego przed rozmową z Joanną. Kiedy Joe przyjedzie, poprowadzą przesłuchanie w bardziej ortodoksyjnej formie. Joe będzie mógł przejąć prowadzenie. Ale Vera chciała się dowiedzieć, co się wydarzyło, co doprowadziło do tej groteskowej zbrodni, i w tej chwili Joanna, podejrzana lub nie, była jej najlepszym źródłem informacji.

– Był zachłanny – odpowiedziała Joanna po chwili zastanowienia. – Nienawidzę zachłanności, ty nie? To taka wstrętna, małostkowa przywara. Jakby pieniądze miały jakiekolwiek znaczenie?

– Dla wielu osób mają – przypomniała Vera.

– Tylko dla tych, którzy nie posiadają w życiu nic prawdziwie wartościowego! – Znów ten wyniosły ton. – Ale nie powinnam źle o nim mówić, prawda? Nie zasługiwał na śmierć. Nikt nie zasługuje na śmierć przed czasem.

– Po co poszłaś do szklanego pokoju? – spytała Vera. – Jak rozumiem, wszyscy wiedzieli, że to jego ulubione miejsce. Jeśli go tak nie lubiłaś, co tam robiłaś?

– Poszłam, bo mnie o to poprosił. Oczywiście postąpiłam głupio. Ale mądrość nigdy nie była moją cnotą.

– Chyba musisz mi to wyjaśnić. – Vera znowu poczuła, że rozmowa się jej wymyka. Potrzebowała faktów. Czas zgonu. Przyczyna. Lista osób przebywających w domu. Czegoś, co by ją zakotwiczyło w rzeczywistości. Spojrzała na zegarek. Joe Ashworth potrafił jeździć jak sześćdziesięciolatek, jeśli go nie popędzała. I wcale by się nie zdziwiła, gdyby się okazało, że po drodze z Kimmerston zajrzał do żony i dzieciaków. Ale nawet gdyby, to i tak wkrótce powinien się zjawić. Miał tyle wyobraźni, co wesz; kiedy przyjedzie, przekaże mu opiekę nad Joanną. Kobieta – wariatka czy nie – będzie przy nim bezpieczna, Joe nie da jej się rozpraszać paplaniną o moralności.

– Wiedziałam, że chce mi się dorwać do majtek – rzekła Joanna. – Więc byłoby rozsądniej, gdybym się trzymała od niego z daleka. Ale to było ekscytujące. Musiałam tam pójść. Dostałam liścik, więc nic by mnie nie powstrzymało.

– Jaki liścik? – Vera nachyliła się do przodu. Łóżko było nawet miękkie, ale chętnie by się oparła, bo zesztywniała jej szyja. Miała ochotę się przeciągnąć, ale wtedy Joanna mogłaby pomyśleć, że jest znudzona.

– W recepcji są przegródki dla każdego. Trafiają tam wiadomości z zewnątrz albo od wykładowców z zadaniami. Dostałam liścik od Tony'ego. *Przyjdź po lunchu do szklanego pokoju. Poważny wydawca zainteresował się twoją książką.*

– Skąd wiedziałaś, że liścik był od Tony'ego? – zapytała Vera. – Mógł być od każdego. A Tony był wykładowcą akademickim, prawda? Nie wydawcą.

– Liścik był podpisany – wyjaśniła Joanna. Vera widziała, że z trudem zachowuje cierpliwość. – Nie całym nazwiskiem, tylko inicjałami. I wiedziałam, że Tony lubi siedzieć w szklanym pokoju. Zaszywał się tam prawie codziennie po lunchu, z kawą i brandy. Myślę, że lubił patrzeć na nas z góry. Mówię dosłownie. Z balkonu widać taras, palacze wychodzą tam na papierosa i żeby pogadać. Raz go przyłapałam na podsłuchiwaniu. – Joanna na chwilę umilkła. – Poza tym Tony był kimś więcej niż tylko profesorem uniwersyteckim. Miał wpływy, kontakty w branży.

– Co on by z tego miał? – zainteresowała się Vera. – Pytam o to, czy gdyby znalazł ci wydawcę, to miałby z tego jakąś działkę?

– Nie! – Joanna naprawdę się już niecierpliwiła, że Vera niczego nie rozumie. – Nie chodziło o pieniądze. Chodziło o władzę. Gdyby pomógł mi zdobyć popularność, na zawsze musiałabym pozostać mu wdzięczna, prawda? Byłoby tak, jakby mnie stworzył. To go właśnie kręciło. – Joanna zastanowiła się nad swoją wcześniejszą opinią o Ferdinandzie. – Był zachłanny na władzę, nie na pieniądze.

Vera nadal nie była przekonana, czy rozumie, dlatego postanowiła trzymać się faktów.

– I co było potem?

– Zapukałam do drzwi szklanego pokoju. Każdy może tam wchodzić, ale Tony traktował go jak swój własny. Nikt nie odpowiedział, więc weszłam. W środku nikogo nie było. Myślałam, że Tony tam jest. Na stoliku stały dwie filiżanki i szklanka. Fotele były ustawione inaczej niż zwykle. Pomyślałam, że może rozmawia z inną kursantką, która też dostała taki liścik jak ja. To wtedy spostrzegłam nóż.

– Gdzie był?

– Leżał na podłodze. Przy dużej donicy. Podniosłam go, żeby odnieść do kuchni. Jak dla mnie do tego służą noże: żeby kroić nimi mięso i obierać warzywa. Nie do zabijania ludzi.

– Nie wyszłaś na balkon?

– Najwyraźniej nie.

To możliwe, pomyślała Vera. Zwłok nie było widać z pokoju. Przynajmniej nie z miejsca, gdzie stał stolik.

– Nie słyszałaś krzyku? – Chciałaby wierzyć Joannie, ale jej opowieść nie miała sensu.

– Jakiego krzyku?

– Mirandy Barton. Darła się na całe gardło. Słyszałam ją nawet na zewnątrz. Musiałaś ją minąć w korytarzu.

– Nikogo tam nie widziałam – zapewniła Joanna. – Dopiero potem natknęłam się na Alexa. I nie słyszałam, żeby ktoś krzyczał. Ściany tutaj są bardzo grube. Niczego nie mogłabym usłyszeć, chyba że byłabym w salonie albo na dworze. – Joanna podniosła się i wysoka, i silna stanęła nad Verą.

Czy z nożem w ręce stała tak nad Ferdinandem? – Słyszałam tylko muzykę. Z odtwarzacza CD w którymś z pokojów, jak sądzę. Beatlesi. – Spojrzała w dół na Verę. – To się właśnie wydarzyło. Możesz mi wierzyć albo nie, jak wolisz.

5

Vera zadzwoniła, akurat gdy Joe wracał do domu. Wyszedł z pracy trochę wcześniej, bo miał urodziny i jego żona Sarah, wśród bliskich nazywana Sal, zaplanowała rodzinne przyjęcie. To miała być niespodzianka – dzieciaki uwielbiały niespodzianki – ale Joe wiedział, jak będzie. Na ścianie banner z życzeniami, balony i tort ze świeczkami i czekoladowymi kulkami. Dzieciaki szalejące od nadmiaru cukru po wylizywaniu miski po cieście i wkładaniu palców do lukru. Oczywiście uwielbiał te rodzinne przyjęcia, ale trudno było potem ułożyć dzieci do snu, poza tym miał własny pogląd na to, jak powinna wyglądać urodzinowa feta. Ostatnia rzecz, jakiej potrzebował, to Sal, najeżona i padająca z nóg ze zmęczenia.

Więc telefon od Very, odebrany na zestawie głośnomówiącym, wzbudził w nim mieszane uczucia.

– Widzę, że sprytnie się dzisiaj wymknąłeś. – Vera mówiła raczej z rozbawieniem niż naganą, chciała mu tylko dać do zrozumienia, że wie, co się dzieje, nawet podczas jej nieobecności. Zadzwoniła do komisariatu i tam jej powiedzieli, że już wyszedł.

– Aye, cóż, mam dzisiaj urodziny. – Zwolnił, żeby przepuścić motocyklistę w kasku i żółto-zielonym kombinezonie z lycry.

– A ja mam dla ciebie prezent urodzinowy, chłoptasiu. – I słuchał, jak opowiada o morderstwie, rozpoznając, że jest podekscytowana. Słyszał też w głowie głos żony: Ta kobieta to wampir – rozkoszuje się ludzkim nieszczęściem. Zjechał na pobocze, żeby zapisać szczegóły, kod pocztowy i współrzędne miejsca.

– Właśnie tam jadę – dodała Vera. – Więc postaraj się być jak najszybciej, dobrze, Joe?

Przez chwilę siedział w wozie i się zastanawiał. Czy powinien szybko wpaść do domu, żeby rodzina mogła się ukryć za kanapą, wyskoczyć i złożyć tatusiowi życzenia? Do domu miał tylko kilka mil, Vera się nie zorientuje. A może lepiej wysłać SMS z wyjaśnieniami? Ale SMS to tchórzliwe rozwiązanie, i jeśli by go wysłał, Sal będzie wściekła, kiedy wreszcie wróci, nawet, gdyby miałoby to być o jakiejś nieludzkiej godzinie nad ranem. Nie potrafił sobie wyobrazić życia bez Sal, uważał, że jest najlepszą z żon, ale Sal potrafiła się gniewać. Lepiej zmierzyć się z nią teraz. Uruchomił silnik i odjechał, myśląc, że przynajmniej ominie go koszmarna kąpiel i godzinne kładzenie dzieci do łóżek.

Pół godziny później znów był w drodze, obok na siedzeniu pasażera leżały dwa owinięte w folię kawałki czekoladowego tortu. Z jakiegoś powodu dzieciaki polubiły Verę i zawsze o niej pamiętały. Przesyłały dla niej prezenty i rysunki, które Joe rzadko przekazywał. Przypuszczał, że Vera go wykpi i wyrzuci prezenty do kosza. Ale na tort nie będzie kręciła nosem.

Jechał wolno wąską drogą, martwiąc się, że przeoczył zjazd. Po obu stronach rozciągał się las, pnie ogołoconych drzew zamigotały w blasku reflektorów, gdy zakręcił. Księżyca nie było. Jakiś cień przeciął drogę, Joe dostrzegł go kątem oka i ostro nadepnął na hamulec, auto wpadło w poślizg na leżących na drodze liściach. Jakoś zdołał odzyskać kontrolę nad samochodem, ale cały się trząsł. Pocieszył się, że nic się nie stało. To nie był człowiek. Może sarna. Bo na lisa to coś było za duże. Dobrze się składało, że był sam. Vera wyśmiałaby go, że tak spanikował. Co z tobą, chłoptasiu? Boisz się własnego cienia?

Minął wzgórze i dolina w dole nagle wypełniła się światłem. Wyminął land rovera Very zaparkowanego przed bramą farmy po lewej. W gruncie rzeczy nie było możliwe, żeby przegapił ośrodek; to był jedyny dom w promieniu wielu mil. Przy wjeździe na podwórko paliła się lampa. Po jednej stronie domu rozciągał się parking. Kiedy szedł do drzwi frontowych, zobaczył mikrobus z napisem na bocznych drzwiach „Dom Pisarza".

Przy drzwiach stała policjantka w mundurze. Musiała go rozpoznać, bo wpuściła do środka z uśmiechem.

– Inspektor Stanhope kazała od razu odesłać cię na górę. Czeka na ciebie.

– Którędy mam iść?

– Zaprowadzę pana. – Mężczyzna był ogromny, wzrostem i budową przypominał niedźwiedzia. – Lenny Thomas, jeden z kursantów. – Lenny wyciągnął rękę. – Ta duża kobieta to pana szafowa?

Przyganiał kocioł garnkowi, pomyślał Joe.

– Zgadza się.

– Napisałem powieść kryminalną – pochwalił się Lenny. Odszedł wolno i Joe ruszył za nim. – Ale raczej z perspektywy przestępcy niż glin. – Zatrzymał się nagle. – Pewnie mnie nie wpuści, żebym mógł popatrzeć na miejsce zbrodni. No wie pan, w celach badawczych.

– Nie ma szans.

– Aye, cóż. – Lenny nie wydawał się przejęty odmową. Joe odniósł wrażenie, że był do tego przyzwyczajony. – Ale nigdy nie zaszkodzi zapytać. Wie pan, co mówią: nieśmiałe dzieci nie dostają łakoci. – Zatrzymał się przed drzwiami. – Są w środku. – Potem zapytał z nadzieją: – Będę jeszcze do czegoś potrzebny?

Joe pomyślał, że Lenny jest jak te duże łagodne psy, które chodzą za człowiekiem krok w krok, licząc, że zostaną wyprowadzone na spacer.

– Nie, dzięki, kolego. – Zaczekał, aż Lenny zniknie w głębi korytarza, i dopiero wtedy zapukał, i wszedł.

Rozpoznał Joannę Tobin od razu. Nie lubił sąsiadów Very, uważał, że są nieudolni i nieodpowiedzialni, choć na przestrzeni lat zaczął doceniać pracę, jaką włożyli w małą farmę na wzgórzu, i obdarzył parę powściągliwym szacunkiem. Pomagali Verze, przez co trochę go odciążali. Ale teraz chyba po raz pierwszy patrzył na Joannę z uwagą, przyglądał się jej, jakby była modelem, a on miał ją namalować. Siedziała na tle niezasłoniętego okna w niebiesko-zielonym jedwabnym szlafroku. Jej ubrania leżały w przezroczystej plastikowej torbie na podłodze, błękit swetra był taki sam jak błękit na szlafroku. Miała gołe nogi i stopy, które były opalone. Na paznokciach widniały resztki lakieru: jaskrawy róż. Włosy związane w luźny warkocz, choć kilka pasm wysunęło się z niego i opadało na twarz. Joanna była nachmurzona i chyba nawet nie zauważyła, że wszedł.

– Znasz Joannę – rzuciła Vera. – Wygląda, że jest w to zamieszana, w ten lub inny sposób.

Kiwnął głową. Joanna spojrzała na niego i się uśmiechnęła.

– Musimy ją zabrać do komisariatu, żeby mogła złożyć formalne zeznania – ciągnęła Vera. – Przyznaje się, że podniosła nóż, ale twierdzi, że nie zabiła.

Joe nie miał nic do powiedzenia.

– Zajmij się tym, dobrze, Joe? Nie stój tak, tylko się rusz. – Vera traciła cierpliwość. – Wezwij dwóch funkcjonariuszy, żeby odwieźli Joannę, i poproś Holly, żeby ją przesłuchała. Charliego też uruchom. Ja zostanę z Joanną, poczekam, aż się doprowadzi do porządku. Masz chyba jakieś inne ubranie, które mogłabyś założyć, prawda, kotku?

Powiedz Holly, żeby po wszystkim odwiozła Joannę do domu.

– Nie aresztujecie mnie? – Joanna wolno odwróciła głowę ku Verze. Joe odniósł wrażenie, że była zawiedziona. Czyli jednak szurnięta? Jak ci dziwacy, którzy czasami zjawiali się w komisariacie i przyznawali do popełnienia zbrodni, o której usłyszeli w wiadomościach.

– Nie, pod warunkiem że nie zabiłaś tego człowieka – odwarknęła Vera. – W czym problem? Nie chcesz wracać do domu? Boisz się spotkania z Jackiem?

– Nie wiem, co mam mu powiedzieć.

– Powiesz cokolwiek, bylebyś go nie zraniła – odparła Vera. – Nie chcę, żeby znowu do mnie przylazł i wyglądał jak wychłostany kundel. – Potem odwróciła się do Joego i na niego też wylała swoją złość. – Wciąż tu jesteś? Załatw transport dla Joanny do komisariatu, potem powiedz reszcie gości i obsłudze, że chcę z nimi porozmawiać. Zbierz ich razem i zacznij spisywać nazwiska i adresy. I dowiedz się, gdzie jest sypialnia Ferdinanda. Zaklej drzwi taśmą i postaw przy nich policjanta. Zejdę na dół, jak tylko będę mogła.

Joe kiwnął głową i wyszedł. Był przyzwyczajony, że Vera na niego krzyczy. On też krzyczał na dzieci, kiedy miał zły dzień – taki sposób na popuszczenie pary. Bardziej się denerwował, kiedy Vera była dla niego miła.

Ruszył korytarzem, ale musiał źle skręcić, bo zamiast dojść do wąskich kamiennych schodów, którymi na górę przyprowadził go Lenny, znalazł się na szczycie eleganckiej klatki schodowej – same krzywizny i błyszczące drewniane balustrady.

Popatrzył w dół na hol wejściowy i widniejące w głębi podwójne drzwi, które niegdyś musiały być głównym wejściem do domu. Tuż przy nich stał umundurowany policjant. Rozległ się dźwięk gongu i Joe aż się wzdrygnął. Gong był głośny i dochodził z miejsca, którego nie mógł zobaczyć ze schodów. Wyglądało na to, że mimo morderstwa rezydenci nie zrezygnowali z kolacji. Sznureczek osób przemknął przez hol do pomieszczenia, które najwyraźniej służyło za jadalnię. Większość z gości niosła w ręku szklaneczki z drinkami. Gdzieś w pobliżu musiał być barek. Joe, schodząc ze schodów, widział gości w wyłożonym panelami pokoju o półokrągłym suficie. Na pokrytym białym obrusem długim stole leżały srebrne sztućce, w szkle odbijało się światło świec. Joe zauważył, że niektórzy z gości przebrali się do posiłku – panie założyły długie spódnice, kilku panów było w garniturach. Mimo to wydawało się, że odświętny strój nie był wymogiem. Lenny nadal miał na sobie dżinsy i bluzę. Goście odszukali swoje miejsca i zasiedli za stołem, zachowując pełne szacunku milczenie. Możliwe, że czekali, że ktoś zmówi modlitwę. Normalnie pewnie rozmawialiby o wydarzeniach dnia, domyślał się Joe. Dzisiaj jednak w powietrzu unosiła się aura wyczekiwania, jakby nikt nie wiedział, czego można się spodziewać.

Do szczytu stołu zbliżyła się postawna kobieta w średnim wieku. Była ubrana w szerokie czarne spodnie i truskawkową aksamitną marynarkę tak długą, że sięgała kolan. Rozjaśnione na blond długie włosy miała spięte na szczycie głowy w kok przytrzymywany grzebieniem ze skorupy żółwia. Na jej szyi wisiał sznur dużych czarnych korali w kształcie diamentów. Zdaniem Joego kobieta była bardzo blada. Czy to ta, o której mówiła Vera? Ta, która swoim krzykiem zaalarmowała resztę domowników o tragedii? Jeśli tak, to nie było już po niej widać oznak histerii i tylko bladość twarzy świadczyła o jej poruszeniu.

– Słyszeliście już o śmierci Tony'ego – zaczęła. – To straszna tragedia. Wielka strata dla literackiego życia naszego kraju, a także przykra okoliczność dla niezrównoważonej Joanny i jej bliskich. W domu jest policja, jednak obiecano nam, że funkcjonariusze będą się starali jak najmniej przeszkadzać. W końcu za wypadkami dzisiejszego popołudnia nie kryje się żadna tajemnica. Jestem przekonana, że Tony chciałby, żebyśmy kontynuowali warsztaty, i tak zrobimy, choć przyjaciołom Tony'ego na pewno będzie trudno skupić się na pracy w tym strasznym momencie. Niemniej jesteśmy mu winni podjęcie próby. – Kobieta nalała do kieliszka wino ze stojącej na stole butelki. – A teraz wypijmy toast – zaproponowała – za pamięć o profesorze Tonym Ferdinandzie.

Rezydenci wstali i podnieśli kieliszki. Zdaniem Joego scena wyglądała bardzo teatralnie. Jakby uczestnicy obiadu wiedzieli, że mają publiczność, że Joe przygląda się im ze schodów.

Zastanawiał się, co o tym oraz o założeniu, że mordercą jest Joanna, powie Vera.

6

Joe miał wrażenie, że wykrzyczane wściekłym głosem z pokoju Joanny polecenia Very ktoś już zaczął wprowadzać w czyn. Odszukał zatem pokój Ferdinanda, który, jak się okazało, miał taki sam rozkład jak pokój Joanny, tyle że był większy i elegantszy. Joe stanął w drzwiach i zajrzał do środka. Miał ochotę przeszukać szuflady i kieszenie, wiedział jednak, że ekipa techników wolałaby pierwsza obejrzeć pomieszczenie. Rezydenci Domu Pisarza byli zebrani w jednym miejscu. Joe postanowił dać im czas na zjedzeniu posiłku, potem zamierzał zebrać od wszystkich dane kontaktowe. A może Vera będzie już wtedy wolna. Uwielbiała znajdować się w centrum uwagi; będzie się czuła jak w Boże Narodzenie, kiedy wejdzie do wytwornej jadalni, żeby odegrać rolę strażnika prawa. On sam nie przepadał za publicznymi występami i nadal się denerwował, gdy musiał się odzywać na zebraniach zespołu, jeśli uczestniczył w nich ktoś z zewnątrz.

Zszedł na dół. Drzwi do jadalni były zamknięte. Zawołał do policjanta przy drzwiach:

– Pilnuj, co tam się dzieje, i daj mi znać, kiedy będą kończyli. Ja pewnie zaraz wrócę, ale tak na wszelki wypadek miej na nich oko. – Podał funkcjonariuszowi wizytówkę, żeby miał numer jego komórki.

Póki panował spokój, chciał się rozejrzeć. Ale ponieważ zapadł już zmrok i przez okna nic nie było widać, stracił wyczucie kierunku i rozkładu domu. Zakładał, że duże podwójne drzwi wychodziły na wschodnią stronę, na morze. Chodził po parterze, zaglądając do pokojów. Dom był duży, przypominał wiejski hotel, zbyt luksusowy jak na centrum szkoleń. Na podłodze leżała ciemna klepka, meble były solidne i wygodne. Pachniało kwiatami i pastą do woskowania. W jednym z pokojów krzesła stały w półokręgu, przodem do białej tablicy, na której wciąż widniała lista podkreślonych tematów: Scena zbrodni? Narzędzie zbrodni? Podejrzani? Dziwna parodia tablicy, na którą wkrótce będą patrzyli w centrum operacyjnym w komisariacie. Na pulpicie wykładowcy leżał stosik konspektów. Joe rzucił na nie okiem. Lista książek. W nagłówku widniała nazwa North Farm Press.

Dopiero teraz zauważył, że książki są wszędzie. Piętrzyły się na stolikach kawowych, na oparciach foteli. Jeden z pokojów wyglądał jak publiczna biblioteka w jego wsi. Książki leżały nawet w małym barku i w toaletach. Joe zastanawiał się, co by o tym powiedziała jego żona. Ostatnio przyłączyła się do grupy czytelniczej, ale jego zdaniem bardziej w tym chodziło o wieczór spędzony w towarzystwie przyjaciółek przy kieliszeczku pinot grigio i o wścibianie nosa do cudzych domów niż o poważne studiowanie literatury.

Otworzył drzwi prowadzące do dużej i dobrze wyposażonej kuchni. Mieszanka przemysłowego cateringu i tradycyjnej wiejskiej kuchni. Stara żeliwna kuchenka i obok nowoczesna ze stali nierdzewnej. Duży sosnowy stół z wyszorowanym do czysta blatem i błyszczące metalowe kontuary. Na jednym z nich na dwóch dużych tacach stały desery podane w wytwornych szklanych miseczkach, zakryte ściereczkami. Jakiś mus, pomyślał Joe, uniósłszy róg ściereczki. Cytrynowo-pomarańczowy z malinowym sosem. Poczuł się głodny i pożałował, że nie zatrzymał się po drodze, żeby zjeść swój kawałek tortu. Na starej kuchni w garnku coś się wolno gotowało. Potrawa pachniała wołowiną, winem, ziołami i czosnkiem.

W przeciwległej ścianie otworzyły się wahadłowe drzwi, wpuszczając do kuchni szmer rozmów z jadalni wraz ze szczupłym ciemnowłosym mężczyzną.

– Kim pan jest? – Mężczyzna zatrzymał się w pół kroku, wyraźnie zaskoczony obecnością intruza na swoim terytorium.

– Sierżant Ashworth. A pan?

– Alex Barton. Dyrektor, szef kuchni i pomywacz. Morderstwo jakoś nie stępiło ich apetytów. Chcą więcej gulaszu. – Sięgnął po parę rękawic i przeniósł garnek z kuchenki na stół. Miał rozpaloną twarz i Joe pomyślał, że coś pił. – W czymś mogę pomóc?

Dopilnuj, żeby tego gulaszu zostało choć trochę do końca wieczoru.

– Nie w tej chwili. Na razie próbuję się rozeznać w otoczeniu. Nie ma pan nic przeciwko?

Alex wzruszył ramionami.

– Jasne, że nie. Proszę się czuć jak u siebie.

– Musimy porozmawiać z gośćmi, gdy skończą posiłek. I oczywiście z panem również. Może pan dopilnować, żeby nikt nie opuścił ośrodka?

– Oczywiście. Może dołączy pan do nas przy kawie? To będzie za jakieś pół godziny.

Alex lekko machnął ręką w ironicznym geście, po czym podniósł garnek i zniknął z nim za wahadłowymi drzwiami. Ashworthowi mignął przed oczyma kuszący obrazek jadalni, w której światło świec rzucało cienie na twarze jedzących.

Opuścił kuchnię, trafiając do miejsca, w którym się znalazł, gdy pierwszy raz wchodził do domu: przy tylnym wejściu, prowadzącym na parking. Stała tam Vera z Joanną. Czekały na miejscowego policjanta, który miał podjechać pod drzwi służbowym wozem. Joanna była teraz ubrana w ciuchy, które Vera wyszukała w jej pokoju – dżinsy i zrobiony na drutach sweter – i wydawała się dziwnie spokojna i pasywna. Vera pomogła jej wsiąść do samochodu i poklepała po ramieniu. Przyglądali się, jak światła pojazdu znikają w oddali.

– I co pani o tym myśli? – zapytał Joe. – Zrobiła to?

– Nie widzę, żeby miała jakiś motyw. Twierdzi, że Ferdinand był rozpustnym starym kozłem. Ale w swoim czasie z kilkoma takimi miała już do czynienia i nie musiała się ich pozbywać, pakując im nóż w bebechy. – A zresztą, pomyślała Vera, czy ja ją aż tak dobrze znam?

Joe kiwnął głową w stronę jadalni.

– Mówili, że Joanna jest niezrównoważona.

– Ech, kotku, jak dla mnie oni wszyscy są trochę walnięci, a nie oskarżam ich o popełnienie morderstwa. – Vera na chwilę umilkła. – Billy Wainwright ogląda teraz miejsce zbrodni. Zanim podejmiemy decyzję, chodźmy posłuchać, co ma nam do powiedzenia, dobrze? Bo na razie i tak mamy za mało przesłanek, żeby postawić Joannie oskarżenia. Prokuratura by nas wyśmiała.

– Billy znajdzie ślady, że tam była. Zresztą sama się do tego przyznała. Jej odciski będą na całym nożu. – Joe zastanawiał się, jak taktownie powiedzieć Verze, że powinna się wycofać z tego śledztwa. – W większości przypadków to wystarcza.

Vera przystanęła i posłała mu złośliwe spojrzenie.

– Czyżbyś mi mówił, jak mam wykonywać moją robotę, sierżancie Ashworth? Sądzisz, że zrobiłbyś to lepiej? A może szukasz okazji, żeby moim kosztem wspiąć się kilka stopni wyżej?

– Uważam, że powinna pani sobie uświadomić, że podchodzi do sprawy osobiście. Może mieć pani zaburzoną ocenę sytuacji.

Wtedy twarz Very znalazła się tuż przed jego twarzą. Tak blisko, że widział tylko oczy – przekrwione i przepełnione furią.

– Każde zabójstwo, którym się zajmuję, traktuję osobiście, sierżancie Ashworth. Gdyby było inaczej, nie wypełniałabym mojej pracy jak należy.

Joe odsunął się i nic nie powiedział. Nie płacili mu aż tyle, żeby stawiał się Verze Stanhope, kiedy dostawała jednego ze swoich ataków wściekłości. Niech się tym zajmie ktoś z góry.

Dlatego zamiast się kłócić, znowu kiwnął głową w stronę jadalni.

– Jeszcze się nie zabrali do deseru, więc zdążymy porozmawiać z Billym. Kiedy skończą, zaproszono nas na kawę.

– Naprawdę? Jakież to uprzejme.

Kiedy dotarli do szklanego pokoju, kierownik zespołu techników, Billy Wainwright, stał na balkonie z Keatingiem, patologiem. Zapalono mocne reflektory, żeby zwłoki były dobrze oświetlone. Skóra była blada, krew sczerniała. Trudno było dopatrzeć się w umarłym tego przystojnego uwodziciela, którego opisywała Joanna. Vera wywołała Billy'ego na korytarz.

– Jak tam żona, Billy? – To był stały dowcip. A może już nawet rutynowe powitanie, a nie żart. Billy był seryjnym cudzołożnikiem i wydawało się, że jest dumny ze swojej reputacji. Zignorował pytanie. – Co tu się wydarzyło, Billy? – kontynuowała Vera. – Siedział na balkonie i czekał, aż ktoś go zasztyletuje? Czy został przeniesiony później? Dla mnie to jakieś szaleństwo.

– Czy to możliwe, że się tam ukrywał? – zapytał Billy. – Nie dałoby się go zobaczyć z pokoju pomimo tych wszystkich szyb.

– Tylko przed kim miałby się ukrywać? – To była Vera w jej najbardziej sceptycznym wydaniu. – Umówił się z Joanną. Przecież nie bawiłby się z nią jak dziecko w chowanego.

– Pan Keating uważa, że Ferdinand zginął tam, gdzie go znaleziono – rzekł Billy. – Ale pewność będzie miał dopiero po sekcji.

– A odkryliście coś, co już teraz uważacie za pewnik?

– Aye. Ten nóż, który został odebrany tej kobiecie i odesłany do analizy do Kimmerston…

– Co z nim? No, nie stój tak i się nie szczerz, tylko wypluj to z siebie, Billy.

– To nie on był narzędziem morderstwa. Szukamy noża podobnej długości i szerokości, ale ten, którym zabito, miał ząbki.

7

Vera triumfalnie wyszczerzyła się do Joego i odwróciła na pięcie. Kiedy spiesznym krokiem podążył w stronę mrocznego korytarza, znowu się do niego odwróciła i zawołała:

– Lepiej zorganizuj przeszukania pokojów rezydentów. Bóg wie, skąd dzisiaj znajdziemy do tego ludzi. Nasz błąd. Nie trzeba nam było zakładać, że zabójcą na pewno jest Joanna Tobin.

Powiedziała „nasz błąd", ale Joe odnosił wrażenie, że miała do niego pretensję, że bez cienia zawahania przyjął, iż to Joanna zabiła Tony'ego Ferdinanda. Tak szybko odeszła w stronę schodów, że musiał podbiec, żeby ją dogonić. Kiedy chciała, pomimo kiepskiej kondycji, Vera potrafiła chodzić naprawdę szybko.

– Dokąd idziemy? – zapytał. – I po co ten pośpiech. Rezydenci jeszcze nie skończyli kolacji.

– Szukamy noży, chłopcze. Albo raczej miejsca, w którym te noże wcześniej były. Szukamy braków. Braku noża, z którym Joanna Tobin spacerowała po korytarzu, a który teraz jest bezpiecznie wieziony do laboratorium. I tego drugiego, którym zabito Tony'ego Ferdinanda. Więc, jak ci się wydaje, dokąd możemy iść? – Zanim zdążył odpowiedzieć, już byli w kuchni.

Pomieszczenie wyglądało tak samo jak wtedy, gdy Joe wcześniej do niego zaglądał, chociaż zniknęły tace z deserami. Alex Barton nalewał kawę z ekspresu do filiżanek.

Powinienem był sprawdzić noże, kiedy tu byłem, pomyślał Joe. Było mu głupio, wiedział, że popełnił błąd, którego Vera nigdy by nie popełniła. Ale myślał, że zabójcą jest Joanna. Sądził, że to nie jest pilne.

– Jeśli chcecie przejść do jadalni – odezwał się Barton – za chwilę przyniosę tam kawę.

– Pachnie wspaniale, kotku – mruknęła Vera. – Ale nie przyszłam tu na kawę. Proszę mi pokazać, gdzie pan trzyma noże.

Alex odstawił dzbanek do ekspresu i przez chwilę stał nieruchomo, przyglądając się Verze. Joe nie potrafił wywnioskować, o czym myśli i czy w ogóle rozumie implikacje prośby. Wskazał na stojący na blacie roboczym blok na noże.

– Dostałem go od matki, kiedy skończyłem studia. Najlepsze noże na świecie. – Tak jak wcześniej, teraz też Alex mówił obojętnym tonem, nie można było stwierdzić, czy był zadowolony z prezentu, czy przeciwnie.

Vera podeszła do blatu.

– Wydaje się, że kilku brakuje.

– Oczywiście, że brakuje. – Teraz już Barton mówił ze zniecierpliwieniem. – Używałem ich do gotowania. – Kiwnął głową w stronę umywalki, pokazując na stos brudnych naczyń i sztućców.

– Wiem, że jest pan zajęty – zaczęła Vera. – Ale czy mógłby pan sprawdzić, czy są wszystkie. Zajmie to panu tylko chwilkę.

– Sądzi pani, że Joanna wykradła stąd nóż, żeby zabić nim Tony'ego?

– Na razie nic nie sądzę, panie Barton. Najpierw muszę poznać fakty. – Vera rozciągnęła usta w chłodnym uśmiechu. – Czy gościom wolno wchodzić do kuchni?

– Nie zachęcamy ich do tego – odparł Alex. – Ze względu na przepisy sanitarne. Ale kuchnia nie jest zamykana. – Chyba sam chciał o coś zapytać, ale zastanowił się i tylko kiwnął głową. – Zaniosę kawę, bo wystygnie, a potem sprawdzę.

Kiedy wrócił, zebrał noże z suszarki, każdy wytarł białą ściereczką i wsunął po kolei do otworów w drewnianym stojaku.

– Jednego brakuje – oznajmił.

Vera stała i patrzyła.

– Jest pan pewien?

– Oczywiście, że jestem. To narzędzia mojego zawodu. Używam ich codziennie. – Alex umilkł i zmarszczył czoło. – Mam nadzieję, że go odzyskam. Dokupienie takiego noża będzie sporo kosztowało.

Joe pomyślał, że Alex nie tyle martwi się kosztami, co wybrakowanym zestawem.

– Może nam pan opisać, jak wyglądał – poprosił, nachylając się nad blatem.

– Jak ten, tylko miał cieńsze ostrze. – Barton wyciągnął nóż o klinowatym kształcie.

– Nie miał ząbków?

– Nie! Nie miał. Jedyny nóż z ząbkami, jaki posiadam, to nóż do chleba. Tam jest. – Barton kiwnął głową w stronę deski do krojenia w rogu. Leżał na niej nóż z czarnym trzonkiem.

– Leżał tu całe popołudnie? – zapytała Vera.

– Tak! Używałem go, gdy szykowałem lunch, a po południu zrobiłem sobie kanapkę.

– Pan i pana matka byliście tutaj, piliście herbatę – rzuciła Vera. – Krótko przed tym, jak pana matka znalazła ciało profesora Ferdinanda.

– Skąd pani to wie? – Barton patrzył na Verę, jakby była czarownicą.

Vera uśmiechnęła się tajemniczo.

– Niezłomnie wierzę w tradycyjny sposób prowadzenia śledztwa – odparła. – To się zawsze opłaca. Nieprawdaż, sierżancie?

Ale Joe nie słuchał. Myślał o tym, że nóż, z którym przyłapano Joannę, prawdopodobnie pochodził z kuchni Domu Pisarza. Ale to nie on był narzędziem zbrodni. Tamtego noża wciąż nie odnaleziono.

Vera zatrzymała się na chwilę przed jadalnią, żeby się przygotować. Przyglądając się jej, Joe pomyślał, że wygląda jak aktorka, która się szykuje do odegrania głównej roli. Na moment przymknęła oczy, potem weszła do pokoju. Joe wszedł tam za nią. Zawsze w jej cieniu, pomyślał. Ale może tak właśnie wolę.

Vera przemierzyła długość stołu, jak wcześniej Miranda Barton. Joe zamknął drzwi i stanął do nich plecami. W sytuacjach takich jak ta Vera wołała, żeby nie rzucał się w oczy. „Jesteś moim wzrokiem i słuchem, Joe. Ja, prosta kobieta, nie potrafię jednocześnie mówić i obserwować". Więc przyglądał się reakcjom osób przy stole. Była ich dwunastka plus Miranda Barton, mniej, niż mu się wydawało, gdy rezydenci po gongu zdążali do jadalni. Czy ludzie o wielkim ego i wyjątkowych osobowościach zajmują więcej miejsca? Bo w jadalni nie było osób zwyczajnych. Mówiono głośno, gestykulacja wydawała się lekko przesadzona. Nawet Lenny, prosty robotnik z Ashington, zdawał się odgrywać karykaturę samego siebie.

Desery zostały zjedzone, szklane puchary przesunięto na bok, na stole walały się zmięte serwetki. Alex wrócił z kuchni z drugim dzbankiem kawy. Postawił go na stole, żeby stołownicy sami się obsłużyli. Vera czekała u szczytu stołu, aż wszyscy naleją sobie kawy. Zwlekała celowo. W końcu rozmowy ucichły i rezydenci skupili na niej uwagę.

– Panie i panowie, przykro mi, że jestem zmuszona zakłócić państwu posiłek.

Bez reakcji. Publiczność nie wyłapała sarkazmu. Być może kolacja była dla nich równie ważna jak fakt, że piętro wyżej leżał trup z poderżniętym gardłem. Nawet Miranda Barton, która narobiła tyle hałasu, gdy znalazła ciało, zdołała zjeść cały pudding i teraz sięgnęła po czekoladkę podawaną do kawy.

Vera kontynuowała:

– Jestem przekonana, że zdajecie sobie państwo sprawę, iż nasze śledztwo zakłóci nieco przebieg zajęć. Będziemy musieli odebrać od wszystkich zeznania i chcielibyśmy zacząć już dzisiaj, póki macie świeże wspomnienia. – Rozejrzała się dokoła i uśmiechnęła lodowato uśmiechem, który podwładnych przerażał bardziej niż jej gniew. – Macie państwo jakieś pytania?

Ashworth zauważył, że zebrani pisarze niedoceniali Very. Pogardzali nią za jej źle dopasowane ubranie i źle obcięte włosy. Świadczyła o tym ich postawa – siedzieli niedbale rozparci lub opierali się łokciami na stole. Nie widzieli w Verze zagrożenia, z pewnością nie w jej uśmiechu.

– Co z Joanną? – Pytanie zadała kobieta o krótkich ciemnych włosach, umalowana jaskrawoczerwoną szminką. Joe nie potrafił określić jej wieku. Jej foremna twarz tego nie zdradzała. Kobieta mogła być po trzydziestce.

– A pani się nazywa...? – rzuciła Vera. Jej uśmiech na chwilę znikł, jednak zaraz powrócił. Ashworth tylko czekał, że doda „kotku". To była taktyka, Vera odgrywała dobrotliwą ciotunię. Przejętą, ale też lekko nierozgarniętą. I odrobinę protekcjonalną.

– Nina Backworth. Jestem jednym z nauczycieli. Specjalizuję się w prozie kobiecej i krótkich formach literackich.

– Więc jest pani koleżanką profesora Ferdinanda?

– Nie! – Kobieta zdawała się przerażona pomysłem. – Krótko mnie nadzorował podczas studiów doktoranckich, ale teraz pracuję w Newcastle. Jestem pewna, że wiecie, iż Tony stworzył na uniwersytecie St Ursula w Londynie seminarium z pisarstwa. Zajęcia zyskały międzynarodową sławę, a każdy przyjęty student może liczyć na ułatwienia w znalezieniu wydawcy.

A jak było w twoim wypadku? Znalazłaś wydawcę po zajęciach u Ferdinanda? Ale Vera zachowała to pytanie dla siebie.

– Ma jakieś zadatki? Mówię o Joannie Tobin? Oczywiście, jako pisarka?

– Myślę, że pokazała, że ma duży potencjał. – Nina na moment umilkła. – Myślę, że nie zaatakowałaby Tony'ego, gdyby nie miała poważnego powodu. Mam nadzieję, że potraktujecie ją z wyrozumiałością.

– Chce pani powiedzieć, pani Backworth, że profesor Ferdinand zasługiwał na śmierć?

W pokoju nagle pojawiło się napięcie, elektryzująca energia podekscytowania. Publiczność nastawiła uszu. Nina Backworth niepewne popatrzyła na Verę.

– Oczywiście, że nie. Nikt nie zasługuje na taką śmierć. Chciałam tylko zwrócić pani uwagę, że w tym, co się dzisiaj wydarzyło, rolę mogła odgrywać kwestia obrony własnej.

Vera popatrzyła na kobietę.

– Ale wierzy pani, że to Joanna Tobin zabiła profesora?

– Oczywiście! – Potem, nie doczekawszy się reakcji ze strony Very, kobieta dodała już z mniejszym przekonaniem: – Tak nam powiedziano, więc tak założyłam.

Joe przyglądał się Verze i zauważył, że wstrzymała oddech. Czasami, gdy była zła, potrafiła coś palnąć bez zastanowienia. A on doskonale wiedział, że założenie, iż to Joanna jest zabójczynią, okropnie ją złościło. Żeby tylko nie wspomniała o nożach, modlił się w duchu. Żeby nie ujawniła więcej niż potrzeba.

Vera spojrzała na niego przez długość stołu i skrzywiła się, co mogło oznaczać mrugnięcie. Jakby wiedziała, o czym myśli, i mówiła: Trochę więcej wiary, chłoptasiu!

– Joanna Tobin pomaga nam w zbieraniu informacji – oznajmiła ostro i wyzywająco. – Nie zostały jej postawione oficjalne zarzuty, więc dochodzenie będzie kontynuowane. – Upiła łyk z filiżanki przed sobą, mimo że kawa musiała już być zimna. Vera miała świetne wyczucie czasu, wiedziała, jakie znaczące są pauzy. – Jak zrozumiałam, kurs miał potrwać jeszcze dwa dni. Nie widzę powodu, żeby to zmieniać. Moi koledzy i ja będziemy musieli porozmawiać z każdym z państwa z osobna i przesłuchania rozpoczniemy już dzisiaj. W ośrodku pozostawimy na noc funkcjonariusza do ochrony i żeby nie wpuszczał tutaj prasy. – Znowu zamilkła i powiodła wzrokiem po siedzących przy stole osobach. – A także, żeby nikt nie uciekł. – Rozejrzała się po pokoju. – Zakładam, że wszyscy uczestnicy kursu wciąż tu są.

– Rano był tu wizytujący wykładowca – poinformowała Miranda Barton. – Chrissie Kerr. Właścicielka North Farm, małego wydawnictwa literackiego z naszego hrabstwa.

– Kiedy wyjechała?

Pytanie było skierowane do wszystkich, ale znowu odpowiedziała Miranda.

– Po lunchu. Widziałam, jak odjeżdżała. Ale Tony jeszcze wtedy żył, więc nie sądzę, żeby pani Kerr była dla was wartościowym świadkiem.

– Bardzo przepraszam! – To znowu była Nina Backworth, która ledwie nad sobą panując, poderwała się od stołu. Joe pomyślał, że byłaby dobrym adwokatem. – Chce pani powiedzieć, że zatrzymuje nas pani tutaj niczym więźniów, żeby mogła pani prowadzić dochodzenie?

– Ależ skąd, panno Backworth. – Vera zachichotała. – Tak sobie tylko zażartowałam. Oczywiście możecie państwo wyjechać, prosiłabym tylko, żebyście wcześniej powiadomili o tym zamiarze funkcjonariusza, który tu zostanie. W końcu jesteście państwo świadkami w sprawie o morderstwo.

8

W salonie znajdował się duży kominek, w którym na ozdobnym żeliwnym ruszcie płonęły polana. Zdaniem Very całe ciepło uciekało kominem, a ogień rozpalono tylko na pokaz. Typowe dla tego miejsca. Show i żadnej treści. Zupełnie jak ci ludzie, którzy wychodzili z siebie, żeby uwierzyła, że są wyrafinowani, inteligentni i całkowicie bez winy w kwestii śmierci Tony'ego Ferdinanda.

Wraz z Joem odebrała od każdego dane adresowe, próbując odtworzyć wydarzenia od chwili podania kawy po lunchu do momentu, gdy Ferdinanda widziano żywego po raz ostatni. Vera wątpiła, żeby Keating podał im dokładniejszy czas niż ten w przedziale od momentu, gdy ofiara opuściła jadalnię, do chwili znalezienia ciała. Niektórych rezydentów Domu Pisarza można było od razu wykluczyć. W tym okresie, nie licząc kilku minut, przez cały czas przebywali w czyimś towarzystwie. Vera zastanawiała się, co Joe sądzi o tych krzykliwych, pretensjonalnych ludziach, którzy jej kojarzyli się z zamkniętymi w luksusowej ptaszarni egzotycznymi jaskrawo upierzonymi ptakami, wydającymi irytujące skrzeczące odgłosy. Joe, gdy rozpoczynał pracę, czuł się onieśmielony w obecności wygadanych osób z klasy średniej. Ale teraz wydawał się pewniejszy siebie. Przynajmniej to musiała mu oddać.

Na piętrze funkcjonariusze przeszukiwali sypialnie. Ale nie sypialnię Ferdinanda. Vera sama zamierzała to zrobić, kiedy już technicy zakończą tam swoje działania. Bóg jeden wie, jakim cudem Joemu udało się tak szybko ściągnąć ekipę. Obiecał im godziny nadliczbowe, za które będzie musiała zapłacić ze swojego budżetu? Żaden z rezydentów nie wyraził obiekcji w kwestii przeszukania, ale z drugiej strony Vera nie spodziewała się, że policjanci znajdą w którymś z pokojów nóż lub zakrwawione części garderoby. Zmarnowali wiele godzin przez założenie, że zabójcą jest Joanna. Wszelkie obciążające dowody zostały już na pewno usunięte. Przy domu rozciągał się akr ogrodu i gęste zarośla. Ale teraz było ciemno i z przeszukiwaniami na zewnątrz musieli zaczekać do rana.

Kiedy rekonstrukcja wydarzeń została zakończona, Vera spojrzała na zegar. Minęła jedenasta. Nieodpowiednia pora na rozpoczynanie indywidualnych przesłuchań; Nina Backworth znowu by się poderwała, oponując, że to dręczenie świadków. Zresztą Vera potrzebowała się jeszcze skontaktować z Holly i Charliem, poza tym uważała, że dobrze jej zrobi, jeśli złapie kilka godzin snu. Wstała i przeciągając się, przechwyciła spojrzenie Joego.

– Dziękuję za współpracę, panie i panowie. Na dzisiaj to już wszystko, ale bez wątpienia zobaczymy się ponownie jutro.

Na zewnątrz przed domem stał karawan, żeby zabrać zwłoki Ferdinanda do kostnicy. W Verę uderzył silny podmuch zimnego wiatru, sprawiając, że nagle się rozbudziła i ożyła. Na tym etapie czuła, że mogłaby pracować całą noc i jeszcze prawie cały następny dzień.

– Czy wiemy, kiedy Keating zrobi sekcję?

– Dopiero rano. Chyba koło dziesiątej. – Joe Ashworth w przeciwieństwie do niej wyglądał na zmordowanego. Był od niej prawie połowę młodszy, ale nie dorównywał jej zasobami energii. Nie bądź taka zarozumiała, droga Vero. To tylko sprawa genów. W wieku siedemdziesięciu lat Hector wciąż wdrapywał się na drzewa, żeby wykradać ptasie gniazda.

– W takim razie odprawę zrobimy o ósmej trzydzieści – zadecydowała. – Wrócimy tu po sekcji zwłok. Kanalie będą miały wolny poranek, przez co uśpimy ich czujność. – Vera wyszczerzyła się do Joego. – Zabieraj się do domu, człowieku. Masz urodziny. Twoja dziewczyna na pewno czeka na ciebie w skąpych majteczkach z falbankami i w ażurowych pończoszkach. Widzimy się rano.

Po powrocie do ośrodka stwierdziła, że z pozoru panuje tam spokój. W pokoju Ferdinanda natknęła się na Billy'ego Wainwrighta; założyła papierowy kombinezon i buty, które jej rzucił, i dołączyła do niego.

– Nie widzę żadnych śladów walki albo żeby ktoś tu czegoś szukał – oznajmił Billy. – Właśnie się zbierałem do wyjścia.

– Zaczekaj kilka minut, dobrze, Billy, chcę tylko szybko rzucić okiem na rzeczy faceta.

Billy wzruszył ramionami na znak, że nie jest szczęśliwy, ale nie zamierzał się awanturować. W pokoju czuć było papierosami pomimo tabliczki na drzwiach mówiącej o zakazie palenia. Oprócz tego w powietrzu roznosiła się woń wyszukanej wody kolońskiej. Ubrania w szafie, zdaniem Very, również wyglądały na kosztowne – koszule z grubej bawełny i kaszmirowe swetry. Vera zerknęła na metki i rozpoznała nazwiska niektórych projektantów. Nie sądziła, że uniwersyteccy wykładowcy są tak dobrze wynagradzani.

Na biurku pod oknem leżał czarny notes i pamiętnik. Znowu odwróciła się do Wainwrighta.

– Już z nimi skończyłeś? Mogę je zabrać?

Kiwnął głową. Vera dopiero teraz zauważyła, że pada z nóg, ledwie mógł mówić. Możliwe, że wreszcie zaczął mu się dawać we znaki wysiłek, jaki wkładał w okłamywanie żony i dotrzymywanie tempa swoim kościstym młodym kochankom.

Poprosiła Wainwrighta, żeby ją podwiózł do land rovera. Lampka w środku nigdy nie działała, ale w schowku miała latarkę. Zaświeciła ją i wystukała numer w telefonie. Charlie nie odebrał, czego się spodziewała. Z Charliego był leniwy łajdak, ale w niektórych rzeczach – na przykład drobiazgowym szperaniu w życiorysach podejrzanych – nie miał sobie równych. Teraz najprawdopodobniej już spał. Albo wyłączył telefon i siedział w swoim ulubionym pubie.

Za to Holly odebrała, co też było do przewidzenia. Holly była młoda i ogromnie ambitna. Dobry detektyw, ale nie aż tak, jak jej się wydawało. Czasami Vera brała na siebie odpowiedzialność, żeby przypominać o tym fakcie swojej podwładnej.

– Jak się udała pogawędka z Joanną? – Nie musiała się przedstawiać. Holly wiedziała, kto może do niej dzwonić o tak późnej porze.

– W porządku. Joanna Tobin trzymała się wersji, którą pani przekazała. Była bardzo spokojna i skrupulatna. Jakby nie raz składała zeznania na policji. Tony Ferdinand zostawił jej wiadomość, żeby się z nim spotkała, więc poszła do szklanego pokoju. Ale na balkon nie wychodziła; uznała, że Ferdinand musiał zmienić zdanie i nie pojawił się na spotkaniu. Zauważyła nóż na stole i postanowiła odnieść go do kuchni.

– Jeśli to ona zabiła – wtrąciła Vera – co mogła zrobić z narzędziem zbrodni?

– Może wyrzuciła przez balkon?

– To możliwe. – Vera pozwoliła sobie na lekki ton podziwu w głosie. – Tyle że Billy Wainwright był pod balkonem z latarką. Niczego nie znalazł. Coś jeszcze utkwiło ci w głowie z przesłuchania?

– Niewiele. Joanna twierdziła, że nie przepadała za Ferdinandem, ale nie miała powodu go zabijać.

– Nikt za nim specjalnie nie przepadał – oznajmiła Vera z zastanowieniem. – Przynajmniej takie sprawiają wrażenie. – Na chwilę umilkła. – Myślisz, że Joannę ktoś wrabia?

– Ma pani na myśli, że to morderca zostawił wiadomość, a nie Ferdinand? – Holly nie ukrywała sceptycyzmu w głosie. Vera pomyślała, że dziewczyna musi się jeszcze nauczyć właściwych manier podczas rozmowy z przełożonymi. Nie zaszkodziłoby trochę więcej szacunku. – W takim razie po co zostawiałby nóż, który nie był narzędziem zbrodni? Musiał sobie zdawać sprawę, że szybko się zorientujemy, że to nie Joanna jest zabójcą.

– Chyba że to jakiś skończony ignorant. – Vera zabawiała się w adwokata diabła. W rzeczywistości nie wiedziała, co ma o tym wszystkim myśleć. Poza tym, że ktoś sobie z nimi pogrywał.

– A gdzie tam! – rzuciła Holly. „Pani inspektor" dodała w ostatnim momencie. Znów ten brak szacunku. – Przecież wszyscy uczestniczyli w warsztatach o pisaniu kryminałów. Muszą znać przynajmniej podstawy pracy techników kryminalistycznych, jeśli piszą o takich rzeczach.

Tym razem Vera była zmuszona ogłosić przegraną.

– Aye. Możliwe. – Wyglądało, że w domu w dolinie literaci kładli się spać. Ktoś pogasił światła na parterze. – Joanna dotarła bezpiecznie do domu?

– Tak, sama ją odwiozłam. Miałam prawie po drodze.

– Jack był w domu? – Vera wyobrażała sobie, jak mu ulżyło, kiedy otworzył drzwi i w progu zobaczył Joannę. Pewnie starał się nad sobą panować, bo Joanna nie lubiła łez i uścisków.

– Ktoś nam otworzył. Założyłam, że to on. Ale nie wchodziłam, tylko pojechałam.

– W takim razie zobaczymy się rano. Odprawa o wpół do dziewiątej. Zostawiłam wiadomość Charliemu na sekretarce.

Vera przerwała rozmowę i przez chwilę siedziała w milczeniu. Żeby oczyścić umysł, spuściła szybę i wydało jej się, że słyszy szum fal obijających się o wybrzeże na końcu doliny. Uruchomiła silnik, podjechała pod ośrodek, żeby zawrócić, i odjechała do domu. Po dotarciu do głównej szosy prowadzącej w głąb lądu, odczuła nagłą ulgę. Czuła się tak, jakby udało jej się zbiec z więzienia.

Gdy dojechała na miejsce, farma tonęła w ciemności. Wysiadła z land rovera na podwórku, prawie przekonana, że Jack czai się w szopie i zaraz wyskoczy, żeby zasypać ją pytaniami lub podziękowaniami, ale nic takiego się nie wydarzyło. W domu na stole w kuchni stały trzy duże butelki domowej roboty wina i miska z połową tuzina zapaskudzonych jajek. Obok kartka z pismem Joanny. „Dzięki". Vera była ciekawa, czy Joe Ashworth uznałby to za przekupstwo i korupcję. Potem pomyślała, że lepiej zrobi, jeśli odbierze od sąsiadów przeklęty klucz. Nie uśmiechało jej się, żeby po jej domu, kiedy im się zachce, szwendali się jacyś hippisi.

Leżąc w łóżku, zajrzała do dziennika Ferdinanda. Technicy zdjęli z niego odciski, ale jedyne, jakie na nim znaleźli, należały do zmarłego. Nie było w nim żadnych przemyśleń, tylko spis umówionych spotkań. W tygodniu poprzedzającym wyjazd do Northumberland nagrywał odcinek do *Culture Show* dla telewizji i pojawił się na żywo w *Front Row*, audycji w Radiu 4. Vera czasami słuchała tej audycji przy kolacji i teraz zastanawiała się, czy kiedyś słyszała Ferdinanda – był jednym z tych zachwyconych sobą durni, którzy krytykują każdego nieszczęsnego idiotę, co się poważył przelać myśli na papier. O ile wiedziała, sam Ferdinand nigdy niczego swojego nie wydał. Po przyjeździe do Domu Pisarza w harmonogramie zajęć zapisał: seminarium 1, seminarium 2. Żadnych nazwisk. I na ten dzień: 17:00 wykład. Szczegóły/Przyziemne sprawy branży. Potem pojedynczy inicjał i znak zapytania: J? A więc spodziewał się spotkania z Joanną. Urywki informacji tylko rozbudzały apetyt.

Następnego dnia Vera wyszła z domu wcześnie, ale po Jacku i Joannie wciąż nie było śladu. Holly już siedziała w centrum operacyjnym; drukowała informacje na temat Domu Pisarza, jakie znalazła w Internecie. Odpowiednik, pomyślała Vera, nadgorliwej uczennicy ostrzącej ołówki dla nauczycielki. Potem: Mój Boże, po tym widać, jaka jestem stara. Już dawno minęły czasy, kiedy w szkole pisało się ołówkami. Reszta pojawiła się później; Charlie ostatni, jak zwykle. Holly rozdała notatki.

Vera stanęła na froncie sali i dokonała wprowadzenia.

– Naszą ofiarą jest Tony Ferdinand, profesor, krytyk i gwiazda medialna. Więc możemy się spodziewać dużego zainteresowania ze strony prasy. W Northumberland pojawił się w roli wizytującego wykładowcy w Domu Pisarza. To nadmorski ośrodek, do którego zjeżdżają pisarze o wysokich aspiracjach, poszukujący inspiracji. W ośrodku odbywają się warsztaty z każdego gatunku literatury, ale w tym tygodniu przerabiano kryminał. Czy to istotne? Wydaje się niejakim zbiegiem okoliczności, że kursanci spędzili trzy dni na planowaniu morderstwa doskonałego, a potem w bardzo teatralny sposób ginie jeden z wykładowców. Czy ktoś z rezydentów gra z nami w jakąś grę? Przeglądałam dziennik Ferdinanda. Zanotował, że ma spotkania z kursantami, ale nie zapisał żadnych nazwisk. Wczoraj miał się chyba spotkać z kimś o nazwisku lub imieniu zaczynającym się na „J", ale wszystko to jest bardzo niejasne. Musimy pamiętać, że Joanna Tobin może kłamać lub że ktoś ją próbuje wrobić w zabójstwo.

Vera na chwilę umilkła, żeby sprawdzić, czy wszyscy słuchają.

– Oprócz tego jest ta sprawa z nożem. Znowu jakaś gra? Czy może zabójca nie zna się na medycynie sądowej i nie wie, że potrafimy ustalić, jakie ostrze miał nóż, którym dokonano morderstwa. Myślał, że fakt, iż wciągnie Joannę na scenę, wystarczy, żebyśmy ją oskarżyli? Jak dla mnie, to też jest bardzo teatralna zagrywka. W każdym razie narzędzie zbrodni wciąż gdzieś tam leży. Zorganizowałam ekipę do przeszukania terenu. Powinni już być na miejscu.

– Holly, usiądź przy telefonie i sprawdź Ferdinanda, dobrze? Pogadaj z ludźmi z St Ursula w Londynie, z dziennikarzami, wydawcami i z kim jeszcze tam mógł pracować. Pytaj o to, co zawsze. Czy miał wrogów? Jakieś ostatnie skandale albo problemy? Otrzymasz listę gości Domu Pisarza, więc zwróć uwagę, czy nie wypłynie czyjeś nazwisko. – Vera pomyślała, że Holly z jej wyniosłym południowym stylem mówienia świetnie się porozumie z londyńską inteligencją. Z jej długimi nogami i eleganckimi garsonkami mogłaby z łatwością udawać nadętą dziennikarkę. – I zamień słówko z kobietą, która się nazywa Chrissie Kerr. Prowadzi małe wydawnictwo, które ma siedzibę niedaleko stąd. Właścicielka Domu Pisarza mówiła, że Kerr wyjechała z ośrodka, zanim Ferdinand zginął, ale możliwe, że zwróciła uwagę na jakieś napięcia lub problemy, poza tym kobieta zna tło działania ośrodka.

– Charlie, chcę, żebyś pogrzebał w życiorysie Joanny Tobin. Jest moją sąsiadką i muszę utrzymać pewien dystans, więc to będzie twoje zadanie. O wszystkim, czego się dowiesz, powiadom mnie i Joego. Wygląda na to, że ktoś ją wrabia. A może to ona się z nami zabawia? Wiemy, że w jej historii miała miejsce choroba psychiczna, a także, według tego, co twierdzi jej partner, przynajmniej jedna poważna próba samobójcza. Jej rodzina pochodzi z Bristolu lub z okolic West Country i chyba Tobin przez jakiś czas mieszkała we Francji. Sprawdź, czy była karana za granicą. – Vera zatrzymała się, żeby nabrać powietrza i spojrzała przez pokój na sierżanta. – Joe, byłeś tam wczoraj. Coś przeoczyłam?

Siedział z tyłu, z długopisem w ręce, Vera nie była nawet pewna, czy słuchał. Może zapiski w jego notesie, to tylko bazgroły? Z odległości trudno było stwierdzić. Może rozpamiętywał rozkosze poprzedniej nocy, jego specjalny urodzinowy prezent. Ale odpowiedział natychmiast.

– Właściciele ośrodka. Matka i syn. Matka jest profesjonalną pisarką i podobno przyjaźniła się ze zmarłym. – Zerknął na Verę, żeby sprawdzić, czy to prawidłowa informacja. Vera kiwnęła głową. – Reakcja tej kobiety na morderstwo wydaje mi się dziwna. To ona znalazła ciało i wydarła się na cały dom, ale później przy kolacji wyglądała na całkowicie spokojną. Na pewno zjadła wszystko, co miała na talerzu.

– Nie widzę nic złego w tym, że kobiecie w średnim wieku dopisuje apetyt nawet w sytuacjach kryzysowych – wtrąciła Vera i została nagrodzona śmiechem.

– Z notatek Holly wynika, że ośrodek otrzymuje jakąś pomoc finansową z Arts Council – zauważył Joe. – Może warto sprawdzić, jak wyglądają finanse ośrodka. Czy był jakiś przekręt, a Ferdinand go odkrył, co mogło posłużyć za motyw. Nie wiem, jak to działa, ale to możliwe, że Ferdinand mógł podejrzewać, że dzieje się tam coś nie tak. A był sporym mężczyzną. Nie stałby spokojnie i nie pozwoliłby się tak zasztyletować. Może matka i syn razem go zabili. Albo jedno z nich stało na straży.

– Dobry tok myślenia. – Czasami, myślała Vera, Joe Ashworth przynosił jej zaszczyt. Może od czasu do czasu powinna mu to mówić.

Paul Keating, patolog, pochodził z Ulsteru. Prostolinijny i trochę zgorzkniały, miał nos zawodnika rugby i liczną rodzinę. Sekcje zwłok przeprowadzał z szacunkiem, ale się przy tym trochę certolił. Wśród kolegów Very, nawet tych bardzo doświadczonych, byli tacy, którzy nienawidzili uczestniczyć w sekcji zwłok, ale Vera nigdy tego nie rozumiała. Ona bała się ludzi, kiedy żyli i byli niebezpieczni. Zmarli przynajmniej nie mogli nikogo skrzywdzić.

– Skąd tyle krwi?

– Serce nadal ją pompowało, więc wyciekała z rany.

– Zginął na balkonie?

To dręczyło Verę od samego początku. W szklanym pokoju nie było śladów walki. Pokój wyglądał jak las tropikalny, było tam mnóstwo roślin, ale żadna donica nie była przewrócona. I choć Joanna twierdziła, że meble stały inaczej niż zwykle, one również nie były przewrócone. W pokoju panował porządek. Ale to było chłodne październikowe popołudnie, pogoda nie na siedzenie na zewnątrz. Vera przypomniała sobie, jak Joanna opowiadała, że Ferdinand miał zwyczaj podsłuchiwać. Czy zabójca przyłapał go na balkonie, gdy się przysłuchiwał rozmowie na parterze? A może Ferdinand usłyszał wcześniejszą rozmowę, coś, co doprowadziło do jego śmierci?

– Chyba tak. W pokoju nie ma plam krwi, za to na balkonie jest ich mnóstwo.

– Ferdinand był dużym mężczyzną – zauważyła Vera. – Przynajmniej wysokim. Na pewno by się bronił, ale nikt ze świadków nie ma żadnych zadrapań ani otarć.

– Mnie też to zastanowiło. – Keating podniósł wzrok. – Szukałem naskórka pod paznokciami, ale nic nie znalazłem.

– Więc dlaczego Ferdinand stał tam i dał się poharatać nożem bez walki?

– Ferdinand siedział – oznajmił Keating. – Jak mówiłaś, był wysoki. A kąt, pod jakim zostały zadane ciosy, wskazuje, że zadano je z góry.

– Po co siedział na kamiennej posadzce? W pokoju stały krzesła. Mógł wynieść jedno na balkon, jeśli chciał podziwiać widoki. – Verze znowu objawił się obraz dziecka bawiącego się w chowanego. – A może zabójca zablokował drzwi i Ferdinand wyszedł na balkon, bo chciał uciec? Może liczył, że ktoś go tam zauważy. Zabito go, gdy kulił się w kącie.

– To prawdopodobne, raczej. – Ale Keating zawsze był ostrożny i rzadko uznawał, że coś jest niemożliwe. – Mój tok myślenia podąża w innym kierunku. Czekam na wyniki analizy toksykologicznej.

– Sądzisz, że ktoś go odurzył?

Keating wzruszył ramionami.

– Nieprzytomny człowiek nie będzie walczył. Można go przenieść, gdzie się chce, i tam zabić.

Na parkingu przed szpitalem, żeby pozbyć się odoru chemikaliów i trupów, Vera wzięła kilka głębokich oddechów. Obok stał Joe. Przyjechali jego samochodem.

– Byłeś tam bardzo milczący – zauważyła Vera.

– Nie miałem czym się dzielić.

– O co chodzi, Joe. Mówisz jak nadąsana nastolatka. Nie znoszę fochów.

– Uważam, że nie powinna pani pracować przy tej sprawie. Była pani na miejscu, gdy znaleziono ciało, i zna pani jedną z podejrzanych. Nie będzie pani obiektywna. – Stał na rozstawionych nogach z rękami na dachu samochodu, prawie jak zatrzymani przez policję na amerykańskich filmach.

– Podajesz w wątpliwość moją uczciwość? – Dziwiło ją, że tak ją to rozgniewało. Nieraz mówiła Joemu, że powinien obstawać przy swoim zdaniu, mieć odwagę go bronić. Ale nie spodziewała się, że wykorzysta tę radę przeciwko niej.

– Nie! – Zabrzmiało to prawie jak głośny jęk. – Nie! Martwię się tylko, jak to wygląda.

– Ech, kotku, nigdy się specjalnie nie przejmowałam wyglądem.

Nieco się rozluźnił i lekko uśmiechnął.

– Ulży ci, jeśli powiem, że mam dzisiaj spotkanie z nadinspektorem? Być może będziesz musiał sam odebrać zeznania od świadków.

Odwrócił się do niej twarzą.

– Już powiadomiła pani nadinspektora o swoim zaangażowaniu w sprawę?

– Naprawdę sądzisz, że wystawiłabym śledztwo na ryzyko odrzucenia oskarżenia? Dlatego to Charliemu zleciłam pogrzebanie w przeszłości Joanny i kazałam, żeby to ciebie informował o wszystkim, na co wpadnie. – Vera zobaczyła, że Joe zaczyna mięknąć. Wsiadła do samochodu i czekając aż do niej dołączy, myślała, że gdy tylko dojadą do Domu Pisarza, będzie musiała znaleźć wolną chwilę, żeby zadzwonić do nadinspektora i umówić się z nim na spotkanie.

9

Nina Backworth źle spała. Nawet w najlepszych okresach rzadko przesypiała całą noc i zwykle ciągiem udawało jej się przespać zaledwie cztery do pięciu godzin. Zaczęło ją to prześladować, ta potrzeba snu, i niemal obsesyjnie szukała remedium. Przestała pić wszystko, co zawiera kofeinę, zwracała uwagę na dietę. Czy dana żywność przynosi przeciwny efekt? Lub pożądany? Piła niewiele alkoholu, bo wydawało jej się, że pogarszał problem. Była przeciwna lekarstwom, ale poza domem – zwłaszcza gdy miała pracować następnego dnia – zażywała pigułki nasenne przepisane przez sympatycznego lekarza rodzinnego. Poprzedniego wieczoru łyknęła jedną tabletkę i zasnęła prawie natychmiast, ale obudziła się wcześnie rano, z głową pełną pomysłów i niepokojów. Teraz, ubierając się na śniadanie, czuła się ospała i spięta.

Jak to się stało, że dała się namówić na to przedsięwzięcie? Zatrudniał ją Wydział Anglistyki na Uniwersytecie Newcastle, gdzie prowadziła zajęcia dla studentów. Jej specjalnością była proza kobieca. Nie zajmowała się sensacją. Przynajmniej nie profesjonalnie. Kryminały czytała, gdy chciała uciec, gdy chorowała lub gdy potrzebowała zapomnieć o tym lub innym facecie. Chociaż ostatnio nie było żadnego, o którym musiałaby zapominać. Stare penguiny w zielonych okładkach wykradzione z domu dziadków lub Collins Crime Club w twardej oprawie wypożyczone z biblioteki były jej najlepszą obroną przed bezsennością, gdy jeszcze studiowała. Ale to nie była poważna literatura ani taka, o której można by wykładać na wyjazdowym kursie. Jej wydawca, Chrissie Kerr, przekonywała ją: Swoje powieści wydajesz w małym niskobudżetowym wydawnictwie. To dużo, jeśli twoją książkę kupi każda osoba z kursu. A broszura dotrze wszędzie. Miranda Barton obiecała duży artykuł w „Journal".

Więc Nina przystała na pomysł. Skusiła ją perspektywa tygodnia na wsi. Oraz honorarium. Nawet teraz musiała przyznać, że pieniądze bardzo się przydały.

A potem się okazało, że popełniono morderstwo. Wyglądało to banalnie, wręcz niedorzecznie. Gdyby taki scenariusz pojawił się w powieści, którą ktoś przedstawiłby jej do oceny, wyśmiałaby pomysł. Zbytnio zalatywałoby to Aghatą Christie. Nad tym, że ofiarą był Tony Ferdinand, musiała się jeszcze porządnie zastanowić. Na razie była zbyt zmęczona, żeby myśleć jasno. Może przed pierwszymi warsztatami znajdzie czas na spacer, co jej pomoże oczyścić umysł.

W jadalni śniadanie było serwowane z podgrzewacza. Mirandzie zależało na utrzymaniu atmosfery przyjęć w wiejskim edwardiańskim stylu, chociaż nie było służących w fartuszkach z falbankami, tylko Miranda i jej syn. Nina przekonała się, że przybyła na posiłek prawie ostatnia. Dzisiaj też siedzieli przy jednym dużym stole, ale tylko kolacja była formalnym posiłkiem. Podczas śniadania goście sami się obsługiwali. W trakcie nakładania sałatki owocowej do miseczki i gdy wrzuciła do kubka z wrzątkiem torebkę ziołowej herbaty, Nina zorientowała się, że ludzie zachowują się tak, jakby morderstwo się nie wydarzyło. Naprzeciwko niej powieściopisarz Giles Rickard trzymał nos w „Telegraph". Rozmowy, jakie się toczyły między kursantami, dotyczyły pisania oraz bezowocności poszukiwań agenta lub wydawcy. Czy to oznaka obsesji ambitnych pisarzy? A może chodziło bardziej o fakt, iż w jadalni było też dwóch funkcjonariuszy, którzy zostali w ośrodku na noc, a którzy teraz wbijali się widelcami w kopiaste porcje jajecznicy z bekonem.

Nina spodziewała się obecności grubej pani inspektor z poprzedniego wieczoru, ale nie dostrzegła nikogo w niesłużbowym stroju. Mundurowi się zmieniali i przyjechało dwóch kolejnych, ale stali tylko po jednym przy każdych z drzwi wyjściowych. Mieli skrępowane miny, jakby nie do końca wiedzieli, co tam robią. Nina przyniosła sobie kurtkę z pokoju.

– Idę się przejść po plaży – oznajmiła. – Mogę?

Policjant był bardzo młody, o świeżej twarzy, ożywiony. Przypuszczała, że to jego pierwsze morderstwo, i był podekscytowany, że może uczestniczyć w śledztwie. Czy obudził się rano z myślą, że życie jest piękne i że wybrał najlepszy zawód świata?

– Ale żeby to za długo nie trwało?

Obiecała, że wkrótce wróci. Za godzinę miała zajęcia. Ale potrzebowała świeżego powietrza i ruchu. Lekko się uśmiechnęła.

– Zwariuję, jeśli utknę tu na cały dzień.

Policjant przesunął się w bok, żeby ją przepuścić, i krzyknął za nią:

– Miłego spaceru!

Alex Barton napełniał pojemniki w stojącym przed tarasem karmniku dla ptaków, ale był tak skoncentrowany na zadaniu, że jej nie zauważył. Przez chwilę się przyglądała, dziwiąc się, że małe ptaszki są tak oswojone. Siedziały na stole kilka kroków od Alexa, najwyraźniej nie przejmując się jego obecnością; mały rudzik przysiadł na drewnianej podpórce podtrzymującej wąską miskę z karmą. Ścieżka prowadziła prosto z ogrodu na plażę. Trwał odpływ, więc było widać piasek; podczas przypływu widoczne były tylko skałki i kamienie. Z rana nad ziemią unosiła się mgła, ale słońce już mocno grzało i przeświecając przez mgłę, raziło Ninę w oczy. W powietrzu unosił się znajomy zapach soli i gnijących wodorostów, który przypominał jej wakacje z dzieciństwa. Mewy się nawoływały. W pewnym momencie Nina obejrzała się na dom. Z miejsca, w którym stała, mogła zobaczyć szklany pokój; od jego okien odbijały się refleksy słoneczne. Balkon zasłaniał ekran. Po przygnębiającej klaustrofobii w Domu Pisarza przyjemnie było znaleźć się na zewnątrz. Morze było spokojne, oleiste. Poszukała płaskich kamyków i zaczęła puszczać kaczki. Poczuła falę radości, gdy kamyk podskoczył na wodzie aż pięć razy. Znowu pomyślała o dzieciństwie i wakacjach w domu dziadków – letnie eksploracje i pikniki rodem z powieści Enid Blyton.

Kiedy wracała do domu, z rozbawieniem dostrzegła wyraz ulgi na twarzy młodego policjanta, gdy zobaczył, że nadchodzi przez ogród. Możliwe, że został zrugany, że pozwolił jej wyjść, ostrzeżony, że będzie miał poważne kłopoty, jeśli Nina ucieknie. Wciąż nie było śladu po Verze Stanhope i jej kolegach. Może już po wszystkim, pomyślała Nina. Może zaaresztowali Joannę Tobin i nic już od nas nie potrzebują. To jej przypomniało opowiadanie, jakie przekazała jej Joanna dzień wcześniej, i to, jaka była dumna, że je napisała. Ale akurat gdy zbliżała się do wejścia, nadjechał mikrobus, z którego wysypała się grupa umundurowanych kobiet i mężczyzn, rozmawiających i roześmianych. Zamarudziła przy drzwiach na tyle długo, żeby się zorientować, że policjanci przyjechali przeszukać ogród. Przez cały dzień ich potem widziała, jak szeregiem przemierzali murawę i teren między drzewami.

Alex wrócił do domu i czyścił kominek w jadalni. Pochylony, zmiatał resztki popiołu na dużą płaską pordzewiałą śmietniczkę. Był ubrany w dżinsy i opięty czarny podkoszulek. Nina już wcześniej zauważyła, że jest chyba bardzo odporny na zimno.

Usłyszał, że weszła do jadalni, i się odwrócił.

– Przepraszam, powinienem był to zrobić wczoraj. Ale po tym wszystkim, co się wydarzyło…

– A jak się dzisiaj czuje Miranda? – Tak naprawdę Niny wcale nie obchodziło samopoczucie Mirandy. Znielubiła kobietę już w chwili przyjazdu. A nawet wcześniej. Ale wypadało zapytać.

Alex się wyprostował. Wyrzucił popiół do metalowego kubła.

– Zupełnie dobrze. Nie była szczególnie blisko z Tonym. Przynajmniej nie ostatnio. Chyba od lat nie mieli zawodowo ze sobą wiele wspólnego. Przypuszczam, że zareagowała tak histerycznie pod wpływem szoku.

– Och, a ja myślałam, że się bardzo przyjaźnili. – Takie wrażenie przed laty na pewno stwarzał Ferdinand.

Alex gwałtownie poderwał głowę.

– Kiedyś może. Ale nie ostatnio.

Nina wyciągnęła notatki. To był jej standardowy wykład o strukturze opowiadań. Wygłaszała go już tyle razy, że mogłaby to robić, stojąc na głowie. Spojrzała na zegarek. Zostało dziesięć minut. Wkrótce zaczną się zbierać gorliwi kursanci.

Godzinę później zrobili przerwę na kawę. Wykład wypadł dość dobrze. Słuchacze wybuchali śmiechem w odpowiednich momentach, wydawali się skupieni, robili notatki. Nina lubiła uczyć dojrzałych ludzi bardziej, niż prowadzić zajęcia ze studentami, którzy zwykle byli wyluzowani i niezaangażowani. A jednak tego poranka miała wrażenie, że kursanci tylko udawali zainteresowanie. Czyżby wszyscy myśleli o prawdziwej zbrodni, gdy ona opowiadała o fikcji?

– Opowiadanie historii w zasadzie sprowadza się do zadawania pytania „a co, jeśli?" – mówiła. – Co jeśli bohater zachowałby się tak, a nie inaczej? Co, jeśli sytuacja wcale nie jest taka, na jaką wygląda?

Teraz, popijając bezkofeinową kawę, zasłuchana w szmer rozmów dokoła, myślała o tym, że sama miałaby kilka pytań, które mogłyby wpłynąć na narrację obecnych wydarzeń: A co, jeśli to jednak nie Joanna Tobin zabiła? Co by się stało, gdybym powiedziała policji wszystko, co wiem o Tonym Ferdinandzie?

Po przerwie zadała grupie ćwiczenie. W pokoju panowała cisza i było ciepło dzięki znajdującym się na tyłach kaloryferom, ale również od słońca, którego światło wpadało przez duże okna. Nina złapała się na tym, że pogrąża się we śnie na jawie, częściowo opartym na wspomnieniach, częściowo na fantazjach. Tak właśnie robią pisarze, myślała. Fikcję tworzymy nawet z własnych doświadczeń. Żadne z naszych wspomnień nie jest do końca godne zaufania. Bo uważała się za pisarkę, nawet mimo że jej książki były wydawane przez małą niezależną oficynę wydawniczą usytuowaną gdzieś w dzikich ostępach hrabstwa Northumberland.

W swojej opowieści (lub wspomnieniach) była dwudziestojednolatką, bystrą młodą dziewczyną, świeżo po obronie magisterki z literatury na Uniwersytecie Bristolskim. Lato spędziła w domu dziadków w Northumberland, co wieczór pracując w miejscowym pubie, za dnia pisząc. Oczywiście powieść. Wspaniałą powieść kobiecą o dorastaniu i miłości. To była radosna książka, myślała teraz – pisarstwo tak błyskotliwe, jak błyszczące było morze tamtego pięknego lata, gdy siedziała w ogrodzie dziadków z laptopem na chwiejnym drewnianym stoliku, wystukując dwa tysiące słów dziennie. Obecnie była o wiele zbyt cyniczna, żeby napisać taką powieść. A dziadkowie patrzyli na nią z podziwem, przerywając jej tylko wtedy, gdy przynosili jej coś zimnego do picia, truskawki z ich ogrodu w miseczce, porcję domowego wypieku ciasta.

Nina poruszyła się niecierpliwie na krześle i zerknęła na zegar. Czas wyznaczony na ćwiczenie minął. Teraz kursanci odczytają swoje prace na głos, a ona będzie musiała powiedzieć o nich coś inteligentnego, pomocnego i życzliwego. Jej własna historia musi zaczekać na inną okazję.

Gruba pani inspektor pojawiła się niespodziewanie w porze lunchu. Siedziała w jadalni z przystojnym asystentem, nalewała sobie zupy z wazy, jakby nie jadła od tygodni, odkrawała grube pajdy świeżo upieczonego chleba i smarowała masłem.

Nina przyglądała się jej z przeciwległego krańca stołu. Próbowała usłyszeć rozmowę między dwójką śledczych, ale siedzący obok Lenny Thomas domagał się jej uwagi, chciał od niej pokrzepienia.

– Więc myślisz, że mam szansę dostać się na ten kurs w St Ursula? Nawet teraz, gdy Tony Ferdinand nie żyje?

– Myślę, że chyba lepiej, gdybyś znalazł sobie wydawcę, Lenny. Nie jestem pewna, czy na tym etapie twojej kariery potrzebujesz akurat tego kursu w St Ursula. Masz świeże i oryginalne pióro. Wydawcy to zauważą. Nie potrzebują do tego Tony'ego Ferdinanda. – I będziesz ich spełnieniem marzeń. Były przestępca z górniczej wioski. O wiele łatwiej cię wypromować niż kobietę z klasy średniej, wykładowcę na prowincjonalnym uniwersytecie, która się zbliża do wieku średniego. W której w gruncie rzeczy wszystko jest średnie, wszystko mierne.

Nina zdała sobie sprawę, że stała się bardzo zgorzkniała. I że bardzo zazdrości temu rozentuzjazmowanemu mężczyźnie z jego nowo odkrytą namiętnością do pisania oraz umiejętnością przykuwania uwagi czytelników prostotą stylu i autentyzmem bohaterów. Odwróciła się do sąsiada po lewej. Mark Winterton był nudziarzem, ale przynajmniej nie sprawiał, że czuła się jak nieudacznica. Miał dobry warsztat pisarski, ale brakowało w nim iskry i humoru, ale wartość Marka w tych akurat warsztatach sprowadzała się do tego, że był emerytowanym śledczym policyjnym. Wysoki, siwy i uprzejmy, z niezmąconym spokojem odpowiadał na wszystkie pytania grupy dotyczące procedur, technik kryminalistycznych i systemu sądowniczego.

– To musi być dla ciebie bardzo dziwna sytuacja, Mark – zagaiła. – Mam na myśli to, że znalazłeś się po przeciwnej stronie dochodzenia.

– No raczej. – Mark nie pochodził stąd i miał północy akcent, którego do końca nie potrafiła rozpoznać.

– Żałujesz, że przeszedłeś na emeryturę? – Naprawdę była ciekawa. Po tak odpowiedzialnej i wymagającej pracy życie na emeryturze musiało chyba wydawać mu się nieco mdłe. – To dlatego zająłeś się pisarstwem? Żeby przywołać przynajmniej cześć podniecenia?

Łagodnie pokręcił głową.

– Nawet nie wiesz – zaczął – jaką ulgę odczułem, zostawiając za sobą cały ten stres. Jestem więcej niż szczęśliwy, że mogę być teraz tylko obserwatorem.

– To dlaczego jako swój gatunek wybrałeś powieść kryminalną?

– Przeczytałem wszystkie podręczniki – odparł, jakby to wszystko wyjaśniało. – Te o tym, jak zostać pisarzem. W każdym radzą pisać o tym, co się wie. Wstąpiłem do policji jako szesnastolatek. Na niczym innym się nie znam.

– Życie to nie tylko praca! – Nina zastanawiała się, czy w jej przypadku jest to prawda. Traktowała pracę jak drogę ucieczki, wymówkę, żeby się z nikim nie wiązać. – Jesteś żonaty?

Uśmiechnął się.

– Rozwiedziony – rzekł. – Stres pracy szybko zebrał żniwo. Mam dwóch synów i pięcioro wnucząt. – Umilkł na chwilę. – Miałem też córkę, ale zmarła młodo.

– Więc mógłbyś pisać książki dla dzieci. Albo o tym, co to znaczy stracić dziecko. Przeżyłeś to, wiesz, jak to jest.

– Da się napisać powieść na podstawie czegoś tak osobistego?

– To nie zawsze łatwe – zgodziła się Nina. – Ale na pewno możliwe. Gdybyś chciał spróbować, z przyjemnością przejrzę twoją pracę.

– Dzięki. Może spróbuję! – I jego twarz nagle pojaśniała, więc Nina pomyślała, że prawdopodobnie zarobiła na swoje honorarium już samą tą rozmową.

Po drugiej stronie pokoju inspektor Stanhope skończyła posiłek i podźwignęła się na nogi. Nina zauważyła, że na swetrze ma plamę po zupie, i poczuła chęć, żeby podejść i zetrzeć ją serwetką.

– Panowie i panie. Przykro mi, że musimy znowu zakłócić państwu spokój.

Nie, wcale nie jest ci przykro, myślała Nina. Ty to kochasz. Nie jesteś taka jak Mark Winterton. W stresie kwitniesz. Poza tym masz nas pewnie za zgraję pretensjonalnych dupków i uważasz, że zasługujemy na niewygody.

Inspektor kontynuowała.

– Po południu będziemy odbierali indywidualne zeznania. Wraz z sierżantem Ashworthem ulokujemy się w kaplicy i gdy będziemy gotowi, wezwiemy wszystkich po kolei. Bylibyśmy wdzięczni, gdybyście nie opuszczali państwo ośrodka do czasu zakończenia przesłuchań. – Nina zastanawiała się, czy to nie przytyk pod jej adresem za uwagę o uwięzieniu z wczoraj i za to, że dzisiaj rano miała czelność wyjść na spacer.

Wrażenie się wzmogło, gdy inspektor na moment zamilkła i spojrzała w jej stronę.

– Może zaczniemy od pani Backworth, dobrze?

10

Vera przejęła kaplicę na pokój przesłuchań. Chciała mieć bazę, gdzie nikt jej nie będzie przeszkadzał ani podsłuchiwał, i uświadomiła sobie, że kaplica nadawała się do jej celów jak ulał. W środku nie było przytwierdzonych ławek, więc ustawiła krzesła wokół stołu, który stał na miejscu niegdysiejszego ołtarza. O to, żeby pokazał jej kaplicę, poprosiła Alexa. Lepiej się z nim dogadywała niż z Mirandą, poza tym zawsze miała słabość do mężczyzn potrafiących gotować.

– Grzejemy tu, żeby nie było wilgoci – wyjaśnił. – Studenci wykorzystują kaplicę jako cichy zakątek do pisania.

Budynek był ogołocony ze sprzętów i prosty. Żadnych witraży w oknach, żadnych ozdobnych rzeźbień. Niewiele większy od salonu Very, miał nieotynkowane ściany i drewniany sufit przypominający odwróconą łódź.

Vera pomyślała, że nic się nie stanie, jeśli poprosi Ninę Backworth, żeby zaczekała, aż pomieszczenie zostanie przygotowane. W teorii Vera lubiła silne kobiety; w praktyce często ją irytowały. Nina z jej ostrym głosem i podkreślaniem praw – wyzwanie dla autorytetu Very – z pewnością irytowała. Poza tym Vera musiała przyznać, że w kobiecie było coś onieśmielającego, co zabarwiało jej reakcję. Chodziło o elegancką fryzurę, czerwoną szminkę, dopasowany płócienny żakiet i szerokie spodnie, jedno i drugie czarne. Czarne pantofle na wysokich obcasach i z ostrymi czubkami. Według tego, co mówił chłopak dyżurujący przy drzwiach, Nina przed porannymi zajęciami wybrała się na spacer. Wyszła w tych ciuchach? Trudno było sobie wyobrazić, że wspina się w nich po skałkach. Gdyby Nina Backworth była brzydka i źle ubrana, Vera traktowałaby ją o wiele życzliwiej. Teraz dumała, że dobrze się stanie, że kobieta zaczeka na przesłuchanie, jakby to ona była studentką, a Vera nauczycielem.

– Przywołaj ją, kotku. – Vera tak ustawiła stół, że siedziała twarzą do wejścia. Przed nią stało krzesło dla świadków. Joe Ashworth usiądzie z boku, poza linią wzorku. Będzie notował.

Joe wrócił, prowadząc Ninę. Kobieta zajęła wskazane miejsce; zdaniem Very wyglądała blado i niepewnie. Poczuła ukłucie współczucia. Może makijaż i wyrafinowane ciuszki to ochrona. Każdy ma jakiś sposób na mierzenie się z wrogim światem.

– Napije się pani czegoś? – zapytała. – Kawy? Wody? – Widziała, że Nina zupełnie się tego nie spodziewała. Życzliwość bywa wspaniałą bronią.

Nina pokręciła głową.

– Nie. Dziękuję.

– To jest nieformalna rozmowa – oznajmiła Vera. – Nic oficjalnego. Na razie. Później odbierzemy od państwa formalne zeznania, które będą mogły być użyte w sądzie. Ale najpierw muszę się zorientować, co się tu wydarzyło, z jakimi ludźmi mam do czynienia. – Popatrzyła ostro na Ninę. – Wydaje się, że pisarze to wścibski naród. Trochę jak gliny. Zbieracie postaci i miejsca do swoich książek, czyż nie? Interesuje was wszystko i wszyscy, bo nigdy nie wiadomo, kiedy jakiś szczegół przyda się w powieści.

– Tak – potwierdziła Nina. – Tak właśnie jest. – Vera odniosła wrażenie, że kobieta zaczęła patrzeć na nią z większym szacunkiem.

– Ja też taka jestem – ciągnęła. – Inni mówią, że to plotkarstwo, ale ja to nazywam dociekliwością.

Nina zrelaksowała się i lekko uśmiechnęła.

– Niech więc mi pani opowie o Tonym Ferdinandzie. Co to była za postać? Znała go pani przed spotkaniem w Domu Pisarza?

Pytanie nie było trudne i Nina musiała sobie zdawać sprawę, że padnie, ale się zawahała. Vera pomyślała, że rozważa, ile powinna wyjawić. Odchyliła się w krześle, jakby miała mnóstwo czasu, jakby milczenie kobiety było całkowicie naturalne.

– Jak wyjaśniałam, przez chwilę nadzorował moją pracę na uniwersytecie.

Vera oparła łokcie na stole.

– Proszę mi opowiedzieć, jak to działa – rzekła. – Nigdy nie studiowałam. – To dla mnie nowy świat.

– Nie jestem pewna, jak to generalnie wygląda – odparła Nina. – Możliwe, że po prostu nie miałam szczęścia.

– Więc niech pani opowie, jak było w pani przypadku.

Nina spojrzała w wysokie okno i zaczęła mówić, nie patrząc na Verę.

– Byłam bardzo młoda, kiedy napisałam pierwszą książkę. Dopiero skończyłam studia i spędzałam lato niedaleko stąd. Moi dziadkowie mieszkają na wybrzeżu i u nich czułam się bardziej jak w domu niż u rodziców. – Ze skruchą wzruszyła ramionami. – Przepraszam, to nieistotne szczegóły.

– Ale my tu plotkujemy – przypomniała Vera. – Nie ma nic lepszego od plotek.

– To była książka, jaką się pisze raz w życiu. Nie znałam się na procesie pisania – te wszystkie informacje, jakie sobie przekazujemy na tym kursie, nic dla mnie wtedy nie znaczyły – ale fabuła i bohaterowie przychodzili mi do głowy jak za sprawą jakiejś magii. Nigdy nie byłam tak szczęśliwa jak tamtego lata.

Vera pomyślała, że czasami jest tak ze śledztwem. Wszystko się układa. Instynkt i rzetelna praca śledczego idą ręka w rękę. Nie ma nic bardziej podniecającego. Nina wyglądała, jakby się zagubiła we wspomnieniach, więc Vera ją ponagliła.

– Jak więc Tony Ferdinand pojawił się w pani życiu?

– Usłyszałam go w radiu, czytał swoją recenzję i wzbudził mój podziw. Wydawało się, że pasjonuje się literaturą i chce pomagać nowym młodym pisarzom. Właśnie otworzył nowy wydział na uniwersytecie St Ursula, z pisarstwa. Chyba miałam go za kogoś w rodzaju bohatera. Potem go poznałam, całkiem przypadkowo, na przyjęciu. Znajomi dziadków, mieszkający niedaleko stąd, obchodzili rocznicę ślubu. Nie wiem, jak to się stało, że Tony tam był. Pewnie akurat przebywał w okolicy. Może był na wakacjach. Później odkryłam, że świetnie potrafił się wkręcać na przyjęcia, do drogich restauracji. – Nina przestała mówić. – Był niezależnym dziennikarzem. Nie sądzę, żeby dużo zarabiał. A miał bardzo wyszukany gust.

Vera kiwnęła głową, wspominając odzież w szafie Ferdinanda.

– Pewnie uznała pani, że to był łut szczęścia – rzuciła. – Że tak pani na niego wpadła.

– Prawie w to nie wierzyłam. Poszłam na przyjęcie tylko, żeby zrobić przyjemność dziadkom, i kiedy weszłam do pokoju, pierwsze, co usłyszałam, to jego głos. Rozpoznałabym go wszędzie. – Nina znowu umilkła. – Proszę zrozumieć, byłam bardzo młoda i bardzo naiwna. Łatwo było połechtać moją próżność. Tony zachęcał mnie, żebym opowiedziała o mojej powieści. Później zrozumiałam, że byłam tam jedyną kobietą poniżej pięćdziesiątki i że Tony'emu schlebiał mój podziw. Zabawiałam go przez jakąś godzinę, a on w tym czasie opróżniał butelkę szampana zaserwowanego przez gospodarzy. „Powinnaś zapisać się na kurs w St Ursula" – powiedział. „I chciałbym przejrzeć twoją powieść". I dał mi swoją wizytówkę.

– Musiała być pani podekscytowana – zauważyła Vera – że ktoś tak sławny chciał przeczytać pani książkę.

– Byłam w siódmym niebie! – Nina odwróciła twarz do Very, żeby się upewnić, iż policjantka pojmuje znaczenie tego, co mówiła. – Było tak jak wtedy, gdy ma się sześć lat i budzi się w gwiazdkowy poranek, a pod choinką leży prezent, o którym się w skrytości ducha marzyło przez cały rok.

– Zatem wysłała pani książkę Ferdinandowi? – Vera nie chciała wywrzeć na Ninie wrażenia, że ją pospiesza, ale nie chciała też tkwić w kaplicy w nieskończoność. Czekało ją jeszcze spotkanie z przełożonym, a jeśli miała się płaszczyć, lepiej, żeby się nie spóźniła.

– Zadzwoniłam do niego, gdy tylko dotarłam do domu rodziców w Londynie, i poszłam się z nim spotkać. W jego biurze na uniwersytecie było tyle książek, że prawie nie było tam miejsca na biurko. Pomyślałam, że ktoś, kto ma tyle książek, musi być szczery i uczciwy. Jak można tyle czytać i nie być dobrym? I powiedział, że moja powieść go zachwyciła, że powinnam zapisać się na kurs. – Zamilkła. – Po spotkaniu byłam szczęśliwsza niż kiedykolwiek w życiu. Prawie frunęłam do domu.

– Ale się nie udało?

– Nie – potwierdziła Nina. – Nie udało się.

– Proszę opowiedzieć. – Vera nadal miała świadomość upływu czasu, jednak po raz pierwszy zaczynała czuć, kim był Tony Ferdinand jako rzeczywista osoba. Oszustem, myślała. Oportunistą. Ale na tyle bystrym, że ludzie wierzyli, że ma wpływy. I w końcu tak wiele osób dało wiarę w to, że może pociągać za sznurki, że fikcja stała się prawdą. – Próbował się do pani dostawiać, prawda? – Ostatecznie Nina była kościstą młodą kobietą. A wydawało się, że Ferdinand dostawiał się też do Joanny.

– Nie, to nie to. Był nieprzyjemny w staromodnym seksistowskim stylu. Przypadkowy dotyk. Okazjonalne zaproszenia, które można było potraktować jako propozycję. Ale z tym bym sobie poradziła.

– Więc co takiego zrobił? – spytała Vera. – Co było aż tak okropne?

– Zniszczył moją powieść. On i reszta grupy.

– W jaki sposób?

Nina szukała właściwych słów.

– Zajęcia, które prowadził, były brutalne. Na studiach też musiałam znosić krytykę, ale to było okropne. Forma intelektualnej walki. Siadaliśmy w kręgu i omawialiśmy poszczególne prace, ale komentarze nie zawierały nic konstruktywnego. To było bardziej jak zawody, który ze studentów potrafi być najostrzejszy i najnieprzyjemniejszy. Tony twierdził, że właśnie tak jest w światku wydawniczym: ostro i bezkompromisowo. Że powinniśmy się do tego przyzwyczajać. Ale nie robił tego z myślą o naszej korzyści. Lubił moderować wylewanie żółci i agresję. Bawiło go to, czuł, że ma władzę. I nie tylko mnie się uczepił. Wybierał każdego, kto wydawał się bezbronny. Pamiętam, jak wraz z wizytującą nauczycielką rozerwał na strzępy jedną ze studentek, która wręcz rozpadła się przed nami na kawałki. Ja też w tym uczestniczyłam. To było straszne. – Nina spojrzała na Verę. – Próbowałam poprawić tekst, uwzględniając uwagi grupy. Reszta studentów wydawała się o wiele pewniejsza siebie i elokwentniejsza ode mnie. I zdawało się, że Tony się z nimi zgadza. Ale oczywiście to był błąd. Na koniec zagubiłam oryginalny pomysł powieści.

– Więc zrezygnowała pani z kursu? – Vera nadal nie wszystko pojmowała. Zwykle lubiła się zagłębiać w świat różniący się od jej świata, ale ten był tak odległy, że niemal nie do ogarnięcia. Do tej pory nie miała pojęcia, że z klecenia słów można sobie zrobić profesję, że można być z tego dumnym i na tym zarabiać.

– W końcu tak. Uważałam, że poniosłam porażkę, ale ten kurs mnie rozkładał. Znalazłam inny, bardziej konwencjonalny, potem zostałam wykładowcą. Pierwszą powieść porzuciłam. Nie potrafiłam już wzbudzić w sobie wcześniejszego entuzjazmu. Ostatnio znowu zaczęłam pisać.

– Wydała coś pani?

– Ale u nikogo znanego. – Nina zdobyła się na uśmiech. – Jestem związana z małym northumbryjskim wydawnictwem, North Farm. Prowadzi je żarliwa i inteligentna młoda kobieta. To prawie niemożliwe, żeby moje powieści trafiły na półki dużych księgarń, ale Chrissie ma ciekawe pomysły marketingowe, poza tym przynajmniej nie czuję się, jakbym zaprzedała duszę.

– Nie rozumiem tylko... – Vera pochyliła się nad stołem – ...dlaczego zgodziła się pani poprowadzić ten warsztat. Musiała pani wiedzieć, że Ferdinand będzie jednym z prowadzących.

Przez chwilę Nina tylko siedziała. Ta, tak zwykle wygadana kobieta, nic nie mówiła. Jej uwagę zdawał się przykuwać unoszący się w powietrzu kurz podświetlony promieniami słońca wpadającymi przez wąskie okno nad jej głową.

– Na początku nie wiedziałam, że Tony tu będzie – wyznała w końcu. – Dom Pisarza cieszy się międzynarodową sławą i jest to uznawane za zaszczyt, móc tu poprowadzić zajęcia. Byłam ciekawa, jak to wygląda. Kilku moich znajomych brało udział w warsztatach i wróciło zachwyconych tym miejscem. Moi przełożeni na uniwersytecie uznali, że byłoby dobrze, gdybym się zgodziła – fakt, że wybrano mnie na prowadzącą, dobrze świadczył o kursach uniwersyteckich. Mój wydawca również uważał, że to dobry pomysł. No i honorarium jest niczego sobie, a to zawsze pomaga.

Zamilkła, żeby nabrać powietrza, a Vera pomyślała, że coś za dużo tych wyjaśnień. Nie była pewna, czy któreś ją przekonało. Ale nic nie powiedziała, pozwalając Ninie kontynuować.

– Kiedy Miranda przysłała mi listę prowadzących, było już za późno, żeby się wycofać. Poza tym… – Nina znowu się uśmiechnęła, choć uśmiech był napięty. – Czasami warto zmierzyć się z własnymi demonami, nie sądzi pani? Miałam nadzieję, że zapewnię kursantom lepsze doświadczenie od tego, jakie przeżyłam za sprawą Tony'ego. I uznałam, że dobrze mi zrobi, jeśli znowu go zobaczę.

– I jak było? – Vera wiedziała wszystko o demonach. Mieszkała w domu, w którym jej ojciec trzymał w piwnicy ptasie czaszki i skóry. Regularnie ją nawiedzał. Późną nocą słyszała w głowie jego mamrotanie.

– Gdy pierwszy raz usiedliśmy razem do kolacji, byłam porządnie wystraszona. Znowu się czułam jak wylękniona młoda dziewczyna. Potem Tony zaczął mnie traktować protekcjonalne i dotarło do mnie, że go nienawidzę.

Vera zrobiła krótką przerwę.

– Nienawiść to mocne słowo.

Odpowiedź padła natychmiast.

– Jestem pisarką, pani inspektor. Dobieram słowa z rozwagą.

– Co się działo między Ferdinandem a Joanną Tobin? – Vera pamiętała interwencję Niny z poprzedniego wieczoru. Reszta gości założyła, że zabójcą była Joanna, ale Nina stanęła w jej obronie.

– Joanna jest utalentowaną pisarką, pani inspektor, i ma ciekawą historię do opowiedzenia. Wykorzystanie prawdziwych przeżyć w powieści nie zawsze się sprawdza, ale Joanna znalazła dowcipny, sardoniczny sposób wyrazu, połączony z aurą zagrożenia, co uważam za ogromnie ożywcze.

– I Ferdinand mamił ją, że zrobi z niej gwiazdę, czy tak? Obiecał, że ją poleci swoim kolesiom wydawcom? – Vera zastanawiała się, czy pisarstwo Joanny było na tyle dobre, żeby mogło przynieść jej sławę. Ciekawe, co Jack by na to powiedział?

– Na pewno próbował – przyznała Nina. – Ale Joanna nie jest tak naiwna, jak niektórzy z innych kursantów. Nie dała się zwieść pochlebstwom.

– Więc jak wyglądały ich stosunki? – Vera starała się zachować niedbały ton.

– Były napięte. Tony potrafił być nieprzyjemny, jeśli nie dostawał tego, co chciał, robił się złośliwy, rzucał sarkastyczne komentarze. Nie był tak brutalny, jak na seminariach w St Ursula, ale ku temu to zdążało. – Nina się zawahała.

– Może pani spokojnie powiedzieć całą prawdę, kotku – rzuciła Vera. – I tak się wszystkiego dowiem. Jeśli nie od pani, to od reszty.

– Raz mu się postawiła. Słownie. „Do cholery, zejdź ze mnie, Tony, dobrze? To moja historia i opowiem ją na mój sposób. Czasami przypominasz mi byłego męża". Powiedziała tak w obecności całej grupy. I zabrzmiało to, jakby miała do niego jakąś osobistą urazę. Nawet się zastanawiałam…

– No niech to pani wydusi!

Nina gwałtownie podniosła wzrok, zaskoczona warknięciem.

– Zastanawiałam się, czy się wcześniej nie znali. Czy do czegoś między nimi nie doszło, jak w moim przypadku. Ale to był bzdurny pomysł. W jaki sposób rolniczka z Northumberland miałaby poznać wykładowcę z Londynu?

Ale Joanna nie zawsze była rolniczką, pomyślała Vera. Przechwyciła spojrzenie Joego, żeby się upewnić, że zrozumiał znaczenie uwagi, i przyglądała się, jak robił notatkę w zeszycie.

– Kiedy ostatnio widziała pani profesora? – Vera ukradkiem zerknęła na zegarek. Wkrótce będzie musiała opuścić ośrodek, żeby pojechać do Kimmerston na spotkanie z szefem.

– Wczoraj, w porze lunchu.

– Jak się zachowywał?

Nina się zawahała.

– Raczej tak jak zwykle. Tyle że był nieco pogodniejszy. Wypił kilka kieliszków wina. Zaczął wspominać najważniejsze punkty swojej intelektualnej kariery. To był jego ulubiony temat.

– Pamięta pani, kto obok niego siedział? – Vera czuła, że nadaje przesłuchaniu zbyt szybkie tempo. Gdyby miała czas, Nina mogłaby odpowiedzieć na pytania, które jeszcze nie zaświtały jej w głowie. Kobieta była równie wnikliwą obserwatorką jak ona.

– Z jednej strony Lenny Thomas, z drugiej Miranda Barton.

– Proszę opowiedzieć o relacji Ferdinanda z Mirandą. – Chrzanić szefa, pomyślała Vera. Jeśli się spóźni na spotkanie, szef będzie musiał zrozumieć, że nie mogła wyjść w środku przesłuchania. Ono jest ważniejsze.

– Jakiś czas pracowali razem w St Ursula. Miranda była asystentką w uniwersyteckiej bibliotece. I oczywiście Tony ją odkrył. Coś już wydała, ale bez większego oddźwięku. Potem Tony napisał pochlebną recenzję w jednej z gazet.

Nazwał ją jedną z najlepszych pisarek pokolenia. Wiele to zmieniło w jej karierze. Przez kilka następnych lat nie schodziła z listy bestsellerów, tutaj i w Stanach. – Nina mówiła wyważonym tonem, więc Vera mogła się tylko domyślać, co kobieta sądzi o sukcesie Mirandy. Chyba jej zazdrościła. No bo tylko święty mógłby patrzeć na sukces rywalki, nie czując rozgoryczenia. A Miranda przecież chyba była rywalką?

– Czy to było w tym samym czasie, w którym pani studiowała na St Ursula?

– Tak. To wtedy powieść Mirandy trafiła na szczyt listy bestsellerów – przyznała Nina. – Tony stawiał nam ją za wzór do naśladowania. „To właśnie możecie osiągnąć, jeżeli będziecie postępowali tak, jak wam radzę". Telewizja zrobiła adaptację filmową jednej z jej powieści. *Okrutne kobiety*, taki miała tytuł. Przypuszczam, że to miejsce otworzyła z pieniędzy, które wtedy zarobiła, bo później już nie odnosiła sukcesów.

Vera zauważyła, że Ashworth pokazuje na zegarek, i zrozumiała, że naprawdę musi się zbierać. Mimo to nie mogła się powstrzymać i zapytała:

– O czym była powieść Mirandy?

Nina zamrugała, jakby pytanie ją zaskoczyło, potem się uśmiechnęła.

– Naprawdę nie wiem. Przebrnęłam tylko przez dwie strony. Moim zdaniem to było pretensjonalne gówno.

11

Tego samego dnia po południu Ninę naszła chęć na pisanie. Godziny po podwieczorku w grafiku były oznaczone jako wolne, kursanci mieli czas popracować nad ćwiczeniami zadanymi przez prowadzących lub nad poprawą złożonych maszynopisów. Na parterze było pusto i cicho. Rezydenci poszli pisać do swoich pokoi lub szukali inspiracji na zewnątrz. Policja rozbiła obóz w kaplicy, więc dom był niestrzeżony.

Na wprowadzającym spotkaniu zaraz po przyjeździe do Domu Pisarza Nina, poniekąd tylko żartując, obwieściła, że znalazła się w ośrodku pod fałszywymi pozorami. Oczywiście krótkie formy literackie nie były jej obce – już na studiach zajmowała się tym gatunkiem prozy – jednak z literaturą sensacyjną nigdy nie miała do czynienia. Teraz, przy napięciu i dramatyzmie prawdziwego śledztwa w tle, zaczynała rozumieć atrakcyjność gatunku. Nie ma nic bardziej szokującego od morderstwa, a jednak tradycyjna struktura powieści kryminalnych pozwalała się zająć tematem z dystansem oraz wdziękiem. Pomysł, że mogłaby napisać powieść detektywistyczną, z wolna i podstępnie narastał w niej od początku dnia, ale już po południu nie była w stanie myśleć o niczym innym. Czuła ekscytację niczym świeżo upieczona absolwentka, pomysły kipiały jej w głowie, palce świerzbiły, żeby chwycić za pióro. Ćwiczenie, jakie zadała kursantom, sprowadzało się do tego, że mieli wybrać miejsce w domu lub ogrodzie, które posłużyłoby za scenerię zabójstwa. Kursanci mieli je opisać i wykorzystać jako punkt startowy opowiadania. To były dobre ramy dyscyplinujące: stworzyć taką scenerię, aby wydawała się wiarygodna dla autora i czytelników. Nina pomyślała, że ona również mogłaby od tego zacząć.

Zaczęła krążyć po domu w poszukiwaniu miejsca dla jej fabuły. Żadne wnętrze nie rozbudziło jej wyobraźni. W domu panowała cisza. Z kuchni dochodziły odgłosy szykowanego posiłku; trzasnęły drzwi, gdy Mark Winterton wrócił z przesłuchania prowadzonego w kaplicy przez przystojnego sierżanta, ale poza tym wokół nie było nikogo.

Nina poszła po kurtkę do swojego pokoju, potem wyszła na dwór. Strzegący wyjścia funkcjonariusze zniknęli, więc bez przeszkód wymknęła się tylnymi drzwiami na teren parkingu. Słońce już prawie zaszło, powróciła mgła, kładąca się cienką warstwą na skórze. Meble z kutego żelaza na tarasie wyglądały upiornie i nierealnie, karykaturalne przypomnienie ciepłych dni lata. Przez ozdobne wycięcia w blatach skapywała woda, krzesła były oparte o stoły, żeby obeschły z deszczu. W salonie w głębi się świeciło, ale nikogo w nim nie było. W dużym kominku płonął ogień.

Nina wyobraziła sobie, że jest to sceneria jej miejsca zbrodni. Taras przeznaczony do siedzenia w słońcu, teraz ponury w to szare październikowe popołudnie. Jedno z krzeseł stoi normalnie, zajęte przez ofiarę, na jej włosach i skórze niczym perły migocze wilgoć. Nina osuszyła krzesło chusteczką i usiadła, zajmując miejsce ofiary. Kto to mógłby być? Na pewno trzeba wejść w sposób myślenia tej osoby, nawet jeśli ona lub on już na początku powieści są martwi. Ona, postanowiła Nina. Jej ofiarą będzie kobieta, ale zupełnie inna od niej.

Jej skupienie rozproszył jakiś dźwięk dochodzący z salonu. Podniesione głosy. Odwróciła się, żeby popatrzeć, ale z miejsca, w którym siedziała, nie widziała rozmawiających. Ani oni jej.

– Naprawdę, mamo, powinnaś być ostrożna. – To był Alex Barton. Alex, syn, który widocznie na moment porzucił przygotowywanie kolacji. Nina pomyślała, że wypadałoby się ujawnić. Takie siedzenie w zapadającym mroku i podsłuchiwanie toczącej się w środku konwersacji nie wyglądało najlepiej. Ale się nie poruszyła. Pisarze są jak pasożyty, żywią się stresem i cierpieniem innych. Obiektywni obserwatorzy, jak szpiedzy lub detektywi.

Tyle że ja nie jestem obiektywna, pomyślała. Nie lubię Mirandy. Co do syna, trudno powiedzieć. Wydaje się raczej nieszkodliwy, ale jej z pewnością nie lubię.

Chłopak nadal mówił, z przejęciem i złością zarazem.

– Może po prostu odwołajmy resztę kursu?

– Nie możemy tego zrobić! – Głos matki zabrzmiał ostro. – Musielibyśmy zwrócić pieniądze, a nie stać nas na to. Sam wiesz, jak wygląda nasza sytuacja. Poza tym...

– Poza tym, co?

– Wolę, żeby śledztwo toczyło się tutaj, gdzie możemy mieć oko na wydarzenia. Gdybyśmy rozesłali ludzi do domów, nie wiedzielibyśmy, co się dzieje.

– Ale ja nie chcę tego wiedzieć! – krzyknął Alex. – Chcę raz na zawsze zapomnieć o Tonym Ferdinandzie. Nawet nie wiesz, jak się cieszę, że odtąd już nie będzie częścią naszego życia.

– Powinieneś być ostrożny. – Matka powtórzyła słowa syna, więc zabrzmiało to jak mantra. – Chyba nie chcesz, żeby ktoś pomyślał, że się cieszysz, że Tony nie żyje.

– Ale ja się cieszę! – Zostało to powiedziane piskliwie, dziecięcym tonem. – Gdybym mógł, zatańczyłbym na jego grobie.

Zjadliwość w głosie Alexa przeniosła Ninę do St Ursula, na jedno z okropnych seminariów. Ona też mówiła tym samym tonem tamtego popołudnia w Londynie. Popołudnia, o którym opowiadała inspektor Stanhope, kiedy choć raz to nie ona była obiektem krytyki grupy. Kiedy ulga, jaką odczuła z tego, że pastwiono się nad kimś innym, kazała jej się przyłączyć, być niemal tak okrutną jak reszta. Rzucać zniewagi, jakby to były kamienie.

Nagły hałas sprowadził ją z powrotem do rzeczywistości: strzeliła iskra w kominku, głośno niczym wystrzał broni.

– Ciii... – rzuciła Miranda. – Nie wiadomo, kto nas słucha.

Ja słucham, pomyślała Nina, rozkoszując się swoją rolą obserwatora. O tak, jak najbardziej słucham. Przyszło jej na myśl, że Vera Stanhope byłaby z niej dumna. Potem usłyszała trzaśnięcie drzwiami i założyła, że Miranda i syn opuścili salon. Cicho wstała i zajrzała do pokoju. Był oświetlony pojedynczą lampą, a w fotelu przed kominkiem siedziała Miranda. Miała zamknięte oczy i płakała.

Do czasu gdy Nina odniosła kurtkę, zapisała w notesie kilka pomysłów do opowiadania i wróciła do jadalni, pokój zapełnił się ludźmi. Miranda rozmawiała z Gilesem Rickardem, jednym z prowadzących zajęcia. Starszawy powieściopisarz miał czerwony nos, niezgrabne duże ciało i artretyzm. Jego kryminały z pozoru wydawały się łagodne i raczej staroświeckie, choć zawierały momenty złośliwego dowcipu. Jego detektywem był wykładowca z Cambridge, matematyk. Rickard przeżywał spóźniony wybuch popularności, po tym jak telewizyjne koło czytelnicze wybrało jedną z jego książek do dyskusji, i teraz regularnie pojawiał się na listach bestsellerów. Nina uważała, że to mistrzowskie posunięcie, że Miranda namówiła go do poprowadzenia zajęć na kursie. Rickard wydawał się ciągle zdumiony, jakby nie mógł do końca uwierzyć, że wreszcie stał się sławny. Wobec studentów bywał cięty i wymagający, ale Ninę polubił.

– Dobrze piszesz – stwierdził przy pierwszym spotkaniu, więc założyła, że musiał przeczytać jedną z jej ostatnich książek, i już samo to sprawiło, że poczuła do niego sympatię. I może Chrissie zdoła go przekonać, żeby napisał notkę do jej następnego tytułu. – Zobaczysz, moja droga, ciebie też to spotka. Ale sukces to nie takie szczęście, jakby się wydawało. Wymaga wielu wyrzeczeń. – Zastanawiała się, z czego musiał zrezygnować taki ktoś jak on. Nie był żonaty, nie miał rodziny. Może chodziło o prywatność. Albo o czas wolny. Ale przecież może się nie zgadzać na prelekcje i promocyjne podróże. Dlaczego, na przykład, zgodził się spędzić ten tydzień w Domu Pisarza? Niemożliwe, żeby potrzebował pieniędzy.

Teraz machał do niej przez pokój. Miranda, która wciąż coś do niego mówiła, zdawała się tego nie zauważać. Nina zrobiła sobie herbatę rumiankową i poszła dołączyć do pary.

– Jakie mamy plany na resztę wieczoru? – Pytanie było skierowane do Mirandy. Będąc w pokoju, Nina zajrzała do programu. Przed kolacją Ferdinand miał wygłosić wykład na temat procesu wydawniczego.

Po Mirandzie nie było już widać wcześniejszego zdenerwowania. Łzy zostały otarte, makijaż odświeżony.

– Wpadliśmy na dobry pomysł w tej kwestii. Poprosiłam Marka, żeby nam opowiedział o miejscu zbrodni i pracy techników kryminalistycznych. Będzie to pasowało do ćwiczenia pisemnego, które zadałaś kursantom. Co o tym sądzisz?

Nina chwilę milczała.

– Zastanawiam się tylko, czy wykład na temat prawdziwych zabójstw to nie za blisko bieżących wydarzeń. Czy nie będzie to wyglądało bezdusznie?

– Wszyscy myślimy o biednym Tonym – rzekła Miranda – nawet jeśli jesteśmy zbyt taktowni, żeby o tym mówić. Nie sądzę, żeby wykład na ten temat sprawił komuś przykrość, zwłaszcza że biedna Joanna była niejako kimś obcym w naszym gronie. Poza tym zdaje się, że wszyscy tu mamy dość grubą skórę.

Nina pomyślała, że to prawda. Jedyną osobą, która okazała szczere emocje po śmierci Ferdinanda, była sama Miranda, ale wyglądało, że potrafiła je włączać i wyłączać według woli. Mimo to Nina była zaskoczona, że Mark Winterton zgodził się wygłosić wykład. Możliwe, że Miranda go do tego przymusiła; od początku wydawał się nieśmiały i wycofany. Jednak zajęcia okazały się zaskakująco ciekawe, a sam Mark zdawał się powracać do życia, gdy mówił o swojej pracy. Rozpoczął od wyjaśnienia, na czym polega proces zabezpieczania miejsca zbrodni. Nina jeszcze nie widziała takiego zainteresowania u kursantów – z pewnością byli bardziej skupieni, niż gdy ona omawiała kwestie literackie – sama też była zafascynowana. Cóż takiego było w opowieści ekspolicjanta, co tak intrygowało, a nawet wzbudzało ekscytację? Skąd to dziwaczne zainteresowanie tym, co się dzieje na miejscu zbrodni? Czyżby chodziło o to, że podobnie jak w kryminałach opowieść Wintertona nadawała brutalnej śmierci formę, uzupełniała ją fabułą? Przetwarzała niewytłumaczalny horror w proces, ludzką pracę?

Głos Wintertona brzmiał przyjemnie, gawędziarsko.

– Pierwszy policjant wezwany do zabójstwa ma obowiązek zabezpieczyć miejsce – wyjaśniał. – Nawet jeśli jest to nowy posterunkowy, a pojawi się funkcjonariusz wyższego stopnia, to ten z niższym musi ograniczyć dostęp do miejsca zbrodni do czasu, aż technicy kryminalni zakończą swoją pracę. Nie zawsze tak było! Przy jednym z pierwszych śledztw, w jakich uczestniczyłem, nadkomisarz przybył na miejsce zbrodni z szóstką znajomych – wszyscy w wieczorowych garniturach i muszkach. Byli na jakimś eleganckim przyjęciu i na deser po kolacji zapewnili sobie rozrywkę: przyszli się pogapić na zwłoki kobiety maltretowanej przez męża. – Mark przerwał. – I niektórzy policjanci mówią o tym okresie: stare, dobre czasy.

Lenny Thomas podniósł rękę.

– A co sądzisz o sposobie, w jaki policja zajmuje się morderstwem Tony'ego Ferdinanda?

Winterton krótko się roześmiał.

– Och, nie jestem przygotowany na komentowanie pracy kolegów. Kiedy jest się osobiście zaangażowanym, nawet jako świadek, człowiek patrzy na śledztwo z innej perspektywy. – Zerknął na tył pokoju.

Odwróciwszy się, Nina zobaczyła, że Vera Stanhope wróciła i stała obok swojego przystojnego sierżanta. Ashworth posłał pani inspektor ironiczny uśmieszek, a ta machnęła na niego ręką, gest, który mówił: Przynajmniej ty się nie czepiaj. A więc możliwe, że inspektor Stanhope miała tendencje do osobistego angażowania się w dochodzenia. Może jej spojrzenie na śledztwo było obarczone błędem. Reszta słuchaczy też zdała sobie sprawę z obecności śledczych. Wszyscy umilkli, jakby się spodziewali jakiegoś oświadczenia ze strony Very – może wiadomości, że Joanna została aresztowana i że dochodzenie oficjalnie zamknięto. Ale Vera powiedziała tylko:

– Nie zwracajcie na nas uwagi, ludziska! Przyjechaliśmy tylko, żeby zebrać kilka informacji.

Przerwa i przyjazd Very Stanhope i Joego Ashwortha chyba wybiły Wintertona z rytmu. Kontynuował wykład, ale już w suchy, formalny sposób, jakby przemawiał do grupy stażystów, podkreślając potrzebę przestrzegania procedur. Opowiadał o zabezpieczaniu dowodów i robieniu zdjęć. Wszystko bardzo ciekawe, ale bez ludzkiego elementu, który tak ich wciągnął na początku. Nina odniosła wrażenie, że pojawienie się śledczych przypomniało mu o prawdziwym zabójstwie – śmierci kogoś, kogo oni wszyscy znali – i choć ofiara nie była szczególnie lubiana, już nie uważał, że morderstwo to odpowiedni temat do żartów.

Jednak wyobraźnię Niny zaprzątało nie to prawdziwe, lecz fikcyjne zabójstwo. Miała już postać centralną i zalążek fabuły, prostej, lecz zarazem zuchwałej. Zabawnie byłoby to pociągnąć!

Podczas gdy rezydenci wokół niej pytali Marka Wintertona o zbieranie odcisków palców i DNA, Nina w swojej głowie znajdowała się na tarasie w październikowy wieczór, przyglądając się, jak morderca zabija kobietę siedzącą na białym krześle z kutego żelaza.

12

Spotkanie z Ronem Masonem przebiegło zaskakująco dobrze. Vera uważała, że lepiej nie mogła go poprowadzić. Jej szef był niedużym mężczyzną, skłonnym do wybuchów irytacji, ale trafiła na jego dobry dzień. Możliwe, że był tak nieprzyzwyczajony, że Vera konsultuje z nim jakąkolwiek kwestię, że pochlebiło mu, iż pojawiła się z prośbą o radę. Oczywiście nie miał pojęcia, że padł ofiarą manipulacji.

– A więc główna podejrzana to twoja sąsiadka? – Pochylił się do przodu nad stołem. Niegdyś miał rude włosy, i choć teraz były siwe, brwi wciąż posiadały barwę zmielonego cynamonu, a na całym czole widniały piegi tego samego koloru. Vera nigdy wcześniej nie zwróciła na to uwagi. Pomyślała, że przebywanie z tymi wszystkimi pisarzami miesza jej w głowie i sprawia, że zaczyna widzieć świat inaczej.

– Z początku na pewno tak to wyglądało, chociaż nie mamy wystarczających dowodów, żeby postawić jej zarzuty. – Vera opowiedziała o nożu, który niosła Joanna, a który nie pasował do ran w ciele Ferdinanda.

– Zatem to bardziej skomplikowana sprawa.

– Zastanawiałam się, czy nie wolałbyś jako mój przełożony przejąć tego śledztwa – rzekła Vera. – Ze względu na rzekomy konflikt interesów. – Mason kompetentnie zarządzał wydziałem, ale już od lat nie prowadził większych dochodzeń. W kantynie się mówiło, że nie miał już na to sił.

– Nie ma takiej potrzeby – szybko odparł Mason. – W wiejskim okręgu, jak ten, zawsze będziemy natykać się na starych znajomych. – Zamilkł na chwilę. – Zakładam, że właśnie to was łączy, znajomość?

– Raczej się nie obracam w artystycznych kręgach – rzuciła Vera, zachęcając Masona do uśmiechnięcia się z podobnego pomysłu. – Jak powiedziałam, Joanna Tobin i Jack Devanney to tylko sąsiedzi.

I to było wszystko, co musiała uczynić, żeby uzyskać od Masona zgodę na dalsze prowadzenie dochodzenia. Pod koniec rozmowy wstał i potrząsnął jej dłonią.

– Dzięki, że mnie poinformowałaś – rzekł. – Życzę szczęścia.

Po powrocie do Domu Pisarza Vera pomyślała, że szczęście jak najbardziej się przyda. Wyglądało, że wiele z przebywających w ośrodku osób, które miały sposobność dokonać zabójstwa, nie lubiło Tony'ego Ferdinanda, ale jeszcze nie pojmowała, dlaczego ktoś wybrał konkretnie ten moment i miejsce. Dotarła do ośrodka, akurat gdy rozpoczynał się wykład Wintertona. Ona też mogłaby opowiedzieć kilka historyjek o bajzlu na miejscach zbrodni i kusiło ją, żeby wtrącić do wykładu swoje pięć groszy, uznała jednak, że nie byłoby to profesjonalne. Kiedy wykład się skończył i rezydenci poszli się szykować do kolacji, wraz z Ashworthem udała się do kaplicy.

– Co sądzisz o Wintertonie?

– Mógł to zrobić – odparł Joe. – Ale nie widzę, jakim motywem miałby się kierować. Nigdy nie obracał się w kręgach literatów. Na emeryturę przeszedł dopiero rok temu.

– W takim razie co tu robi? Policyjna pensja jest lepsza niż niegdyś, niemniej trudno przypuszczać, żeby miał kasę na takie wypady. Widziałeś, ile ten kurs kosztuje? Chyba że dostał stypendium? – Vera przez chwilę rozmyślała o tym, co będzie robiła, gdy zakończy pracę. Widziała się w domu Hectora, zbyt gruba i niedołężna, żeby wyjść, całe dnie oglądająca telewizję i pijąca piwo na śniadanie. Wtedy jedynym łącznikiem ze światem zewnętrznym byliby jej szaleni sąsiedzi hippisi. Może jednak wykazanie niewinności Joanny leży w jej interesie bardziej, niż to się komukolwiek wydaje.

– Nie, wystąpił o stypendium, ale go nie otrzymał. Coś mi się widzi, że jego pisarstwo nie jest najwyższych lotów.

– Więc może miał powód, żeby zabić Ferdinanda, i zjawił się tu, żeby to zrobić. Wykorzystał kurs jako przykrywkę.

– Tiaa... – mruknął Joe. – A to, co przed chwilą przelatywało za oknem, to była świnia.

Vera się uśmiechnęła. Lubiła, kiedy Joe się jej stawiał, pod warunkiem że nie zdarzało się to zbyt często.

– Winterton zna się na przebiegu śledztwa. Na tyle, żeby wykręcić ten numer z nożami.

– Ale chybaby się aż tak nie pomylił? – rzucił Joe. – Zadbałby, żeby Joanna zabrała właściwy nóż.

– Chyba tak. – Vera zaczynała być głodna, ale nie chciała jeść kolacji na oczach podejrzanych. Niech Winterton odgrywa przed nimi rolę gliny.

– Mnie wpadło do głowy, że Winterton mógłby nam pomóc – ciągnął Joe. – Jest jednym z nich. Rezydenci rozmawiają z nim o rzeczach, o których nam nigdy by nie powiedzieli.

– Winterton jest podejrzanym – rzuciła ostro Vera. – A co najmniej świadkiem. Czasami trzeba zachować dystans. – Widziała, że Joe ma na końcu języka uwagę o jej własnym braku obiektywizmu. Zamiast tego spojrzał na zegarek.

– Muszę jechać do domu. Jeśli nie zobaczę się z dzieciakami, zanim pójdą spać, zapomną, jak wyglądam.

– Chciałam jeszcze wpaść do Joanny Tobin – oświadczyła Vera. – Miała czas pomyśleć, a my już wiemy, o co powinniśmy ją zapytać. Oczywiście mogę to zrobić sama, nie ma problemu. Rodzina jest na pierwszym miejscu, Joe, rozumiem. Poproszę Holly, żeby przyjechała. Powinna zbierać doświadczenie. Może nawet dam jej poprowadzić rozmowę. Jak sądzisz? – Vera słodko się uśmiechnęła. Joe Ashworth na pewno wiedział, do czego pije. Joe i Holly się nie kochali; Joe nie chciałby, żeby bystra młoda dziewczyna chwaliła się, że podczas przesłuchania pozyskała ważne dla śledztwa informacje. Vera podniosła płócienną torbę na zakupy, która służyła jej za aktówkę – znak, że czeka na decyzję.

– Żona mnie zabije.

– Jak mówiłam, kotku, nie naciskam. Holly przyda się trening. Możesz wracać do domu. – Ale teraz już wiedziała, że dał się złapać na haczyk.

– Idę z panią.

Vera się rozpromieniła.

– Jesteś mistrzem – rzuciła. – Mam w domu zapiekankę. Zrobiłam ją kilka dni temu, gdy naszła mnie chętka na gotowanie. Czasami tak mam. Zjemy po kawałku, zanim pójdziemy pogadać z szalonymi hippisami, okej? Nie potrafię się skoncentrować, kiedy mam pusty żołądek.

– I pozwoli mi pani poprowadzić przesłuchanie?

– Oczywiście, szczupaczku. Jakżeby inaczej? Nie możemy przecież narażać śledztwa.

W domu było zimno, więc Vera rozpaliła w kominku. Będąc w kuchni, gdzie podgrzała potrawkę z kurczakiem i wetknęła do mikrofali kilka sztuk ziemniaków w mundurkach, usłyszała, jak Ashworth płaszczy się przed żoną.

– Tak, wiem, że obiecywałem, ale nie mogę się z tego wymigać.

Jedli, siedząc przed kominkiem, z talerzami na kolanach.

– Czy jest coś, co powinienem wiedzieć, zanim tam pójdziemy? – zapytał Ashworth.

– Nie chciałabym na ciebie wpływać. – I taka jest prawda, pomyślała Vera. Odpowiadało jej podejście Joego do pary hippisów. Instynktownie ich nie akceptował, sugerując się ich ubiorem, tym, jak wyglądali, że nie mieli prawdziwej pracy, nie tworzyli normalnej rodziny najlepiej z dwójką dzieci na wychowaniu. Vera nie była pewna, na jaką partię Joe głosował, ale wiedziała, że z temperamentu jest konserwatystą. Będzie sceptyczny wobec pary i nie da się zwieść romantyzmowi ich związku. A tego właśnie Vera potrzebowała.

Zobaczyli ich, jeszcze zanim oboje się zorientowali, że Joe i Vera są na podwórku. Światło było zgaszone, ale zasłonki – jeśli w ogóle jakieś były w oknach kuchni Myers Farm – nie były zaciągnięte. Jack i Joanna siedzieli przy stole. W suszarce piętrzyły się talerze po kolacji. Jack miał na stopach grube wełniane skarpety. Z nogami wyciągniętymi w stronę przedpotopowej kuchni popijał piwo z butelki. Postawa sugerowała kompletne wyczerpanie i Vera pomyślała, że pewnie niewiele spał nawet po wypuszczeniu Joanny z aresztu. Joanna siedziała przy staromodnej maszynie do szycia, przekręcając koło prawą ręką i drugą prowadząc materiał pod przesuwającą się igłą.

– Babcia miała takiego singera – rzucił Joe. W jego głosie zabrzmiała tęsknota. Może uważał, że żona powinna więcej czasu spędzać przy szyciu ubranek dla dzieci, zamiast zajmować się własnymi sprawami.

– Nie czas na nostalgię, chłopcze. – Vera ostro zapukała w drzwi i wmaszerowała do środka, nie czekając na zaproszenie. Jack poderwał się na nogi. Wyglądało to, jakby właśnie wybudził się z głębokiego snu. Joanna podniosła wzrok znad maszyny.

– O co chodzi, Vero? Przyszłaś mnie aresztować? – Pytanie zostało zadane z rozbawieniem, spokojnie, jakby odpowiedź miała znaczenie czysto akademickie.

– Nie ma z czego żartować. – Vera usiadła przy jednym krańcu stołu, miejsce przy drugim, naprzeciwko Joanny, pozostawiając dla Joego. – Przyszliśmy, bo mamy kilka pytań.

– Czego się napijecie? – zapytał Jack. – Piwa? Kawy? – Teraz, gdy już był na nogach, wydawało się, że nie jest w stanie ustać spokojnie w miejscu. Ciężko stąpając na piętach, podszedł do kredensu i tam się przeciągnął, żeby pozbyć się sztywności w karku i ramionach.

– To nie jest wizyta towarzyska. – Vera spojrzała na Jacka. – Może masz coś do zrobienia. Byłoby dobrze, gdybyśmy zostali sami.

– No nie wiem. – Jack obrzucił ich złym spojrzeniem. – Chyba powinienem zostać. O policji słyszy się różne rzeczy. Możesz potrzebować świadka – zwrócił się do Joanny.

– To Vera, Jack! – Joanna odrzuciła głowę w tył i roześmiała się. – Nie będzie próbowała mnie wrobić.

Wyglądało, że Jack miał ochotę coś odpowiedzieć, ale w końcu, zgromiwszy detektywów wzrokiem, opuścił kuchnię bez słowa. Po jego wyjściu w pomieszczeniu zrobiło się cicho i spokojnie, jak w domu, gdy już wszystkie dzieci położą się spać. Na koniec usłyszeli kroki Jacka na podwórku, zmierzające w stronę stodoły.

– Ktoś jednak próbuje panią wrobić – odezwał się Joe Ashworth. – Przynajmniej tak to wygląda.

O tak! – uradowała się Vera w duchu. Dobre otwarcie, Joey, chłoptasiu. Miły początek rozmowy!

– Co macie na myśli? – Joanna siedziała na swoim krześle sztywno wyprostowana.

– Liścik, rzekomo od Ferdinanda. Jeśli to nie on go napisał, być może zabójca chciał, żeby znalazła się pani na miejscu zbrodni. Nawiasem mówiąc, co pani z nim zrobiła? Mówię o liściku. – Pytanie zostało rzucone machinalnie, jakby Joe dopiero sobie o tym przypomniał, choć w rzeczywistości chodziło mu o to od samego początku.

– Czy ja wiem? Szukałam go. Myślałam, że uda mi się rozpoznać charakter pisma, chociaż ręcznie napisane były tylko inicjały. Reszta została napisana na komputerze i wydrukowana.

– Nie zdziwiło to pani? – zapytał Joe. – Taka krótka wiadomość. Szybciej byłoby ją napisać odręcznie. A w ogóle, jeśli już przy tym jesteśmy, dlaczego Ferdinand po prostu nie zwrócił się do pani osobiście? Musiał panią widzieć w czasie lunchu. Mógł wtedy z panią porozmawiać.

– W tym ośrodku wszystko było dziwne – odparła Joanna. – A ja faktycznie się zastanawiałam, czy wiadomość to jakiś podstęp. Myślałam, że Ferdinand chce mnie ściągnąć do swojego pokoju. Ale ponieważ istniała szansa, że miał jakieś informacje o wydawcy, postanowiłam pociągnąć temat. – Joanna zamilkła, potem powróciła do początkowego pytania Joego. – Wydaje mi się, że zaraz po przeczytaniu wrzuciłam kartkę do kosza przy kominku w salonie. Często tam wrzucałam zużyte kartki. Były wykorzystywane wieczorem do wyłożenia rusztu.

– Więc wiadomość prawdopodobnie spłonęła?

– Tak – potwierdziła. – Prawdopodobie tak. I jeśli tak się stało, to nie ma dowodu, że w ogóle ją otrzymałam. – Ostatnie słowa zostały rzucone w stronę Ashwortha niczym wyzwanie: spróbuj tylko powiedzieć, że kłamię!

Ashwort przez chwilę przyglądał się Joannie, potem zmienił temat.

– Czy wcześniej znała pani któregoś z rezydentów?

Siedząca przy krańcu stołu Vera pomyślała, że to było kolejne dobre pytanie.

Tym razem Joanna zrobiła pauzę przed odpowiedzią.

– To całkiem możliwe.

– Nie wydaje się pani zbytnio przekonana – zauważył Ashworth.

– To dlatego, że nie jestem. – Joanna zmarszczyła brwi. – Posłuchajcie, to pewnie nie ma związku ze śmiercią Ferdinanda. Nie widzę, jaki mogłoby mieć.

– Ale…

– Ale zdawało mi się, że rozpoznałam jednego z prowadzących. Tego starszego. Gilesa Rickarda. Nazwisko wydało mi się znajome, kiedy otrzymałam listę uczestników.

– Rickard jest pisarzem – przypomniał Ashworth. – Mówiono mi, że sławnym. Może czytała pani jakąś jego powieść. – Ton głosu brzmiał sceptycznie: Lepiej sobie ze mną nie pogrywaj, paniusiu.

– Staram się być jak najbardziej szczera, sierżancie. – Joanna trzymała nerwy na wodzy, ale była na skraju. – Mówię, jak jest. Możliwe, że rozpoznałam nazwisko, bo widziałam je gdzieś w jakiejś książce, ale nie wydaje mi się. A potem, kiedy go zobaczyłam pierwszego wieczoru kursu, byłam przekonana, że gdzieś go już widziałam. Nawet jeszcze, zanim mi powiedziano, kim jest. To było dawno temu i Rickard się zmienił, utył, złagodniał. Postarzał się. Ale rysy pozostały te same. Mam dobrą pamięć wzrokową.

– Skąd go znasz? – To Vera zadała to pytanie. Ashworth skrzywił się, że mu przerwała, ale nie potrafiła się powstrzymać. Wciągnęła się w rozmowę. Spojrzała na Joego – rodzaj przeprosin – zanim znów odwróciła się do Joanny, czekając na odpowiedź.

– Był znajomym mojego byłego męża – wyjaśniła Joanna. – Jeśli jest tym, kim myślę, że jest, to właśnie stąd go znam.

– Nie zaczepiła go pani o to? – zapytał Ashworth. – Mam na myśli, że to sławny autor, a pani chce wydać swoją powieść, więc z pewnością warto byłoby wykorzystać każdy nadarzający się kontakt.

Joanna znów nie od razu odpowiedziała.

– To nie był szczęśliwy okres w moim życiu – odrzekła w końcu. – Małżeństwo okazało się katastrofą prawie od początku. Byłam młoda. Separacja przebiegła brutalnie. Mój mąż był tak przekonany o swoim geniuszu, że uważał, iż muszę być szalona, skoro chcę od niego odejść. Dosłownie szalona. I pod koniec tego wszystkiego prawdopodobnie byłam. Giles zna mnie z tamtego czasu.

– Więc pewnie się pani krępowała mu przedstawić? – zasugerował Ashworth. – Bo kiedy się ostatnim razem widzieliście, była pani... – zamilkł, żeby znaleźć akceptowalne określenie. Vera domyślała się, że „wariatką" byłoby dla Joego zbyt surowe. Zbyt nieuprzejme. – Chora psychicznie.

– Nie! – Tym razem odpowiedź Joanny padła bez żadnej zwłoki. – Nigdy niczego się nie krępowałam. Ludzie albo mnie akceptują, albo się z nimi rozstaję.

– W takim razie nie rozumiem. – I Vera widziała, że Ashworth naprawdę nie rozumiał. Miał ograniczony, prowincjonalny ogląd życia rodzinnego. Ludzie się pobierają. Jeśli się rozwodzą, to zwykle dlatego, że któreś wdało się w romans. A Joe nie aprobował romansów.

– Paul, mój mąż, był nieprzyjemną osobą. Kontrolującą i gwałtowną. Był też bogaty, co komplikowało sytuację. Giles był jego najbliższym przyjacielem, pomimo różnicy wieku. Coś jak substytut ojca. Pomyślałam, że jeśli Giles mnie rozpozna, może powiedzieć Paulowi, gdzie jestem. – Joanna podniosła oczy i spojrzała najpierw na Ashwortha, potem na Verę. – Przestraszyłam się – dodała. – Odeszłam od męża prawie dwadzieścia lat temu, ale wciąż się boję.

13

Vera stała i patrzyła, jak Joe odjeżdża. Zaczekała, aż światła znikną, potem wróciła do Myers Farm. Przez kuchenne okno zobaczyła Jacka, który stał za Joanną i otaczał ją ramionami. Czyżby Joanna opowiadała mu o Rickardzie? Dzieliła się obawami. Tym razem Vera, zapukawszy, zaczekała, aż usłyszy, że może wejść.

– I co znowu? – spytał Jack z wyrzutem. – Nie uważasz, że Joannie należy się spokój? Jest późno. Zamierzaliśmy się położyć.

– Przyszłam jako przyjaciel – wyjaśniła Vera. – Nie w roli gliny. Nie powinnam mieć nic wspólnego z tym dochodzeniem. Konflikt interesów. Kiedy sprawa stanie w sądzie, obrona może to wykorzystać. Rozumiecie?

– W takim razie pewnie napijesz się piwa? – Jack odsunął się od Joanny. – Skoro przyszłaś w roli przyjaciela. Jeśli to nie jest wizyta urzędowa.

– Aye, czemu nie? – Vera nachyliła się nad stołem w stronę Joanny. Dopiero teraz zauważyła, jak bardzo jest spięta i zdenerwowana. Występ, jaki dała przed Joem, kosztował ją wiele wysiłku. – Żeby otrzymać stypendium na kurs, złożyłaś jakiś tekst. – Mówiła cicho, tak żeby Jack, który wyszedł do spiżarki, nie mógł usłyszeć.

– Tak.

– To było coś o twoim małżeństwie – domyśliła się Vera. – W fabule zawarłaś prawdziwe wydarzenia. Tak mi mówiłaś i to samo mówiła Nina Backworth. Bardzo osobisty tekst, tak powiedziała. Pewnie trudno ci się go pisało.

– Nie. – Joanna piła wino z kieliszka firmy Bristol Blue. Najwyraźniej Jack nalał jej zaraz po wyjściu Ashwortha i Very. – To wcale nie było trudne. Przez lata dusiłam nienawiść i kiedy zobaczyłam reklamę Domu Pisarza, usiadłam tu pewnego popołudnia i wszystko z siebie wyplułam. Potem szybko wysłałam tekst, zanim zdążyłabym zmienić zdanie.

– Czy pisanie szło tak gładko, bo przestałaś brać lekarstwa? – zapytała Vera. – Dlatego z nich zrezygnowałaś?

– Dla weny twórczej, to masz na myśli? – Joanna podkpiwała z samej siebie. – Nie, to nie to. Przynajmniej nie w tym sensie.

– W takim razie, w jakim? – Vera myślała o tym, co na samym początku mówił Jack, że się obawia, iż Joanna ma kochanka.

Ale wtedy Jack wrócił do kuchni i Joanna tylko pokręciła głową, odmawiając odpowiedzi.

– Mogę przeczytać twoje opowiadanie? – Vera wygodnie rozparła się w krześle i uniosła butelkę do ust. Widziała, że prośba zaskoczyła Joannę. – To Ashworth powinien był o nie poprosić, ale nie chciałam robić z tego sprawy w jego obecności.

– Nie rozumiem, co to może mieć wspólnego ze śmiercią Tony'ego Ferdinanda.

– Ferdinand czytał opowiadanie, prawda? I cieszył się sławą seksualnego drapieżcy.

– Myślisz, że mój tekst mógł go rozochocić? – Joanna odchyliła głowę i wybchnęła śmiechem. – Niee… to był po prostu zwykły zboczek.

– Rickard też czytał twój tekst? – Vera po omacku próbowała odnaleźć się w zawiłościach sytuacji. Nie obchodziło jej, czy jej pomysły wydadzą się niedorzeczne.

– Kopie wszystkich złożonych prac zostały rozdane wszystkim prowadzącym – odparła Joanna.

– Czy Rickard cię rozpoznał?

– Jeśli nawet – mruknęła kobieta – to się z tym nie zdradził.

– Co mówił o twoim opowiadaniu?

– Nie wiem. Miałam z nim mieć zajęcia tego popołudnia, gdy zginął Tony Ferdinand.

Zapadła cisza, bo wszyscy się zastanawiali nad konsekwencjami tego faktu.

– A więc to może być ważne – rzuciła Vera. – Być może nie, ale sama widzisz, jak mogło być?

Ponieważ Joanna nie odpowiedziała, Vera pociągnęła temat:

– Wiesz, że mogłabym uzyskać kopię od Mirandy Barton. Ale najpierw chciałam poprosić o nią ciebie.

Joanna skinęła głową. Podeszła do kredensu i z szuflady wyjęła kopertę formatu A4.

– Tylko to mi zostało – ostrzegła. – Wykasowałam tekst z komputera.

– Bo nie chciałaś, żeby Jack go przeczytał? – Vera starała się mówić beztroskim tonem. Siedzący po drugiej stronie stołu Jack wyglądał, jakby zamierzał coś powiedzieć, ale w końcu się nie odezwał. To do niego niepodobne, że jest taki małomówny, pomyślała Vera. Może wreszcie dorośleje.

– Nie dlatego, że były tam jakieś tajemnice – wyjaśniła Joanna. – Ani nic, czego bym się tak naprawdę wstydziła. Oprócz tego, że dałam się zwieść sukinsynowi. Ale wiesz, jaki jest Jack. – Odwróciła się do partnera i posłała mu uśmiech, który był prawie matczyny. – Pomyślałam, że może się wściec. Że wybuchnie i postanowi zabawić się w bohatera.

– Ech – burknął Jack niby to beztrosko. – Nie mówcie tak, jakby mnie tu nie było.

Vera zignorowała uwagę.

– Chcesz powiedzieć, że myślałaś, że skonfrontowałby się z twoim byłym mężem?

– Coś w tym stylu. Już wcześniej by to zrobił, gdyby mógł go odnaleźć.

– Ty faktycznie byś do niego poszedł? – Vera wreszcie spojrzała na Jacka. Jego zaciśnięte na butelce palce były białe. Gdyby je zacisnął troszeczkę mocniej, butelka roztrzaskałaby się na kawałki.

– Tak – potwierdził. – Gdybym go znalazł, zabiłbym sukinsyna.

– A ja bym tego nie chciała – wtrąciła się Joanna, nagle poważniejąc. – Już nie mam pretensji do Paula Ratherforda czy do Gilesa Rickarda. To nie oni zrobili ze mnie ofiarę,

Vero. Sama to zrobiłam. Czasami trzeba wziąć na siebie odpowiedzialność.

Vera siedziała w łóżku i czytała maszynopis, który dała jej Joanna. W sypialni było zimno. Ogień, który rozpaliła w kominku dla Joego, już dawno zgasł, a nie chciało jej się włączać centralnego ogrzewania. Pod plecami miała dwie poduszki, ramiona opatuliła zapasową kołdrą. Na stoliku nocnym szklanka z gorącym mlekiem i sporą porcją whisky. Na zewnątrz panował spokój; nie słychać było żadnych odgłosów. Dlatego Vera wyraźnie słyszała w swojej głowie głosy postaci z opowiadania.

To była fikcja, ale w głównej bohaterce, Maggie, bez trudu można było rozpoznać Joannę. Czytając, Vera słyszała jej arystokratyczny głos, jej zagubienie i gniew.

Maggie dorastała w Somerset, w domu, w którym obowiązywały niewypowiedziane, niepisane zasady. Wszystko, od poprawnego składania serwetek po niedostateczne wykształcenie, podlegało zawczasu ustalonym regułom. Potem Maggie spotkała Paula i wszystkie zasady zostały złamane, stały się nieważne. Paul był jej wybawcą i przekleństwem. Wkroczył w jej życie pewnego wieczoru, smukły i wysoki, wygłodniały lew, poszukujący pożywienia. Kobiety i podziwu. Pieniędzy i kobiety, która by go uwielbiała. W jego życiu nie obowiązywały żadne normy oprócz jednej: bierz, co chcesz. I Maggie dała się uwieść jego niegodziwości, oczarował ją brakiem zasad. Uwolnił ją od nużącej egzystencji spędzanej na wypełnianiu obowiązków. Tamtego wieczoru gość w domu jej ojca kochał się z nią, podczas gdy reszta gości siedziała przy kolacji. Następnego poranka uciekła z nim.

To był początek. Bardzo melodramatyczny, pomyślała Vera. Potem przypomniały jej się urywki audycji o literaturze nadawanej w Radiu 4 i postanowiła użyć innego określenia. Bardzo gotycki. Zastanawiała się, czy wydarzenia były opisane wiernie, czy Joanna je przerobiła, żeby pasowały do jej depresyjnego nastroju. Być może jej związek z Paulem wyglądał bardziej prozaicznie, wręcz plugawie. Joanna była nastolatką, chciała się wyrwać od surowych rodziców i z nudnego rodzinnego życia. A on był od niej starszy, więc oczywiście nie odtrącił kościstej dziewuszki, kiedy ta się na niego rzuciła. Czy przesadny język opowiadania to wynik tego, że Joanna nie brała lekarstw, gdy je pisała? A może jednak na początku naprawdę widziała w przyszłym mężu postać romantyczną, tak jak to opisywała w opowiadaniu?

Vera czytała dalej, coraz bardziej poirytowana brakiem realnych szczegółów. Miała nadzieję, że znajdzie w tekście coś, co jej pomoże w dochodzeniu. Ale choć sceny z życia pary w Paryżu, zwłaszcza opisy coraz głębszej depresji Maggie, były oddane z dużą wyrazistością, to rzeczowych informacji było niewiele. Paul codziennie wychodził z domu do pracy, ale nie było wzmianki o adresie ani o tym, w jaki sposób zarabiał na życie. Oczywiście Vera mogła zapytać sąsiadkę o okres w Paryżu, tyle że Joanna wciąż pozostawała główną podejrzaną.

Poza tym, jaki to mogłoby mieć związek z morderstwem? Trudno dać wiarę, że były mąż Joanny maczał palce w wypadkach w Domu Pisarza. Pomysł, że zabito obcą osobę tylko po to, żeby podejrzenia padły na Joannę, żeby dalej ją dręczyć, wydawał się dziwaczny nawet o tak późnej godzinie. Kto by sobie zadawał aż tyle trudu i to po tylu latach? Może Joe miał rację, że nie pociągnął tego wątku. Vera jeszcze raz przeczytała cały tekst, po czym odłożyła kartki na podłogę koło łóżka, uznając, że nie widzi uzasadnienia, żeby poświęcać temu tropowi więcej czasu i energii. Naszła ją chętka na szklaneczkę whisky przed snem – zasłużyła sobie na nią po tej całej lekturze – ale w pokoju było lodowato i odstręczała ją perspektywa stąpania gołymi stopami po zimnej podłodze w kuchni. Jej ostatnią myślą było to, że mogła przynieść butelkę do łóżka, zanim się położyła.

Na odprawie następnego poranka wypłynęło pytanie o przeszłość Joanny. Zebraniu przewodniczył Joe Ashworth. Vera usiadła z tyłu, zdecydowana się nie odzywać. Nie chciała narażać śledztwa, przejmując główną rolę. Ani nie chciała, żeby się wydało, że poprzedniego wieczoru powtórnie odwiedziła Joannę. Joe zaczął od podsumowania.

– Ze wszystkich osób przebywających w Domu Pisarza tylko siedem miało możliwość zabić Tony'ego Ferdinanda. Reszta między lunchem a momentem odkrycia zwłok była razem. Nie mamy jeszcze informacji od ekipy przeszukującej teren w sprawie narzędzia zbrodni.

Holly podniosła rękę. Vera pomyślała, że dziewczyna w przeszłości musiała należeć do tego rodzaju dzieciaków, co to siadają w pierwszej ławce i poprawiają nauczyciela, gdy ten coś pokręci.

– Tak? – Joe zareagował tak, jak zareagowałby nauczyciel.

– Nie zapominajmy o Chrissie Kerr, właścicielce wydawnictwa. Też była rano w Domu Pisarza, żeby dać wykład. Została do lunchu.

– I odjechała, zanim Ferdinand został zamordowany. – Joe posłał Holly wściekłe spojrzenie.

– Nic jej nie przeszkadzało zostawić samochód gdzieś dalej i wrócić do ośrodka pieszo.

Vera pomyślała, że są jak para sprzeczających się dzieci, i postanowiła, że pora wkroczyć, inaczej będą tak ciągnęli przez cały dzień.

– Odkryłaś jakieś powiązania między Kerr a Ferdinandem? – zapytała. – Potencjalny motyw?

– Na nic takiego nie wpadłam – przyznała Holly.

– W takim razie dołączmy ją do ludzi z zewnątrz i idźmy dalej. – Vera odchyliła się na oparcie i czekała, aż Joe powróci do podsumowania.

Pokazał na zdjęcia Bartonów, przypięte do tablicy.

– Zatem mamy matkę i syna, Mirandę Barton i jej syna, Alexa. Oni zarządzają ośrodkiem. – Zwrócił się do Holly, lodowato uprzejmy: – Miałaś poszukać wiadomości o ich sytuacji finansowej. Coś znalazłaś?

– Cóż, ośrodek raczej nie przynosi kokosów – odparła Holly. – Ale nie są też na skraju bankructwa. Miranda kupiła dom lata temu, kiedy jeszcze dobrze zarabiała na pisaniu. Dom nie jest obłożony kredytami. Na pomysł prowadzenia w nim seminariów dla pisarzy musiała wpaść, gdy jej książki przestały się sprzedawać. To nawet ma sens. Coś w rodzaju pensjonatu z dodatkowymi atrakcjami. A koszt stypendiów pokrywa New Writing North, więc w zasadzie Miranda ma same zyski.

Holly spojrzała na Joego znad oprawek okularów.

– Nie widzę, żeby któreś z nich mogło mieć motyw. Jeśli już, to raczej mogliby stracić, gdyby morderstwo wpłynęło na sprzedaż miejsc.

Vera pomyślała, że w każdej rozmowie między tą dwójką pojawia się element rywalizacji. Holly oczekiwała, że Joe się sprzeciwi, i szykowała nowy argument, ale Joe nie dał jej tej satysfakcji.

Vera podniosła palec.

– Mnie się oni wydają dziwni – oznajmiła. – Kobieta jest emocjonalna, a syn zimny jak lód, są różni jak dzień i noc.

Joe popatrzył na Verę, spodziewając się ciągu dalszego, ale Vera pokręciła głową.

– Tylko stwierdzam.

Odwrócił się do tablicy i wskazał następne zdjęcie.

– Potem mamy Lenny'ego Thomasa. Pracował w kopalni odkrywkowej należącej do firmy Banks Open-cast do chwili, gdy przed dwoma laty nabawił się problemów z kręgosłupem. Od tamtej pory żyje z renty. Mieszka w domu komunalnym w Red Row. Rozwiedziony, jedno dziecko. Jako dzieciak trochę rozrabiał – kradzieże samochodów, włamania. Raz miał nadzór kuratorski i raz pół roku siedział. W ostatnich latach czysty. Przynajmniej odkąd zatrudnił się w Banks.

– Jak on się odnajduje wśród tych literackich snobów? – To pytał Charlie – worki pod oczami, w których można by nosić piłki golfowe, curry na wynos z poprzedniego dnia na swetrze.

Verę kusiło, żeby znowu się wtrącić, ale pozwoliła, żeby pierwszy odpowiedział Ashworth.

– Przygarnęli go jako ich osobistego pupila z klasy pracującej – rzekł. – Są dla niego mili, ale traktują protekcjonalnie. Nie chcieliby, żeby ktoś ich wziął za snobów.

Dobra robota, chłopcze!

– Motyw? – zapytała Holly. Nadal była nadęta, bo Joe skupiał na sobie całą uwagę.

– Według tego, co mówił Lenny Thomas, Tony Ferdinand obiecał, że znajdzie dla niego wydawcę i zrobi z niego gwiazdę. Może to było tylko gadanie i Lenny się zdenerwował i stracił nad sobą panowanie.

– Sztuczka z nożem i podrobiony liścik do Joanny raczej do niego nie pasują, nie uważacie? – To była Holly, zdradzająca własne uprzedzenia.

– Chcesz powiedzieć, że jest na to za mało bystry, bo kiedyś pracował jako kierowca ciężarówki w kopalni odkrywkowej?

Nie daj jej się zbić z tropu, Joey chłoptasiu, pomyślała Vera.

– Poza tym – ciągnął Joe – wcale nie wiadomo, że liścik do Joanny był podrobiony. I tego się nie dowiemy. Joanna twierdzi, że spłonął. Dlatego nadal pozostaje naszą główną podejrzaną. – Wskazał na zdjęcie Joanny. Było zrobione niedawno i Vera zastanawiała się, skąd jej ludzie je wzięli. Joanna była w czerwonym swetrze, włosy rozwiane przez wiatr. – Joanna Tobin. Żyje spokojnie z partnerem, Jackiem Devanneyem, w górach nad Clachan Lough. Podobnie jak Thomas jest jedną ze studentów nagrodzonych bezpłatnym miejscem na kursie. Widziano ją blisko zwłok z nożem w ręce. Problem w tym, że nóż nie pasuje do rany. Więc, ktoś ją wrobił? Czy może prowadzi z nami jakąś wymyślną grę? Zastosowała podwójny blef?

Joe zamilkł i odwrócił się do Very.

– Dziesięć lat pożycia małżeńskiego spędziła we Francji i informacje dotyczące tego okresu dotarły do nas dopiero dzisiaj rano. Joanna napadła na męża, rzuciła się na niego z nożem, potem próbowała się zabić. Lekarze zdiagnozowali epizod psychotyczny i Joanna uniknęła kary. Uciekła z francuskiego szpitala psychiatrycznego i zdołała wrócić do kraju przy dużej pomocy Devanneya. Wygląda, że od tamtej pory stale bierze leki.

Nie stale, pomyślała Vera. Przestała je brać na kilka tygodni przed wyjazdem do Domu Pisarza. Bo się zakochała, jak obawiał się Jack?

– Więc sprawa zamknięta! – Charlie podniósł wzrok znad papierowego kubka, w który się wgapiał od chwili, gdy usiadł.

– Dobrze wiesz, że trzeba uważać z takimi stwierdzeniami, Charlie. – Głos Joego zabrzmiał ostro. Vera nie wiedziała, czy rzeczywiście się rozzłościł, czy tylko dawał pokaz na jej użytek. – Nie ma dowodów łączących Joannę z ofiarą. Jeśli zaczniesz szukać dowodów obciążających konkretną osobę, w końcu prawdopodobnie je znajdziesz. Ale to nie znaczy, że będą wiarygodne. Na tym etapie musimy mieć otwarte umysły. Więc idźmy dalej.

Joe wskazał kolejne zdjęcia na tablicy. Fotografia była stara i wyglądała, jak wyszperano ją ze starych akt personalnych.

– Mark Winterton. Były inspektor policji w Cumbrii. Kiepski pisarz, zdaniem ekspertów z kursu. Więc pytanie brzmi, dlaczego się na niego zapisał? Przydałoby się ustalić jego powiązania z ofiarą. Lub z Joanną Tobin. Charlie, możesz się tym zająć? Mieszka gdzieś koło Carlisle. Blisko Tobin, czyli tam, gdzie wrony zawracają.

Charlie kiwnął głową. Był przyzwyczajony, że się go ruga, ale nie chował długo urazy.

– Ostatnie dwie osoby to wykładowcy. Nina Backworth, profesor uniwersytecki i pisarka. Przyznaje się, że nienawidziła Ferdinanda, i obwinia go o to, że spieprzył jej karierę literacką. Więc to ona ma najbardziej przekonujący motyw, ale kolejny raz nie posiadamy żadnych dowodów, które łączyłyby ją z ofiarą. – Ashworth zamilkł i rozejrzał się po pokoju, żeby sprawdzić, czy wszyscy uważnie słuchają. – Potem jest Giles Rickard. Ostatnio całkiem dobrze mu się żyje z pisarstwa. Ma dom w Normandii i mieszkanie w Highgate. – Joe spojrzał na Charliego. – To szpanerska część Londynu. I ma też wakacyjną daczę na wybrzeżu Northumberland. Stąd zaproszenie, żeby poprowadził zajęcia na kursie. Twierdzi, że nie utrzymywał zawodowych kontaktów z Ferdinandem, i wydaje się, że spotykali się tylko na okazjonalnych przyjęciach urządzanych przez wydawców. Tak mówi Rickard, który sprawia wrażenie sympatycznego starszego pana. Ale możliwe, że nie powinniśmy mu do końca ufać. Bo zapomniał powiedzieć, że się przyjaźnił z byłym mężem Joanny Tobin, Paulem. A kiedy go wygooglowałem, w „Times Literary Supplement" natknąłem się na zjadliwą recenzję jednej z jego powieści. Napisaną przez naszą ofiarę.

14

Nina Backworth obudziła się nagle, nie wiedząc, gdzie jest. Nadal było ciemno. W domu, w jej mieszkaniu w Newcastle, lampy uliczne dawały tyle światła, że bez problemu mogła rozpoznać w mroku zarys szafy, poza tym słyszałaby szum oddalonego ruchu ulicznego. Tutaj przez krótką chwilę wszystko było dziwne. Usłyszała kroki w korytarzu i na moment ogarnęła ją panika. Jej ciało zesztywniało ze strachu, puls dziko tętnił. Ktoś się włamał do jej mieszkania. W oczach mignął jej obraz skulonych w ciemności zakrwawionych zwłok, senny koszmar pół na pół z sennymi wizjami na jawie. Czy to były jej zwłoki? W jej mieszkaniu? Czyżby przepowiednia jej własnej śmierci? Chwilę później przypomniała sobie, gdzie jest, i znowu zaczęła oddychać. To Tony Ferdinand zginął, nie ona. Ona nadal żyła. Włączyła lampkę nocną i zobaczyła, że jest wpół do siódmej. A więc wcale tak źle nie spała. Kroki na zewnątrz mogły należeć do któregoś z rezydentów.

Poprawiła się w pościeli, ale wiedziała, że nie będzie mogła spokojnie wyleżeć. Nagłe przebudzenie połączone z atakiem paniki sprawiło, że miała napięte mięśnie, a nigdy nie potrafiła się szybko relaksować. Wstała więc z łóżka i rozsunęła zasłony. Okno jej pokoju wychodziło na morze; w oddali migotała boja świetlna. Pogoda była bezwietrzna; zapowiadał się kolejny spokojny dzień. Na piżamę narzuciła sweter i zrobiła sobie herbatę. Potem, siedząc w fotelu przy oknie, z notatnikiem na kolanach, powróciła do pisania opowiadania. Słowa same do niej przypływały, więc pomyślała, że pisanie to jest to, do czego została stworzona.

Na śniadaniu okazało się, że siedzi obok Gilesa Rickarda. Nadal podekscytowana po godzinie pisania, dała się skusić woni kawy. Zwykle nie tykała kofeiny, i teraz, popijając kawę z kubka, rozkoszując się jej zapachem i smakiem, przekonała się, że jej organizm natychmiast na nią zareagował. Ożywiła się, rozbudziła bardziej niż kiedykolwiek w ostatnich miesiącach. Zwróciła uwagę na wykrzywione artretyzmem dłonie sąsiada i zaczęła rozmyślać, jak by je opisała, gdyby wystąpiły w opowiadaniu. Przy okazji zdała sobie sprawę, że takie ręce nie byłyby w stanie utrzymać noża z siłą potrzebną do przebicia ostrzem skóry i mięśni. Rickard nie mógł być podejrzanym. Podzieliła się z nim tym wnioskiem.

– Będziesz to musiała powiedzieć pani inspektor, moja droga. Już dostałem od niej wiadomość z zapytaniem, czy będę mógł rano wpaść do kaplicy na pogaduszki. Tak to określiła. Pogaduszki. Oczywiście ma nadzieję, że jej nie doceniamy, zasugerowani jej rozmiarami, ubiorem, przeoczamy jej niewątpliwą inteligencję.

– Nad czym teraz pracujesz? – Nina nie chciała rozmawiać o morderstwie ani o śledztwie Very Stanhope. Już wcześniej zwróciła uwagę, że Rickard lubi plotki. Upajał się nimi jak jakaś samotna stara przekupa, potrafił być szyderczy i wredny, chociaż twarzą w twarz zawsze był miły. Podejrzewała, że sama bywała obiektem jego zjadliwości, i nie chciała mu dawać więcej amunicji.

Poza tym miała okazję wypytać o szczegóły warsztatu jednego z najpopularniejszych autorów kryminałów jego pokolenia. Czy zanim zaczynał pisać, tworzył dokładny plan? I jak się zapatrywał na kwestię komercji? Czy czuł, że za każdym razem musi powielać swój styl?

– Szczerze mówiąc, praktycznie już nie piszę – wyznał. – To zawsze była ciężka harówka. Sposób na utrzymanie. Ostatnie sześć powieści miały być moim zabezpieczeniem emerytalnym.

– To dlaczego zgodziłeś się tu przyjechać? – Niepomna konsekwencji, Nina sięgnęła po dzbanek, żeby dolać sobie kawy. Zauważyła, że jej dłonie lekko się trzęsą, kofeina już działa. – Skoro nawet nie lubisz pisać, omawianie twoich powieści z kursantami musi cię bardzo nużyć.

Przez chwilę odpowiedzi nie było i Nina zaczęła się zastanawiać, czy starszy pan nie uznał przypadkiem jej pytania za impertynenckie.

– W grę wchodziła pewna niezakończona sprawa – wyjaśnił w końcu. – Tak, tak to chyba można określić.

Zamierzała zadać kolejne pytanie, ale usłyszała tubalny głos dochodzący z holu przy recepcji. Wszyscy wokół zamilkli, a do jadalni wkroczyła Joanna Tobin, zatrzymując się tuż za drzwiami.

– Mam nadzieję, że zostawiliście mi trochę bekonu – powiedziała. – Jestem głodna jak wilk.

Była ubrana jeszcze krzykliwej niż na początku kursu, w czarne płócienne spodnie i jedwabną bluzeczkę w gryzące się żółć i róż. Ekwiwalent barw wojennych. Ale Nina uważała, że Joanna jest blada i spięta.

Zapadła chwila niezręcznej ciszy, podczas której rezydenci wpatrywali się w nowo przybyłą.

– Chodź, usiądź obok mnie – zaproponowała Nina. Jej głos zabrzmiał sztucznie, nadmiernie radośnie. – Zaraz ci coś przyniosę. – Wrogość ją żenowała, dlatego była zadowolona, że może odwrócić się do grupy plecami i pójść po śniadanie dla Joanny.

Kiedy wróciła do stołu, zobaczyła, że Joanna i Rickard siedzą w milczeniu, puste krzesło między nimi robiło za niewidzialną ścianę. Nina była zawiedziona; myślała, że starszy pan wykona jakiś gest na przywitanie, choćby po to, żeby zirytować resztę. Postawiła talerz z jedzeniem przed Joanną, ale kobieta ledwie to zauważyła.

– Dlaczego wróciłaś?

Joanna podniosła na nią oczy, a jej odpowiedź była na tyle głośna, że usłyszał ją cały pokój.

– Stypendium opiewało na cały kurs. Dlaczego miałabym nie wracać?

– A co na to Vera Stanhope?

– Policja o nic mnie nie oskarżyła – odparła Joanna. – Jestem wolnym człowiekiem. A apodyktyczna Vera nie ma nic do gadania w tej kwestii.

Jakby na zawołanie, Vera Stanhope stanęła w jadalni. Nina pomyślała, że cały posiłek przebiega w napiętej atmosferze teatralnej farsy. Wszyscy reagowali z przesadą, jak szaleńcy, i robili dramatyczne wejścia. Niedługo ludzie zaczną wyskakiwać przez okna i zdzierać z siebie ubrania.

Vera podeszła do stołu i kiwnęła głową Joannie. W pokoju nadal było cicho; nikt nie chciał uronić słowa z rozmowy. Ale jeśli myśleli, że dojdzie do ostrej utarczki i że Joanna zostanie wyprowadzona, to się zawiedli.

– Tak właśnie myślałam, że to furgonetkę twojego Jacka widziałam po drodze – rzuciła swobodnie pani inspektor. – Mam nadzieję, że uregulował sprawę z OC. Bo szkoda by było, gdyby drogówka na A1 zatrzymała mu dowód rejestracyjny.

Joanna szeroko się uśmiechnęła, ale nie odpowiedziała. Giles Rickard czynił próby, żeby się podźwignąć na nogi. Vera ruszyła w jego stronę, co widząc, Nina uznała, że policjantka przyszła po pisarza, żeby go zabrać do kaplicy.

– Proszę nie wstawać, panie Rickard – poleciła. – Niestety muszę odłożyć nasze spotkanie na później, bo najpierw chciałabym zamienić słówko z innym gościem. To dość pilne. – Vera odwróciła się do Niny. – Gdyby zechciała pani z nami pójść, panno Backworth. Mamy do pani kilka pytań więcej.

To była ostatnia rzecz, jakiej Nina się spodziewała. Czerwieniąc się, wyszła za Verą z jadalni, świadoma tego, że wszyscy się na nią gapią. Czuła się jak uczennica wywołana ze szkolnej uroczystości przez dyrektora za przewinienie, o którym nie wiedziała, że je popełniła.

W kaplicy były włączone lampy, bo wąskie okna wpuszczały mało światła dziennego. Stół i krzesła stały jak wcześniej, przed nawą, niczym dekoracja w teatrze. Pani inspektor ciężko opadła na jedno z krzeseł, gestem pokazując Ninie drugie. Wchodząc, Nina zauważyła Joego Ashwortha opartego o nagą ścianę, ale kiedy usiadła, straciła go z oczu.

– W czym mogę pomóc, pani inspektor? – Nina zdawała sobie sprawę, że czasami jej głos brzmi wyniośle. Pomyślała, że ona i Joanna podobnie bronią się przed światem: robią się twarde i obcesowe. Skore do kłótni. – Złożyłam już przecież bardzo obszerne zeznanie.

– To prawda. – Vera na moment przymknęła oczy. Wyglądało, jakby odtwarzała w pamięci poprzednie przesłuchanie. Potem nagle otworzyła oczy. – Ale pojawiły się nowe fakty.

– Nie rozumiem.

– Pan Ferdinand zmarł od ran zadanych nożem. Dźgnięto go wielokrotnie. Od samego początku dziwiło nas, że się nie bronił. Był wysokim mężczyzną. Może i w średnim wieku, ale fizycznie sprawnym, więc wydawałoby się, że próbowałby walczyć. – Vera zrobiła przerwę. Nina domyśliła się, że policjantka czeka na komentarz, ale co miałaby powiedzieć? Wyobraziła sobie mordercę w szklanym pokoju – wilgoć, duchota, rośliny – mimo to nadal nie potrafiła wzbudzić w sobie współczucia dla Ferdinanda. Więc milczała.

– Ferdinand się nie bronił, bo był odurzony – kontynuowała Vera. – Nie był świadomy, co się działo. Może zginął na balkonie, bo to tam stracił przytomność. Wcześniej tego dnia ktoś go czymś nafaszerował. Prawdopodobnie podczas lunchu. A może zasnął, siedząc w fotelu w szklanym pokoju, a zabójca potem wytaszczył go na zewnątrz. I był na tyle przemyślny, że nie narobił bałaganu. Pewnie się tego nie dowiemy, chyba że morderca sam nam to powie.

– To bardzo interesujące, pani inspektor – zaczęła Nina – ale nie rozumiem, co to ma wspólnego ze mną. – I przynajmniej pierwsza część stwierdzenia była prawdziwa. Naprawdę zaciekawił ją sposób, w jaki zginął Ferdinand. Czy mogłaby wpleść coś podobnego do swojego opowiadania? Pisarze to pasożyty, pomyślała kolejny raz.

– Wszystko, panno Backworth. – Głos policjantki zabrzmiał nienaturalnie czysto, przywołując Ninę do rzeczywistości. – Zażywa pani tabletki nasenne.

– Owszem, cierpię na bezsenność. Przepisał mi je mój lekarz rodzinny.

– I te pani tabletki mają ten sam skład chemiczny, co związek znaleziony w ciele Ferdinanda. Przynajmniej według raportu toksykologicznego, jaki dzisiaj rano otrzymaliśmy od naszego patologa. Ferdinand zażył środek wcześniej tamtego dnia. Jak mówiłam, tabletki mogły mu zostać podrzucone do lunchu lub do kawy. Sama pani wie, że nie działają od razu. Mówiła mi pani, że podczas lunchu siedziała pani obok profesora Ferdinanda.

Zapadła cisza. Nina odczuwała tę samą bezmyślną panikę, jaka ją opanowała rano po obudzeniu, wrażenie, że ktoś najechał jej świat i że nie może nic zrobić, żeby odzyskać nad nim kontrolę. Zaraz się jednak otrząsnęła, a jej umysł znowu wrzucił bieg.

W pierwszym impulsie chciała walczyć, zapytać, jakim prawem policja zaglądała do jej akt medycznych, zagrozić wniesieniem pozwu o naruszenie prywatności. W porę jednak uzmysłowiła sobie, że taka reakcja tylko by jej zaszkodziła. Powinna się zaprezentować jako osoba rozsądna i inteligentna.

– Nie zabiłam Tony'ego Ferdinanda – powiedziała spokojnie. – Nie podrzuciłam mu środków nasennych i go nie zasztyletowałam.

Vera błysnęła ku niej zębami w uśmiechu.

– Aye, kotku, wiadomo było, że tak powiesz. Nawet gdybyś zabiła. Zauważyłaś może brak jakichś tabletek?

Nina przywołała do pamięci obraz brązowej plastikowej fiolki, którą trzymała w kosmetyczce. Poprzedniego wieczoru nie brała środka nasennego. Lekarz jej powiedział, że tabletki przestaną działać, jeśli będzie je zbyt często zażywała.

– Nie wiem – odparła. – To znaczy, nie, nie zauważyłam

– Mówiła pani komuś stąd, że je pani ma?

Nina powróciła pamięcią wstecz. Czy wspominała o problemach ze snem pierwszego dnia kursu? Wszyscy wydawali się bardzo spięci i skrępowani, starając się robić dobre wrażenie, nienaturalnie dużo mówili. Sama też czuła się zagubiona w tym nowym miejscu, wśród nowych obcych ludzi.

– Większość osób wiedziała, że źle sypiam – odrzekła. – Ale zwykle nie opowiadam, że coś na to biorę.

– Ale ktoś mógł dodać dwa do dwóch?

– Całkiem możliwe. – Jednak Nina miała wątpliwości. Jak dla niej to wszystko było zbyt wydumane. Morderstwo to nie gra salonowa, nie ustala się ruchów z wyprzedzeniem. Zwykle chodzi o atak wściekłości, nagły i nieprzewidziany. Oczywiście nie w jej noweli. W niej akcja toczyła się tak gładko jak tańce dworskie z okresu Regencji. Ale w życiu jest inaczej.

– Próbuję pani pomóc! – zdenerwowała się Vera. – Jeśli nie ukradziono pani tabletek, jest pani zabójczynią. Rozumie pani?

Nina nie odpowiedziała.

Vera jakby nagle straciła do niej cierpliwość.

– Proszę iść z sierżantem Ashworthem do swojego pokoju i pokazać mu tabletki – poleciła. – Oczywiście musimy je zabrać. Zamyka pani pokój na klucz?

– Tylko od wewnątrz, w nocy – wyjaśniła Nina. – W dzień nie zamykam.

– Odniosła pani kiedykolwiek wrażenie, że ktoś w nim był, szperał w pani rzeczach?

– Nie – zaprzeczyła. – Nigdy.

Vera chyba się spodziewała takiej odpowiedzi.

– Niech pani idzie! – rzuciła. – Mam do przesłuchania kolejne osoby.

15

Ashworth nie wiedział, co ma myśleć o Ninie Backworth. Należała do tego typu kobiet, które najczęściej wywoływały w nim przerażenie. Ale idąc za nią po schodach, niespodziewanie stał się świadomy jej bliskości, poczuł do niej nagły pociąg, aż mu dech zaparło. W drzwiach pokoju odwróciła się i posłała mu nieoczekiwany uśmiech.

– Myślałam, że policjanci muszą dbać o formę.

Joe się zmieszał, nie wiedział, jak ma zareagować na tę uwagę – czy kobieta zauważyła, co się z nim działo pod jej wpływem? Odpowiedział oschle, niemalże niegrzecznie.

– Tabletki, panno Backworth, jeśli mogę prosić.

Jej pokój znajdował się na tym samym piętrze co pokoje innych wykładowców. Gdy wyszła do łazienki, stanął przy oknie i zaczął się przyglądać morzu, żeby się nieco uspokoić. Poniżej z boku widział taras z meblami z kutego żelaza. Ogród, zarośnięty i raczej zapuszczony, schodził do ścieżki prowadzącej na plażę.

Joe się obejrzał. W powietrzu unosił się lekki cytrusowy zapach. Jej perfumy. Czuł je już, gdy wchodzili po schodach. W pokoju panował porządek. Łóżko zasłane, biała atłasowa piżama leżała złożona na poduszce. Na biurku w równym rządku notes i długopis. Joe nie zdawał sobie sprawy, że ktoś jeszcze pisze ręcznie. Pomyślał, że Nina ma klasę i że daleko mu do niej, gdy wreszcie wyłoniła się z łazienki, niosąc czerwoną kosmetyczkę.

– Tabletki są w środku – powiedziała. – Fiolki nie dotykałam. Pomyślałam, że mogłabym zatrzeć odciski palców.

Jej odciski już się oczywiście znajdowały na fiolce, ale powinien był o tym pomyśleć, powinnien skupić się w pełni na bieżącym zadaniu. To idiotyczne. Zachowuje się jak nastolatek. Choć gdy był nastolatkiem, jego przyszłość była już ustalona. Swoją żonę poznał jeszcze w szkole. Miałem szesnaście lat, ale już wtedy byłem facetem w średnim wieku, pomyślał.

Wyciągnął z torby nową plastikową torebkę i używając jej jak rękawiczek, wsunął fiolkę do środka. Potem podniósł ją do światła i potrząsnął, żeby móc przeliczyć tabletki.

– Zostały cztery – oznajmił. – Tyle powinno być?

– Nie. – Nie potrafił odgadnąć, co myślała. Ale widział, że pobladła. Czerwona szminka na jej ustach wyglądała jak plama świeżej krwi. – Lekarz przepisał mi zapas na cały miesiąc. Zużyłam około dziesięciu.

Zanim się odezwał, dwukrotnie dokonał obliczeń w myślach. Nie chciał się zbłaźnić.

– Więc brakuje szesnastu?

– Może niedokładnie, ale coś koło tego. Na pewno co najmniej dwunastu. – Usiadła na łóżku i przygarbiwszy się, zwiesiła ramiona. Proste plecy i wyprężone ramiona to był jej znak rozpoznawczy, dlatego teraz wydawało się, że w pokoju siedzi zupełnie inna, bezbronna kobieta. – Ktoś tu wchodził – wymamrotała. – Grzebał w moich rzeczach.

Miał ochotę usiąść obok niej i otoczyć ją ramieniem.

– Wiem, to okropne uczucie. – Uwaga wydała mu się nieadekwatna.

– Więc mi pan wierzy? Wiecie, że nie ja podrzuciłam tabletki Ferdinandowi? – Nina się ożywiła, znowu miała w sobię tę charakterystyczną iskrę. – Wiecie, że nie byłabym tak głupia, żeby podać mu własne środki nasenne!

Ashworth nie odpowiedział od razu.

– W naszej pracy nie chodzi o to, w co wierzymy – rzekł w końcu. – Liczą się fakty. Dowody.

Spojrzała na niego.

– W takim razie róbcie, co do was należy – rzuciła. – Znajdźcie dowody. Udowodnijcie, że nie zabiłam Ferdinanda.

Vera czekała na niego na dole.

– Charlie przyjeżdża po tabletki – oznajmiła. – I podobno ma jakieś nowe informacje o Lennym i Ferdinandzie.

Ashworth skinął głową. Wiedział, że to idiotyczne, ale miał wrażenie, że prośba Niny podziałała na niego energetyzująco, czuł przypływ świeżej determinacji.

– W takim razie zdążymy jeszcze przesłuchać Rickarda. A Charlie nie będzie narzekał, że musi czekać, jeśli będzie mógł się dorwać do kawy i domowych ciasteczek.

Vera spojrzała na niego.

– Twoja żonka dodała ci coś rano do herbaty?

– O co pani chodzi?

– Wydajesz się innym człowiekiem. – Zamilkła. – Poprowadzisz przesłuchanie Rickarda? No wiesz, mógł mieć coś wspólnego z Joanną, więc lepiej, żebyś to ty z nim rozmawiał.

Ale Ashworth pokręcił głową. Rickard był pisarzem, onieśmielał go, i zresztą w tym momencie nie był pewien, czy zdołałby się skupić.

– Nieee... niech pani z nim rozmawia. Ja posłucham. – I już na początku przesłuchania wiedział, że podjął słuszną decyzję. Vera miała dobry dzień, była wyjątkowo ostra i przebiegła.

Od chwili gdy Rickard wkroczył do kaplicy, podpierając się laską i siłując z ciężkimi drzwiami, Ashworth nie mógł się otrząsnąć z myśli, że mają do czynienia ze starszym człowiekiem. Starzy ludzie nie popełniają morderstw. Nie tylko dlatego, że wydawało się to fizycznie niemożliwe. Rickard nie dałby rady wbić noża w ciało Ferdinanda i z pewnością nie zdołałby podźwignąć go z wiklinowego fotela i przetaszczyć na balkon. Chodziło o coś więcej. Ashworth żywił przekonanie, że starzy ludzie nie robią złych rzeczy. Jednak Vera zdawała się nie mieć podobnych zahamowań i Joe zastanawiał się, czy nie ma to jakiegoś związku z jej relacjami z ojcem. Mówiła o nim „paskudny Hector" lub „mój wredny ojciec", choć większość swojego życia spędziła na opiekowaniu się nim.

Teraz nachylała się nad stołem do Rickarda.

– Czego nie rozumiem – zaczęła – to tego, dlaczego pan się tu w ogóle znalazł. Sławny pisarz. Nawet ja o panu słyszałam. Widziałam pana książki w WH Smith na Dworcu Centralnym w Londynie. Więc po co marnować cenny czas na pobyt w Northumberland? – Uśmiechnęła się i odchyliwszy się w krześle, czekała, co starszy pan odpowie.

Rickard nie spodziewał się takiego pytania. Ashworth pomyślał, że pewnie oczekiwał łagodnej, rutynowej rozmowy, myślał, że potraktują go z szacunkiem ze względu na wiek i rozgłos.

– Być może, pani inspektor, odczułem potrzebę zrewanżowania się czymś społeczności pisarskiej. Sukces to w przeważającej mierze kwestia łutu szczęścia, a mój z pewnością ma niewiele wspólnego z jakością mojego pisarstwa. –

Uśmiechnął się lekko, wyraźnie zadowolony ze swojej odpowiedzi.

– Niech mi pan nie mydli oczu tymi bzdurami. – Głos Very zabrzmiał lodowato. – Czy wiedział pan, że Joanna Tobin będzie w ośrodku, zanim zgodził się pan poprowadzić zajęcia?

Znowu chwila milczenia. Przez okno Ashworth zobaczył, że wyszło słońce. Oglądany z wnętrza kaplicy niewielki skrawek błękitnego nieba kojarzył mu się z widokiem nieba w letni dzień, ale nawet przy tak ograniczonym widoku mógł stwierdzić, że światło, jakie dawało słońce, było inne. Zimniejsze. I cień, jaki rzucało, był dłuższy. Pomyślał, że w ośrodku kursanci muszą mieć teraz przerwę na kawę; pewnie wszyscy wyszli na zewnątrz. Z miejsca, w którym siedział, nikogo nie widział, ale Rickard zostawił otwarte drzwi, więc słyszał szmer rozmów i czuł zapach dymu papierosowego.

– Miranda pokazała mi prace kursantów, którzy otrzymali stypendium – wyjaśnił Rickard. – Próbowała mnie w ten sposób namówić do przyjazdu. Błąd. Powinna wiedzieć, że pisarze nie znoszą oglądać dobrego pisarstwa w wydaniu debiutantów. Bo wtedy mają naoczny dowód, jak bardzo żałosne są ich własne wysiłki.

– Rozpoznał pan nazwisko Joanny? – Vera przymrużyła oczy.

– Nie od razu. Znowu zaczęła używać nazwiska panieńskiego. Znałem ją, gdy była mężatką. – Rickard zrobił pauzę. – Ale rozpoznałem niektóre szczegóły w jej opowiadaniu.

– Napisała je w stylistyce grozy – rzuciła Vera, a Ashworth się zdumiał. Można by pomyśleć, że Vera zajmowała się literaturą zawodowo. Poza tym, jak ona może z taką pewnością siebie rozprawiać o tekście, którego nie czytała?

– Czytała je pani? – Rickard również wydawał się zaskoczony.

– A myślał pan, że policjanci nie potrafią czytać, panie Rickard? To, że nie przepadam za tym akurat gatunkiem literatury, jaki pan uprawia, nie znaczy jeszcze, że nie lubię przeczytać czegoś dobrego, zwłaszcza jeśli tekst opiera się na prawdzie.

Wpatrywali się w siebie ponad stołem.

Vera pierwsza przerwała milczenie.

– Bo rozumiem, że opowiadanie Joanny zawiera elementy prawdy? Pan to powinien wiedzieć. W końcu był pan blisko obu zainteresowanych stron.

– Jestem przyjacielem jej byłego męża – przyznał się Rickard. – A przynajmniej byłem blisko z jego rodziną.

– Słyszałam już wersję wydarzeń Joanny – rzekła Vera, która nagle jakby poweselała. – Może teraz opowie nam pan swoją?

– Bardzo dobrze znałem ojca Paula – zaczął Rickard. – Poznaliśmy się na uniwersytecie. Oksfordzkim. Obaj studiowaliśmy literaturę angielską. Nasze pochodzenie się różniło. Roy był z rodziny prowadzącej interesy i już wtedy miał do nich smykałkę. W wakacje pracował w drukarni u ojca. Moja rodzina to rodzina obszarników. Mało wolnej gotówki, za to dużo zamrożonej w gruntach. Wiecie państwo, jak to wygląda.

Ashworth nie wiedział, ale Vera skinęła głową, jakby doskonale rozumiała.

Rickard kontynuował.

– To, co mieliśmy wspólnego, to miłość do języka angielskiego. Pasją Roya był Dickens. Ja skupiłem się na dramaturgach wieku szesnastego i siedemnastego. Szekspir i jego następcy. Choć dla rozrywki czytywałem o wiele mniej wyrafinowane lektury. – Uśmiechnął się do Very. – Od zawsze lubiłem powieści grozy i kryminały. Przede wszystkim Sherlocka Holmesa, potem sięgnąłem również po powieści detektywistyczne Złotego Wieku lat trzydziestych.

Ashworth zastanawiał się, co to wszystko ma wspólnego ze śledztwem w sprawie morderstwa, prowadzonym w Northumberland w teraźniejszości, ale Vera znowu kiwnęła głową, jakby miała mnóstwo czasu.

– Po skończeniu studiów – ciągnął Rickard – wróciłem do rodzinnego domu, żeby pisać. Miałem akurat tyle pieniędzy, że nigdy nie musiałem pracować zarobkowo. Roy otworzył wydawnictwo. Rutherford Press. Może o nim słyszeliście. Stał się jednym z najbardziej stabilnych niezależnych wydawców w kraju. Z czasem dołączył do niego syn, Paul. Paul był ambitnym młodzieńcem. Znał się na biznesie, ale nie był obyty z literaturą. – Rickard przerwał i potarł lewe ramię, jakby odczuwał tam ból. – Jedna z dużych firm międzynarodowych złożyła ofertę kupna wydawnictwu. Roy był przeciwny, ale Paul go przekonał. Dowiedziałem się później, że obiecano mu lukratywną posadkę w firmie, jeśli doszłoby do sprzedaży.

– A więc to w taki sposób wylądował w Paryżu – mruknęła Vera. – I zabrał ze sobą swoją młodą żonę.

– Tak, miał kierować rynkiem europejskim. Ale to był zatruty kielich. Myślę, że oni chcieli, żeby poniósł porażkę. Wypełnili swoje zobowiązania, przekazując mu kierowniczą rolę w firmie, ale w rzeczywistości go nie chcieli. – Rickard wziął łyk wody ze szklanki, którą postawiono dla niego na stole. – Ja też wtedy mieszkałem w Paryżu. Wymyśliłem sobie, że napiszę wybitną współczesną powieść grozy, a poza tym nie mogłem już dłużej żyć na wsi z matką i jej nieokrzesanymi psami. Z pieniędzy, jakie miałem, stać mnie było na wynajęcie mieszkanka w nie bardzo modnej dzielnicy. – Rickard znowu przerwał. – Roy, ojciec Paula, zmarł. Zawał serca. Albo złamane serce.

– Uważał, że syn go zdradził? – zapytała Vera. Jej głos brzmiał teraz łagodnie.

Rickard zrobił zdumioną minę.

– Nie, nic z tych rzeczy. Był dumny, że Paul jest taki ambitny. Ale brakowało mu firmy, spotkań z autorami i ekscytacji nowymi rękopisami, które spływały do wydawnictwa niemal codziennie. Sugerowałem mu, żeby otworzył nowe, ale mówił, że nie ma energii. Możliwe, że już był chory. – Rickard zapatrzył się w okno, zagubiony we własnych myślach.

– Więc jest pan w Paryżu – rzuciła żwawo Vera. – Pan, Paul i Joanna. Często ich pan widywał?

– Tak, spotykaliśmy się przynajmniej raz w tygodniu. To był pomysł Paula, nie mój. Przychodziłem do ich ogromnego apartamentu na kolacje. Taki sposób na załapanie się na dobre wino, na które nie było mnie stać z moich skromnych dochodów. I chyba czułem się odpowiedzialny za Paula po śmierci jego ojca. Nigdy się nie ożeniłem, nie mam dzieci. Roy poprosił, żebym został ojcem chrzestnym Paula. Od początku było jasne, że pozycja Paula w Paryżu jest nie do utrzymania. Słabo mówił po francusku i nie znał się na rynku europejskim. Stosunek do literatury i pisarzy jest tam wciąż zupełnie inny. Paul pozostawał pod znacznym stresem.

– Wiedział pan, że bił żonę? – spytała Vera takim tonem, jakby prowadziła towarzyską pogawędkę.

Ashworth, który przyglądał się twarzy Rickarda, zauważył, że w pierwszym odruchu starszy pan chciał skłamać. Ale potem poszedł po rozum do głowy.

– Domyślałem się – odparł.

– I tego, że praktycznie zrobił z niej więźnia?

– Jeśli tak było, to miała bardzo wygodne więzienie. Wręcz luksusowe. – Potem się zorientował, że żarty to za mało. – Paul był chory – rzekł. – Nie myślał racjonalnie. Miał pewnego rodzaju załamanie nerwowe.

– A Joanna wpadła w taką depresję, że zaatakowała męża nożem, a potem chciała się zabić! I za sprawą rodziny

Paula i jego przyjaciół trafiła do paryskiego szpitala psychiatrycznego. O ile się nie mylę, był pan jednym z tych przyjaciół.

– Gdyby nie ja, wylądowałaby w paryskim więzieniu! – Replika była ostra i Ashworth zobaczył, że Rickard natychmiast pożałował wybuchu.

– I pewnie pan oczekuje, że Joanna będzie panu wdzięczna, co?

– Oczywiście, że nie – obruszył się Rickard. – Ale to było dawno temu i wydaje się, że Joanna odbudowała sobie życie.

Rickard i Vera mierzyli się twardymi spojrzeniami.

– A co z Paulem? – spytała Vera w sposób, który powiedział Ashworthowi, że już znała odpowiedź. – Z panem Paulem Rutherfordem? Co on teraz porabia?

– Porzucił branżę wydawniczą – odparł Rickard. – Powtórnie się ożenił, ma rodzinę.

– A czym się zajmuje?

Rickard popatrzył Verze w oczy.

– Jest deputowanym do Parlamentu Europejskiego.

– Ach tak. – Vera lekko się uśmiechnęła. – I pewnie odnosi sukcesy. Czyli że w końcu zrozumiał, jak działa Europa. I wciąż jest ambitny. W następnych wyborach zamierza startować do Parlamentu. Przynajmniej tak niesie plotka. – Vera nachyliła się do Rickarda. – Widzi pan, sprawdziłam go, wiedząc, że będziemy prowadzili tę rozmowę. Cóż, nie należy wierzyć informacjom z Internetu, ale wygląda, że artykuły, które czytałam, nie kłamały w kwestii pana Rutherforda. – Wyprostowała się, a jej głos stwardniał. – A więc po to tu pan przyjechał, panie Rickard? Nadal trzyma pan pieczę nad interesami swojego chrześniaka. Przyszłemu parlamentarzyście nie wyszłoby na dobre, gdyby ktoś go oskarżył o przemoc domową.

– To nie tak! – Rickard próbował się podnieść na podkreślenie swoich słów. – Od czasów Paryża gnębi mnie poczucie winy w związku z Joanną. Chciałem się z nią spotkać, dowiedzieć, czy dobrze jej się wiedzie. To był impuls, kiedy zobaczyłem jej nazwisko na liście stypendystów. Szaleństwo starego człowieka.

Vera popatrzyła na Rickarda i nic nie powiedziała. Cisza się przeciągała. Kursanci wrócili na zajęcia i z ogrodu nie przypływały już żadne odgłosy. W końcu się odezwała.

– Joannie wiodło się dobrze. Poznała mężczyznę, który ją uwielbia. Zamieszkali razem w najpiękniejszym miejscu w całej Anglii. Znalazła sposób na pogodzenie się z koszmarem przeszłości i istniała szansa, że opowieść o maltretowaniu, jakiego doświadczyła, zostanie wydana. Potem ktoś ją wplątał w morderstwo. Niektórzy mogliby uznać, że sytuacja jest wymarzona dla pańskiego koleżki, Paula Rutherforda. Kto uwierzy podejrzanej o morderstwo, gdyby oskarżyła szanowanego parlamentarzystę o stosowanie przemocy? Ponadto Joanna nawet by nie próbowała tego zrobić. Nie w jej obecnej sytuacji. Zainteresowanie mediów to ostatnia rzecz, jakiej by teraz chciała.

– Opowiada pani niedorzeczności – oburzył się Rickard.

– Aye, rzeczywiście. Brzmi to zupełnie jak fabuła z tych powieści grozy, które tak pan lubił w młodości. Szaleństwo, spiski i dramatyzm.

Rickard ciężko podźwignął się na nogi. Był już w drodze do drzwi, gdy Vera zawołała za nim:

– Jak dobrze znał pan Tony'ego Ferdinanda?!

Rickard wolno się odwrócił.

– Prawie w ogóle. Kilka razy gdzieś się spotkaliśmy, i to wszystko.

– Ale, jak rozumiem, Ferdinand napisał recenzję pana książki.

Rickard krótko się zaśmiał.

– Ten tekst w „TLS"? Nie był życzliwy, za to wielce zabawny. Nie wyrządził mi żadnej krzywdy.

– Czytałam tę recenzję – rzekła Vera. – Moim zdaniem była dość osobista. Trudno uwierzyć, że tak słabo się znaliście. Światek wydawniczy wydaje się bardzo małym światkiem.

– Światkiem, pani inspektor, w którym mało się obracałem. Sława i sukces literacki przyszły do mnie późno i nigdy nie wierzyłem, że na nie zasługiwałem.

16

Kiedy skończyli z Gilesem Rickardem, Charlie już na nich czekał w głównym budynku. Tak jak przewidywał Ashworth, wydębił od Alexa Bartona kawę i kawałek ciasta, i teraz siedział w lobby, z kurtką zasypaną okruszynami, i czytał egzemplarz „The Sun".

– Ten Alex to chyba miły gość – stwierdził, kiwając głową w stronę kuchni.

– Ech, Charlie, kochasiu, ty byś polubił każdego, kto cię nakarmi. – Czasami Vera załamywała ręce nad Charliem. Nie, żeby był głupi. Nie o to chodziło. Ale brakowało mu zmysłu obserwacji, miał ogląd świata równy oglądowi owadów.

Teraz znowu siedzieli w kaplicy. Zamknęli drzwi, bo było zimno, i Vera czuła, że jeżeli wkrótce nie zaczerpnie świeżego powietrza, wybuchnie. Z kuchni w domu dolatywały zapachy gotowania. Zaczęła sobie przypominać, czy w tej części wybrzeża jest jakiś porządny pub, w którym mogliby zjeść lunch i może wypić po kuflu piwa. Chociaż może prościej byłoby, gdyby zostali na miejscu. Alex Barton dobrze gotował. Jej myśli zaczęły błądzić. Zastanawiała się, dlaczego taki młody człowiek jak Barton dał się zamknąć w miejscu przepełnionym starszymi od niego pretensjonalnymi ludźmi, za jedyne realne towarzystwo mając matkę, która zdawała się usychać z tęsknoty za dawnymi, świetniejszymi czasami.

Nagle przyszło jej na myśl, że Alex jest trochę jak Giles Rickard, który również większą część dorosłego życia spędził z matką. Aż oprzytomniał: „Poza tym nie mogłem już dłużej żyć na wsi z matką i jej nieokrzesanymi psami".

I trochę jak ja. Całe życie przepędziłam w cieniu ojca. Hector wolałby mieć syna, którego mógłby wychować na własne podobieństwo. Kogoś z zamiłowaniem do broni, drapieżnych ptaków i łamania prawa. Zamiast tego urodziła mu się córka, która miała własny rozum.

Potem się zorientowała, że Joe i Charlie się na nią gapią, więc powróciła do teraźniejszości.

– To co dla nas masz, Charlie? Co żeście wyczarowali z naszą śliczną Holly?

– Nie wiem, czym się zajmowała Holly – odparł Charlie. – Chyba próbowała wytropić byłą żonę Lenny'ego Thomasa, żeby się dowiedzieć, czy Lenny przypadkiem jej nie bił. Ja siedziałem przy telefonie i dodzwoniłem się do starego znajomego, który jest sierżantem policji w Cumbrii. Facet pamięta Marka Wintertona.

– Naprawdę? I co o nim mówił?

– Niewiele – odrzekł Charlie. – Opisał go, że był spokojny. Regularnie uczęszczał do kościoła. Znacie ten typ. Dość dobry szef, ale służbista w kwestii procedur. Przełożeni go kochali. Podobno trochę sknerzył. Nigdy się nie pchał, żeby postawić kolegom kolejkę. I trzeba go było zapędzić w kozi róg i trochę nim potrząsnąć, żeby chciał się dorzucić do zbiórki na herbatę.

– A więc go szanowano, ale nie był lubiany. – Vera pomyślała, że nie byłoby źle mieć takiego człowieka w zespole. Kogoś, kto nie gra pod publiczkę.

– Aye, chociaż bardzo mu współczuto, gdy umarła mu córka.

– A co się stało? – Vera gwałtownie poderwała głowę, żeby spojrzeć na Charliego.

– Wygląda, że na uczelni zadała się z nieodpowiednimi ludźmi i skończyła od przedawkowania heroiny. Koroner nie potrafił określić, czy to było samobójstwo, czy wypadek.

– A co się mówiło na ulicy?

– Co proszę?

– Co ten twój sierżant o tym myślał? Koledzy Wintertona musieli mieć jakieś zdanie. – Vera przypuszczała, że w komisariacie jeszcze przez wiele tygodni mówiło się o wypadku. Oczywiście ze współczuciem, ale pewnie były też plotki. I ukrywana satysfakcja, że bogobojny przełożony, kutwa i formalista, miał córkę, która zeszła na złą drogę.

– Nie wiem. – Charlie się zmieszał. – Kumpel nic o tym nie mówił.

– No to go zapytaj! Jeśli jest z Carlisle, to nie masz daleko. Jakaś godzina A69. Jedź się z nim spotkać i postaw mu piwo.

– Aye, okej. – Charlie pojaśniał.

– Gdzie ta dziewczyna studiowała? – zapytała niespodziewanie Vera.

– Nie wiem. – Teraz Charlie już naprawdę czuł, że go nakryła. – Czy to ważne?

– Mogłoby nam pomóc zrozumieć, co Winterton tu robi – wyjaśniła Vera. – Dziewczyna mogła studiować w Newcastle lub Northumbrii, gdy zmarła. Wtedy jej ojca ciągnęłoby do tych miejsc. – Albo studiowała w St Ursula. Wtedy mieliby ciekawe powiązanie między ofiarą a emerytowanym gliną. Spojrzała w górę na dwie sceptycznie wyglądające twarze. – Bo inaczej, co on miałby tu, do cholery, robić? Nie ma talentu, bo dostałby stypendium. A Charlie mówi, że nie lubi szastać pieniędzmi. To wszystko nie trzyma się kupy!

– Może wpadł na pomysł, że napisanie o śmierci córki, przelanie tego na karty powieści, jakoś mu pomoże. – Ashworth odezwał się po raz pierwszy. Cały poranek miał puste spojrzenie i nawet nie było wiadomo, czy słucha. Vera się zastanawiała, czy przypadkiem znowu nie dostał bury od żony. – No nie wiem, taki sposób na uporanie się z bólem po stracie.

– Czy wiemy, o czym pisał? – Verze przypomniało się opowiadanie Joanny. Tyle słów, myślała. W tym śledztwie nie robię nic innego tylko gadam o słowach. O tym, co napisali podejrzani. Znowu poczuła potrzebę wyjścia na świeże powietrze, chciała uciec z tego miejsca. Zazdrościła Charliemu, że miał powód, żeby się wyrwać do Cumbrii. Ale w końcu to ona jest tu szefem. Może sobie wymyślić własną wymówkę.

Ashworth poktręcił głową, a Charlie miał pustkę w oczach.

– W takim razie, co teraz? – zapytał Ashworth.

– Charlie zawiezie tabletki Niny Backworth na komendę i przekaże je do analizy. Ty i ja pojedziemy coś zjeść. Potem, jeśli Holly się dowiedziała, gdzie mieszka była żona Lenny'ego Thomasa, pojedziemy złożyć jej wizytę.

– A tutaj kto zostanie? – dopytywał się Ashworth.

Vera pomyślała, że spokojnie mogą zostawić Dom Pisarza na kilka godzin bez obstawy, a nawet jeśli nie, to trudno, bo musiała się stąd wyrwać. Potem wpadła na pomysł.

– Wezwijmy Holly. Każemy jej pogadać z Markiem Wintertonem. Powiedziałabym, że są do siebie podobni. Holly więcej od niego wyciągnie, niż mnie by się udało. Poza tym zbyt długo trzymamy ją w biurze.

– A co z moim wyjazdem do Carlisle i ze spotkaniem z kolegą? – Vera widziała, że Charlie się wkurzył, bo nie został zaproszony na lunch.

– Tym, mój drogi Charlie, zajmiesz się w swoim wolnym czasie.

Lunch zjedli w pubie w Craster. Usiedli na piętrze, skąd mieli widok na spokojne morze. Kanapki z krabem i wędzonym łososiem z pobliskiej wędzarni. Wciąż było zimno, ale pogodnie, i Vera czuła się jak na wagarach. Za kierownicą posadziła Joego i w drodze zadzwoniła do Holly. Była żona Lenny'ego pracowała w przedszkolu w Cramlington i spodziewała się ich o trzeciej.

– Miałam wrażenie, że w Domu Pisarza się duszę – zwierzyła się Vera. Do kanapek zamówiła kieliszek białego wytrawnego wina. Piwo w porze lunchu czasami ją usypiało. – I przez to nie mogłam się skupić. Tu jest lepiej.

– Znaczy, że już rozgryzła pani sprawę? – Bywały chwile, że Joe potrafił być dowcipny. – Już pani wie, kto zabił tego starego rozpustnika i dlaczego?

– Ech, kotku, nic mi nawet nie świta. Ale teraz przynajmniej czuję, że mam szansę się nad tym zastanowić.

Przedszkole stanowiło część ośrodka Sure Start i na początku poszli w złą stronę i wylądowali z grupą ciężarnych kobiet, które na leżąco wykonywały ćwiczenia oddechowe. Kobiety kojarzyły się Verze z wyciągniętymi na brzeg fokami, okrągłymi i śliskimi, o połyskujących w słońcu futrach. Około czterdziestki Vera przechodziła w swoim życiu melancholijny okres. Miała wtedy partnera – jedynego, z którym rozważała pomysł zamieszkania – ale facet nie myślał tak samo o niej i nic z tego nie wyszło. Teraz już nie była przekonana, czy kiedykolwiek odczuwała potrzebę przechodzenia przez to całe zamieszanie.

Helen Thomas znaleźli w pokoju dla dzieci. Kilkoro z nich było tak małych, że leżały w łóżeczkach, reszta siedziała z opiekunami na jaskrawym kolorowym dywanie w otoczeniu plastikowych zabawek. Ashworth, który uwielbiał dzieciaki, przykucnął przy nich i zaczął wydawać idiotyczne odgłosy.

– Tylko bez głupich pomysłów, Joe – rzuciła Vera, jedynie częściowo żartując. – Trójka to aż nadto chyba dla każdego, poza tym dzieciaki przeszkadzają ci w pracy.

Była żona Lenny'ego krzyknęła do koleżanki:

– Zastąp mnie, Gill, dobrze. Jeślibyś mnie potrzebowała, jestem w biurze. – Vera sądziła, że będą przesłuchiwali pomocnicę przedszkolanki, kogoś, kto zmienia pieluszki i podciera pupy, a nie tę pewną siebie kobietę, która zdaje się kierowała przedszkolem.

Biuro było małe, ale panował w nim szokujący porządek. Helen Thomas ruchem głowy zachęciła ich, żeby usiedli na krzesłach, sama przysiadła na biurku. Na ścianach wisiały plakaty o zdrowym żywieniu i znaczeniu zabawy, oprócz tego wykresy i grafik dyżurów.

– W czym mogę państwu pomóc? Policjantka, która dzwoniła, nie wprowadziła mnie w temat.

– Chodzi o Lenny'ego Thomasa. Była pani jego żoną? – Vera nie potrafiła sobie wyobrazić tej schludnej drobnej kobiety w tym samym łóżku z mężczyzną, którego poznała w Domu Pisarza.

– Zgadza się. – Chwila przerwy. – Czy Lenny ma jakieś problemy?

– Przypuszczalnie nie. Pewnie czytała pani w prasie, że w Domu Pisarza na wybrzeżu doszło do morderstwa. Lenny był jednym ze świadków.

– A więc nie jest podejrzany?

– Tylko w ten sam sposób co reszta rezydentów.

– Och, niech pani da spokój, pani inspektor! Ilu z pozostałych rezydentów ma kryminalną przeszłość i mówi tak jak Lenny? Założę się, że nie rozmawiacie ze wszystkimi partnerami innych świadków.

Vera chciała już coś odpysknąć, ale przypomniało jej się podsumowanie życiorysu Lenny'ego, które usłyszała na porannej odprawie.

– Czasami policji zdarza się coś założyć z góry – rzekła. – Co nie znaczy, że się nie mylimy. Więc może pomoże nam pani rozjaśnić sytuację.

Helen nie odpowiedziała od razu. Wyglądało, że potrzebuje czasu na przemyślenie odpowiedzi.

– Napijecie się państwo czegoś? Kawa, herbata?

Pokręcili głowami.

– Lenny to dobry człowiek – zaczęła. – Romantyk i marzyciel, ale z gruntu jest dobry.

– Dlatego się rozwiedliście? Bo nie potrafiła pani żyć z jego marzeniami?

– Dlatego miałam romans, pani inspektor. – Replika padła niezwłocznie. – Potrzebowałam kogoś, kto żyje w teraźniejszości, a nie przyszłością. Kiedy go zwolnili z kopalni, zaczął snuć szalone plany, i to ja musiałam się troszczyć o spłatę hipoteki. Mój kochanek był stateczny, ale okropnie nudny, więc szybko się go pozbyłam. Rozwód był pomysłem Lenny'ego. Miał mnie za ideał i nie potrafił mi wybaczyć, że zniszczyłam mu ten obraz. – Kobieta na chwilę zamilkła. – Nadal dobrze ze sobą żyjemy. Mamy syna, Daniela, więc często się widujemy. Czasami się zastanawiam…

– …czy nie powinniście do siebie wrócić? – dokończyła Vera.

– Tak! – Kobieta się uśmiechnęła. – Głupie, prawda?

– Jak długo byliście małżeństwem? – zapytał Joe. Vera odniosła wrażenie, że jest szczerze zainteresowany tematem, i zastanawiała się, czy coś mu przypadkiem nie chodzi po głowie.

– Ponad piętnaście lat. Ale znałam Lenny'ego jeszcze ze szkoły. Był klasowym klaunem, chciał się wszystkim przypodobać. Ja poszłam na studia, on wpakował się w kłopoty. Nie było to nic poważnego. Jeden z twardzieli z Blyth pociągał za jego sznurki, wmówił mu, że może się łatwo dorobić. Kolejne durne marzenia. Spotkałam Lenny'ego ponownie, akurat gdy wyszedł z więzienia, na ślubie koleżanki ze szkoły. Potrafił mnie rozśmieszyć.

– A także panią uwielbiał – dodała Vera. Pomyślała o Jacku, który uwielbiał Joannę, i zastanawiała się, czy w tamtym związku w tle również czai się jakiś kochanek.

– Aye, możliwe. – Helen krótko się roześmiała.

– Trudno jest sprostać takiemu uwielbieniu.

– Dla mnie to było bardzo dobre. – Helen spoważniała. Gdzieś w głębi korytarza zapłakało dziecko. Kobieta chwilę się przysłuchiwała, potem chyba uznała, że to nic ważnego. – W dzieciństwie byłam chorobliwie nieśmiała. Nie byłam głupia, ale nie chciałam się wyróżniać i bałam się wypowiadać własne zdanie. Dzięki Lenny'emu na tyle sobie zaufałam, że dalej się kształciłam i wystąpiłam o awans. Lenny zawsze we mnie wierzył, tylko ja jakoś nigdy nie mogłam uwierzyć w niego.

– W jego marzenia? – zasugerowała Vera.

– Aye, w marzenia.

– Od jak dawna myślał o pisaniu? – Dziecko przestało płakać. Tuż za drzwiami biura toczyła się rozmowa dwóch matek.

– Odkąd się zeszliśmy – odpowiedziała Helen. – Kształcił się w więzieniu i nauczyciel go zachęcał. Czasami czytał mi swoje teksty na głos i ja też uważałam, że są dobre, ale co ja tam wiem? Za to wiedziałam, że mamy dziecko, i chciałam więcej dla Daniela niż Lenny. Ja piełam się w górę, a Lenny'emu nie przeszkadzało, że pracuje w kopalni. Miał tam kolegów i zarabiał więcej niż kiedykolwiek przedtem. Chyba był szczęśliwy.

– Potem zaczęły się problemy z kręgosłupem?

– Aye, ludzie żartują sobie z bólu pleców, że to niby taki pic, żeby oszukać lekarzy, ale Lenny umierał z bólu. – Helen ponownie na chwilę skupiła się na hałasie na zewnątrz. Tym razem wywołała go grupka dzieci śpiewających przedszkolne rymowanki. – Na początku zachęcałam go do pisania. Myślałam, że to odciągnie jego myśli od bólu. Potem mu się poprawiło, więc sądziłam, że zacznie szukać nowej prawdziwej pracy. Nie chodziło tak bardzo o pieniądze. Wtedy już zarabiałam tyle, że mogłam utrzymać nas wszystkich. Ale nie chciałam, żeby Daniel patrzył na ojca, który cały dzień siedzi w domu i nic nie robi. Ale Lenny nadal mówił tylko o jednym: o pomysłach na powieści, o znalezieniu wydawcy i co to on nam kupi, kiedy już będzie bogaty i sławny.

– Ten mężczyzna, który zginął w Domu Pisarza – zaczęła Vera – to był ktoś w rodzaju celebryty. Często występował w telewizji i mówił o książkach. Zdaje się, że powiedział Lenny'emu, że jego pisarstwo jest na tyle dobre, że powinien spróbować coś wydać. Zaproponował mu, że skontaktuje go z wydawcą, i twierdził, że ma duże szanse zobaczyć swoje powieści na półkach księgarskich.

Helen podniosła na nią przerażone oczy.

– A potem zginął i zabrał ze sobą całą nadzieję. Biedny Lenny.

– Ten mężczyzna, Tony Ferdinand, nie cieszył się dobrą opinią. – Vera ostrożnie dobierała słowa. – Zdaje się, że potrafił być okrutny dla swoich seminarzystów. Czy to możliwe, żeby Lenny, sądząc, że jest krytykowany lub wykpiwany, stracił nad sobą panowanie?

– Nie – rzuciła z przekonaniem Helen. – Przez cały czas naszej znajomości ani razu nie widziałam, żeby Lenny wpadł w gniew. Nawet gdy mu powiedziałam o romansie, był przygnębiony, ale nie zły. Poczciwina z niego i tyle.

Przez kilka chwil siedzieli w milczeniu. Vera miała nadzieję, że Helen coś jeszcze doda, ale kobieta siedziała na biurku i machając stopami jak dziecko, prowokowała ich, żeby jej zarzucili, że powiedziała nieprawdę.

– Czy Lenny dzwonił do pani z Domu Pisarza? – zapytała w końcu Vera. – Żeby powiedzieć o morderstwie. Nadal jesteście sobie bliscy...

– Tak, dzwonił – potwierdziła Helen. – Pomyślał, że mogliśmy usłyszeć o morderstwie w wiadomościach, i chciał mi dać znać, że to nie o niego chodziło.

– Więc nie zaskoczyliśmy pani, składając tę wizytę. Miała pani czas przygotować odpowiedzi.

– Nie musiałam niczego przygotowywać, pani inspektor. – Pierwotna wrogość powróciła. – Powiedziałam wam prawdę.

Vera zrozumiała, że nic więcej z kobiety nie wyciągną. Helen zeskoczyła ze stołu i ruszyła do drzwi. Ashworth poszedł za nią, ale Vera tuż przed wyjściem jeszcze raz zwróciła się do Helen.

– Jak Lenny odkrył, że miała pani romans?

– Nie odkrył. Kiedy go zakończyłam, powiedziałam mu o nim. Nie chciałam mieć przed nim tajemnic.

– Mam nadzieję, że to wyznanie poprawiło pani samopoczucie. – Vera mówiła tak cicho, że kobieta prawdopodobnie nawet jej nie usłyszała. Za to Joe usłyszał i widać było, że Vera kolejny raz go zaszokowała. Mimo to dokończyła: – Bo dla Lenny'ego to na pewno nie była radosna wiadomość.

17

W czasie lunchu Ninę posadzono obok Lenny'ego Thomasa. Mało brakowało, a w ogóle nie zeszłaby do jadalni; planowała na czas posiłku ukryć się u siebie. Po rozmowie z Verą Stanhope, gdy do jej pokoju przyszedł Joe Ashworth i stał tam, sztywny i blady, wyglądając przez okno, do głowy przyszła jej straszliwa myśl: że wszyscy w Domu Pisarza pomyślą, że jest morderczynią. Na pewno tak o niej myślał ten młody sierżant. Policja dowiedziała się, że bierze tabletki nasenne, wiedzieli, że ktoś je podał ofierze. Śledczy połączyli fakty i na ich podstawie wykreowali przekonującą wersję wydarzeń. I nie można ich było za to winić. Sama doszłaby do podobnych wniosków, gdyby przedstawiono jej te same fakty.

Ale wyglądało, że detektywi byli dyskretni, co oczywiście powinna była przewidzieć. Rezydenci już nie pamiętali, że Vera Stanhope wywołała ją w czasie śniadania. To miał być ostatni pełny dzień kursu. Na wieczór była zaplanowana uroczysta kolacja, na której wszyscy mieli odczytać swoje teksty. Taki sposób na uczczenie czasu spędzonego w ośrodku. I właśnie to stanowiło główny temat rozmów w trakcie lunchu. Nikt nie uważał, że uroczyste zakończenie to coś niewłaściwego. Być może byłoby inaczej, gdyby Ferdinand był lubiany. W branży literackiej należał do ważnych osób, mógł wpływać na kariery, i z pewnością na tym polu jego odejście stanowiło dużą stratę, ale seminarzyści przejrzeli jego arogancje i powierzchowny urok. Inni prowadzący też mieli wpływy i kursanci nie chcieli stracić okazji do przedstawienia im swoich prac. Teraz rozmowa przy stole toczyła się w atmosferze rozradowania, niemal ekscytacji. Wydawało się, że nawet Joanna została przyjęta z powrotem do grona. Gawędziła właśnie z Markiem Wintertonem.

Nina słyszała jej śmiech, dźwięczny i zaraźliwy, dopływający z przeciwnej strony stołu.

– Nie mogę uwierzyć, że jutro wszystko powróci do normalności – rzucił Lenny.

– To znaczy, co masz na myśli? – Ninie się wydawało, że już nic nigdy nie będzie normalne.

– No cóż, fantastycznie się tu bawiłem. Nagle, po raz pierwszy w życiu znalazłem się wśród ludzi myślących tak samo jak ja. Helen, moja żona, była wspaniała, ale tak naprawdę nie czuła tej całej sprawy z pisaniem. Jest praktyczną osobą.

Nina zrozumiała, że Lenny naprawdę bardzo dobrze się czuł w ośrodku. Podobało mu się wszystko: wykwintne pokoje, to, że dla nich gotowano i że był traktowany poważnie jako pisarz. Domyślała się, że będzie mu ciężko wrócić do mieszkanka w pokopalnianej wiosce. Będzie się czuł jak Alicja, które musiała opuścić magiczną Krainę Czarów, żeby powrócić do nudnej klasy szkolnej.

– Ale przecież nadal będziesz pisał – rzuciła pocieszająco.

– Taaa... – przytaknął. – Nie wyobrażam sobie, że mógłbym przestać. Ale ta cała heca z wydawcą. To się nigdy nie miało wydarzyć, prawda? Tony Ferdinand mnie ołgał. Nawet gdyby nie zginął, i tak nazwisko kogoś takiego jak ja nie trafiłoby na okładkę książki.

– Dobrze wiesz, że to nieprawda. – Ale Nina czuła, że jej słowa zabrzmiały nieprzekonująco. – Co przeczytasz dzisiaj na przyjęciu?

– Myślałem o pierwszej stronie mojej powieści. Jestem z niej zadowolony. To ją przesłałem, żeby otrzymać stypendium. A ty co będziesz czytała?

– Och! – Była zaskoczona. – Nie wiem. Nie sądziłam, że ja też mam coś przedstawić.

– To nie jest tylko występ studentów – rzekł Lenny. – Pytałem Mirandę. Dzisiaj wszyscy mają przeczytać jakiś urywek. Nawet ona. Musisz nam coś pokazać.

– Zaczęłam opowiadanie – przyznała się Nina. – Może z niego coś przeczytam.

Później Nina poszła się przejść na plaży. Zajęcia miał poprowadzić Rickard i nawet myślała o tym, żeby na nie pójść i usiąść z tyłu, ale w końcu uznała, że potrzebuje ruchu i wyrwania się z tego miejsca. Jeśli wszyscy mieli czytać swoje teksty na pożegnalnym przyjęciu, to czekała ich długa noc. Obeszła bok domu, żeby dotrzeć do tarasu i ścieżki prowadzącej do morza. Mijając salon, w którym Rickard już rozpoczął wykład, dostrzegła Joannę siedzącą na samym przedzie pokoju, zaabsorbowaną, całkowicie skupioną na prowadzącym.

Słońce już zachodziło i było zimno. W nocy zapowiadał się mróz; niebo wciąż było czyste. Nina szła plażą, zatrzymując się co jakiś czas, żeby podnieść wyrzucony przez morze kawałek drewna lub ładną muszelkę. Wiatru nie było i fale łagodnie rozbijały się o zasypany kamyczkami brzeg. Małe stadko kaczek pofrunęło w głąb morza. Jutro Nina będzie już w swoim mieszkaniu w Newcastle. Pomyślała, że w tygodniu zaprosi znajomych na kolację. Zwykle pogardzała uniwersytecką polityką, ale teraz czuła, że chętnie posłucha nowych plotek i przy okazji trochę się napije. Opowie znajomym o morderstwie. Na pewno już o nim słyszeli. Będzie się dobrze bawiła, opisując Verę Stanhope. Fakt, że jej tabletki nasenne zostały użyte do odurzenia sławnej ofiary, tylko doda opowieści smaczku.

Zerknęła na zegarek. Rickard kończył dopiero za pół godziny, ale zaczynało jej być zimno, więc postanowiła, że wróci do pokoju i zastanowi się, który urywek opowiadania przeczyta na przyjęciu. Zaczęła się wspinać w górę ścieżki prowadzącej do ogrodu, gdy nagle na drodze dostrzegła jakąś postać. Ogród był objęty cieniem, więc początkowo widziała tylko sylwetkę, krępą i zwalistą, częściowo zasłoniętą przerośniętymi zaroślami.

– Ach, Nino, czekałam na ciebie. Z mojego okna w domku widziałam, że spacerujesz po plaży. Chciałabym cię poprosić o radę. – To była Miranda. W momencie, gdy Nina rozpoznała głos, jej postać stała się wyraźniejsza. Miranda miała na sobie kordonkową spódnicę, sięgającą prawie kostek, grubą kurtkę i szalik. Na nogach ciężkie buty.

– W jakiej sprawie? – Nina sądziła, że chodzi o tematykę kursów, o to, jak ściągnąć na nie więcej studentów. W końcu była profesjonalistką z użytecznymi kontaktami na uczelni. Nagle poczuła, że jej niechęć do Mirandy przybiera formę smaku w ustach, tak nieprzyjemnego, że nie chciało jej się bliżej podchodzić do kobiety. Stała na piaszczystej ścieżce kilka kroków od niej i próbowała zanalizować powody swojej antypatii. Nic do Mirandy nie miała, poza tym, że była pretensjonalną pisarką. A w chwilach szczerości Nina potrafiła się przyznać do tego, że zwykle bywała lepiej usposobiona do złych pisarzy niż do dobrych. Bardzo dobrzy autorzy wywoływali w niej poczucie nieudolności i zazdrość.

– Morderstwa – odpowiedziała Miranda. Potem szybko zaproponowała: – Może wejdziemy do mnie? Zrobię herbaty. Lepiej się rozmawia w cieple. – Miranda wraz z synem mieszkała w oddzielnym domku, który niegdyś musiał stanowić część zabudowań gospodarczych farmy. Studenci i wykładowcy nigdy nie byli tam zapraszani. Miranda robiła wielką sprawę ze swojej prywatności: pracując w miejscu zamieszkania, zwariowałabym, gdybym nie miała własnego kąta, do którego nikt nie ma wstępu. Nina przypuszczała, że powinna się czuć zaszczycona zaproszeniem, ale coś w Mirandzie sprawiało, że nie miała ochoty go przyjąć.

– Planowałam popracować przed kolacją nad tekstem.

– Bardzo zapraszam. – Miranda mówiła niemal błagalnym głosem, co Ninie przywiodło na myśl jej zawodzenie, gdy znalazła ciało Ferdinanda. Nie powinna być dla niej taka ostra; jej niechęć nie miała podstaw i była nieuprzejma.

– No dobrze – zgodziła się. – Dlaczego nie?

Drzwi wychodzące na stare podwórze prowadziły prosto do kuchni. Po chłodzie na zewnątrz było w niej ciepło, wręcz duszno. Pod oknem stała kremowa kuchnia, na której leżała sterta bielizny. Widok slipek Alexa i staników jego matki wywołał w Ninie zakłopotanie, więc się odwróciła, ale Miranda po prostu przerzuciła stertę na szeroki parapet, podniosła pokrywę kuchenki i na palniku postawiła czajnik. Z okna widać było skraj plaży, ten najbliżej wody. W ostatnich promieniach słońca wąski pas kamyczków wyglądał jak chudy półksiężyc. Na piętrze widok musiał być lepszy. Myśl, że była obserwowana z okna kryjówki Mirandy, sprawiała, że Nina czuła na plecach nieprzyjemne dreszcze. Miała nadzieję, że rozmowa nie będzie trwała długo. Ale Miranda, gdy już miała ją u siebie, jakoś się nie spieszyła z wyjaśnieniem, dlaczego poprosiła Ninę o rozmowę.

– Zwykła herbata czy ziołowa?

– Dziękuję za herbatę. Ja naprawdę chciałabym zajrzeć do opowiadania przed wieczorem. – Nina czuła się schwytana w pułapkę. Dlaczego Miranda nie mówi, o co jej chodzi? Może się dowiedziała, że Ferdinand został odurzony? Czyżby na dwór w to zimne październikowe popołudnie wygnała ją niezdrowa ciekawość?

– Rozumiesz może, co oznacza powrót Joanny? – Żeby zadać to pytanie, Miranda odwróciła się od kuchni. Chłód na zewnątrz sprawił, że łzawiły jej oczy, i jej makijaż trochę się rozmazał. Albo, pomyślała Nina, Miranda znowu płakała. Mimo to nadal nie potrafiła wzbudzić w sobie współczucia dla kobiety. Miranda miała zmarszczone brwi. Wyglądała, jakby się bardzo przejmowała powrotem Joanny.

– Nie bardzo wiem, o co ci chodzi.

– Cóż, policja ją wypuściła, jest wolna. Czy to znaczy, że nie uważają, że zabiła Ferdinanda?

– Nie mam zielonego pojęcia! – Nina spróbowała się roześmiać. – Inspektor Stanhope nie mówi mi więcej niż innym.

– To bardzo dziwna osoba, ta Vera Stanhope, nie uważasz? – Pytanie ponownie zostało zadane z zaskakującą natarczywością. Czajnik zaczął gwizdać i Miranda zsunęła go z palnika, ale nie zrobiła sobie herbaty.

– Myślę, że jest inteligentniejsza, niż się wydaje – odrzekła Nina z ostrożnością. – Jeśli uwierzyła w niewinność Joanny, to prawdopodobnie Joanna jest niewinna.

Nastąpiła chwila ciszy. W kuchni pojawił się duży pręgowany kot, który podszedł do Mirandy i owinął się jej wokół nóg.

– To Ophelia – rzekła. – Z moim imieniem mam słabość do szekspirowskich bohaterek. – Spojrzała na Ninę, jakby oczekiwała odpowiedzi, ale Nina nie wiedziała, co ma powiedzieć. Miranda podniosła kota i wetknęła go sobie pod ramię. Drugą ręką otworzyła lodówkę, wyciągnęła z niej już otwartą puszkę z kocią karmą i przełożyła jedzenie do miski na podłodze. Zapach kociego jedzenia wywołał w Ninie mdłości.

Miranda odstawiła kota i wyprostowała się.

– Czyli że zabójca nadal może tu być! – powiedziała. – Rozumiesz?

A więc to tym niepokoi się Miranda, myślała Nina. To dlatego czekała na nią w ogrodzie. Czyżby dopiero teraz to sobie uświadomiła? Aż tak była pewna, że to Joanna zabiła?

Ale przecież wszyscy byliśmy o tym przekonani.

– Przypuszczam, że istnieje taka możliwość – odparła Nina. Siedziała w bujanym fotelu nakrytym pstrokatym szalem. Poduchy były miękkie i czuła, że ogarnia ją letarg. Straciła początkowy impet, każący jej jak najszybciej opuścić dom Mirandy. Podniosła wzrok i zobaczyła, że Miranda pogrążyła się w zadumie. – Myślisz, że wiesz, kto może być zabójcą?

– Sądziłam, że to Joanna – odrzekła Miranda niemal nadąsanym tonem. Zupełnie jakby Joanna ją zawiodła.

– Ale jeśli to nie ona? – Tym razem głos Niny zabrzmiał ostrzej. Wciąż była zmęczona i pomyślała, że jeśli wróciłaby do pokoju już teraz, to może przed kolacją z godzinkę by się przespała.

– No nie wiem. – Miranda opierała się plecami o kuchenkę. Kot wymiótł jedzenie z miski i wspiął się na parapet, gdzie ułożył się do snu na stercie bielizny. Miranda ostro spojrzała na Ninę. – A ty masz jakiś pomysł? Bo ja się zastanawiałam, czy morderstwo nie miało jakiegoś związku z okresem, gdy Ferdinand uczył w St Ursula.

– Ale jakiego?

Miranda wzruszyła ramionami.

– Myślałam, że może policja coś ci mówiła. Widziałam, jak na ciebie patrzy ten młody sierżant. Wyraźnie mu się spodobałaś.

– Nonsens!

– Obchodziłam rano dom i widziałam waszą trójkę w kaplicy. Uwierz mi, facet nie mógł oderwać od ciebie oczu.

Nina znowu odniosła wrażenie, że Miranda wszystkich szpiegowała. Tak dobrze znała budynek, że mogła się po nim poruszać prawie niezauważalnie. Pobyt grupy rezydentów w Domu Pisarza przebiegał w atmosferze przyjęcia w wiejskiej rezydencji, jednak status społeczny dyrektorki wydawał się niejasny. Uczestniczyła w życiu grupy, jednak przy takich okazjach zajmowała pozycję kogoś pomiędzy szlachcianką a służbą. Kogoś w rodzaju wiktoriańskiej damy do towarzystwa, pomyślała Nina. Lub guwernantki. A to czyniło ją zadziwiająco niewidzialną.

– To jakaś niedorzeczność! – obruszyła się. – Sierżant Ashworth jest policjantem, a ja podejrzaną. Podobnie zresztą jak cała reszta nas. – Zebrała energię, żeby się podnieść z fotela. – Tak czy inaczej policja nawet słowem nie wspomniała przy mnie o tożsamości zabójcy. Nie wiem więcej niż reszta.

Przez chwilę stały naprzeciwko siebie, mierząc się wzrokiem.

– To trudny czas – odezwała się wreszcie Miranda. – Policja ma obowiązek węszyć, a przecież wszyscy mamy jakieś tajemnice. Wszyscy robiliśmy rzeczy, których się wstydzimy.

Stwierdzenie było tak zaskakujące, że przez moment Nina nie była w stanie się poruszyć. Potem, nic więcej nie mówiąc, otworzyła drzwi i wyszła na chłód. Przechodząc przez podwórze, zastanawiała się, co Miranda mogła mieć na myśli. Czy jej słowa były jakimś wyznaniem? Miała nadzieję, że Nina zareaguje współczuciem, żeby mogła się dalej zwierzać. A może to była groźba?

18

Kiedy Nina wchodziła do domu z podwórza, prawie wpadła na obcą kobietę. Od razu rozpoznała w niej swojego sprzymierzeńca w Domu Pisarza, a przynajmniej kogoś zupełnie innego niż Miranda. Nowo przybyła mogłaby być członkinią siłowni, do której Nina uczęszczała; elegancka, pewna siebie, miejska. Kobieta spojrzała na Ninę, powiodła wzrokiem po jej ubraniu, fryzurze i chyba jej reakcja była podobna. Też rozpoznała w Ninie pokrewną duszę. Uśmiechnęła się.

– Przepraszam – rzuciła Nina. – Na dworze jest strasznie zimno i chciałam szybko znaleźć się w środku. Powinnam patrzeć, dokąd idę.

– Nic się nie stało. – Kobieta wyciągnęła dłoń. – Posterunkowa Holly Clarke.

– Ach – mruknęła Nina. – Z ekipy inspektor Stanhope.

– A pani to pewnie Nina Backworth.

– O mój Boże. – Nina się skrzywiła. – Trochę to niepokojące, że tak łatwo mnie pani skojarzyła. Jak mnie opisali pani koledzy? Zarozumiała profesorka. Ubiera się na czarno. Czerwona szminka.

– Nie jestem pewna, czy inspektor zwróciła uwagę na szminkę – zażartowała Holly.

Obie się uśmiechnęły.

– Czy pani do mnie? – Nina nagle poczuła się nieswojo. Czyżby przysłali tu tę miłą młodą kobietę, żeby ją zaaresztowała? Może dostali już wyniki analizy tabletek nasennych?

Holly pokręciła głową.

– Tylko zbierałam zeznania od świadków. Rutyna. Wie pani, jak to jest. Najmłodszy członek załogi...

– ...i kobieta! Wiem, tak samo jest na uczelni. Wszyscy myślą, że to się zmieniło, ale seksizm nadal ma się dobrze. – To było bezpieczne i znajome Ninie terytorium. – Ale pani szefem jest kobieta, więc wydawałoby się, że to powinno coś zmieniać.

– Niestety, nie zawsze tak to działa – odparła Holly. – Kobieta wdrapuje się na szczyt, a potem szybko wciąga za sobą drabinę. Nie chce mieć konkurencji. – Umilkła i posłała Ninie przebiegły, konspiracyjny uśmieszek. – Chociaż nie twierdzę, że tak właśnie postępuje inspektor Stanhope.

– Ależ gdzieżby! – zakrzyknęła Nina z udawanym przerażeniem. Przez chwilę obie milczały, potem Nina dodała: – Już pani na dzisiaj skończyła? Jedzie pani do domu?

– Sama nie wiem. Przesłuchałam już wszystkich, których miałam przesłuchać, ale myślałam, żeby tu jeszcze trochę zostać. Stanhope potrafi świetnie wyczuwać atmosferę. Twierdzi, że umiejętność słuchania jest najważniejsza w pracy śledczego.

– A więc chce pani zapunktować u szefowej?

– No właśnie – przyznała Holly. – Coś w tym stylu.

– Więc niech pan zostanie na kolacji. – Nina pomyślała, że zbliżający się wieczór będzie mniej dołujący w sympatycznym towarzystwie. Wyobraziła sobie, jak szeptem wymieniają z policjantką żartobliwe uwagi po wysłuchaniu tych mniej udanych tekstów. Poza tym czułaby się pewniej, mając wśród załogi śledczych zaprzyjaźnioną osobę. Kogoś, kto mógłby wstawić się za nią do inspektor Stanhope. – Nawet znalazłby się chyba dla pani wolny pokój, jeśli nie chciałoby się pani później wracać. Możemy zapytać Alexa. Pewnie jest w kuchni i szykuje posiłek. To on się zajmuje sprawami domowymi. – Nina nie chciała pytać Mirandy. – Chyba że ma pani jakieś zobowiązania i musi wracać?

– Nie, nic i nikt na mnie nie czeka. – Holly szeroko się uśmiechnęła. – I w takim układzie przynajmniej będę mogła wypić kieliszeczek lub dwa wina!

Ostatnia uwaga spowodowała, że Nina jeszcze bardziej się zrelaksowała. Policjanci nie piją na służbie, czyż nie? To było tak, jakby Holly powiedziała: nieoficjalne nadgodziny, żebym mogła lepiej poznać miejsce i jego mieszkańców. Nina nie musiała się obawiać Holly. Zapukała w drzwi kuchni i powiedziała Alexowi, że Holly chce zostać na noc. Alex kiwnął głową, jakby nie było sprawy, a nawet zachował się tak, jakby wszystko już było ustalone, bo od razu podał jej klucz do wolnego pokoju. Nina widziała, że był zajęty gotowaniem, i tak naprawdę jej nie słuchał.

– Przepraszam za niego – mruknęła. – To perfekcjonista. Ale jedzenie jest tu naprawdę dobre – wyjaśniała, zupełnie jakby polecała Holly nową luksusową restaurację.

Wszyscy zebrali się w holu, żeby wypić drinka przed kolacją. Nawet Lenny się wysilił i założył ciemny garnitur. Nina pomyślała, że prawdopodobnie ostatnim razem miał go na sobie na jakimś pogrzebie. Spodnie mocno opinały go w pasie, brzuch się wylewał. Pokój też był przybrany na okazję. Były kwiaty – olbrzymie dalie i chryzantemy – o ognistych kolorach. Na parapetach i gzymsie stały zapalone świece. Nikt nie wspominał Tony'ego Ferdinanda. Jakby nigdy go tu nie było, nigdy nie prowadził przesyconych jego ego wykładów i indywidualnych ćwiczeń, składając obietnice, których nie zamierzał spełnić, lub oceniając, czy ma szansę zaciągnąć daną kursantkę do łóżka. Tego wieczoru rezydenci udawali, że są na wykwintnym przyjęciu z okazji premiery książki; w końcu większość raczej nie mogła liczyć, że kiedyś trafi na prawdziwą. Nina, która miała okazję być na kilku – premierze własnej powieści i książek znajomych – uważała, że kursanci byliby zawiedzeni rzeczywistością. Tutaj wino było o całe niebo lepsze.

Na wieczór przygotowała się bardzo starannie. Wzięła kąpiel z ulubionym olejkiem, w zasięgu ręki stał kubek z herbatką rumiankową. Potem nałożyła makijaż. Uperfumowała się. Założyła długie srebrne kolczyki i czerwoną suknię. Jej uczniowie byliby zaszokowani, gdyby ją zobaczyli w czerwieni. Była znana z tego, że zawsze ubierała się na czarno. Potem jeszcze raz przeczytała akapit, który wybrała do prezentacji. Wreszcie buty i mała wieczorowa torebka. W połowie schodów zawróciła, żeby sprawdzić, czy na pewno zamknęła pokój na klucz. Wciąż po głowie chodził jej obraz włamywacza. Kiedy dotarła do salonu, większość kursantów już tam była, choć ona przyszła jako pierwsza z prowadzących. Wkroczyła do pokoju przy wtórze cichego aplauzu.

Holly też tam była, oczywiście w tym samym ubraniu, co po południu, ale ciuchy były na tyle eleganckie, że nie wyglądała niestosownie. Miała tylko mocniejszy makijaż i trzymała kieliszek wina. Rozmawiała z Joanną, która tego dnia wybrała czerń. Być może kolejna demonstracja. Zaraz potem w pokoju pojawił się Giles Rickard. Pod jego szyją sterczała mała mucha, tym razem z błękitnego aksamitu.

Poruszał się swobodniej niż zwykle; być może perspektywa wyjazdu, powrotu do rzeczywistego świata jego też relaksowała.

Ale ja wcale nie jestem pewna, czy się cieszę, że wyjeżdżam, pomyślała Nina. I choć przez cały tydzień czuła się w ośrodku jak w więzieniu, teraz nagle przelękła się wyjazdu. W pewnych okolicznościach pobyt za kratkami może być kojący. Więzienia to bezpieczne miejsca.

Miranda rozdawała drinki i kanapki. Była ubrana w długą czarną spódnicę i białą jedwabą bluzkę – zdaniem Niny strój odzwierciedlający jej ambiwalentną pozycję, chociaż w świetniejszym stylu. Gdy Nina podniosła z tacy kieliszek z białym winem, Miranda posłała jej spięty uśmieszek.

– Bardzo się cieszę, że mogłyśmy rano porozmawiać.

Odeszła, nim Nina zdążyła odpowiedzieć, co jej zresztą odpowiadało. Bo co mogłaby powiedzieć? W jej pamięci poranna pogawędka zapisała się jako zagadkowa i niepokojąca.

Kolacja była wykwintniejsza niż w inne dni. Na stole stało wino. Alex porzucił biały kucharski kitel i założył koszulę i marynarkę, i gdy już pomógł Mirandzie obsłużyć gości, zasiadł przy stole obok matki. Zwykle jadał samotnie w kuchni. Tu także były kwiaty i świece, grube i kremowe, takie, jakie się widuje w kościele. Nina siedziała obok Holly, ale podczas posiłku niewiele rozmawiały. Uwaga młodej policjantki zdawała się skupiać na konwersacjach innych osób. Wyglądało, że wzięła sobie do serca poradę Very Stanhope na temat słuchania. Ale kiedy ze stołu zebrano naczynia, Holly zwróciła się do Niny.

– No to niech pani zaczyna! Proszę mi opowiedzieć wszystkie plotki. Kto sypia z kim.

Nina była zaszokowana.

– Och, nie sądzę, żeby coś takiego miało tu miejsce.

– W takim razie jest tu inaczej niż na wszystkich kursach wyjazdowych, na których bywałam – odrzekła lekko

Holly. – Taka gorąca atmosfera, z daleka od pracy, kilka kieliszków wina za dużo i zaczyna nam się podobać prawie każdy. Problem jest dopiero po powrocie do pracy, kiedy sobie uświadamiamy, jakiego durnia człowiek z siebie zrobił. – Kiwnęła głową, pokazując na siedzącego naprzeciwko Alexa. – Ten jest całkiem, całkiem. Gdybym nie była policjantką, na pewno dałabym się skusić!

Nina krótko się roześmiała, ale czuła się zgorszona.

Główna atrakcja wieczoru rozpoczęła się, gdy podano kawę. Było oczywiste, że Miranda uważa się za gwiazdę i mistrzynię ceremonii. Po wrażeniu, że uczestniczy w kolacji tylko po to, żeby obsłużyć gości, nie było śladu. Wciąż znajdowali się w jadalni i Miranda zajęła swoje zwyczajowe miejsce u szczytu stołu.

– To był trudny i niezwykły tydzień – zaczęła. – Dlatego chciałabym podziękować prowadzącym i kursantom za to, że pomimo zakłóceń potrafili się skoncentrować i utrzymać skupienie. Wykonaliście państwo kawał dobrej roboty, dlatego zamiast skupiać się na tragedii, do jakiej tu doszło, uważam, że lepiej uczynimy, jeśli dzisiaj uczcimy państwa wspaniałe pisarstwo.

Więcej odniesień do Tony'ego Ferdinanda nie było. Nina znowu sobie przypomniała ból Mirandy, gdy ta odkryła zwłoki Ferdinanda, i dziwiła się jej opanowaniu.

– Dzisiaj każdy z nas będzie miał okazję podzielić się z innymi krótkim urywkiem z tekstów, nad którymi pracowaliśmy w tym tygodniu. – Miranda powiodła wzrokiem po osobach przy stole. – Mamy chętnego, który chciałby zacząć?

W górę wystrzeliło kilka dłoni. Nieśmiałość, jak było widać, nie stanowiła problemu w grupie. Prawdopodobnie kursanci uważali, że zainteresowanie osłabnie wraz z upływem wieczoru i ilością wypitego wina.

– Lenny – rzuciła Miranda. – Zechciałbyś być pierwszy?

Lenny wstał. Widać było, że po obiedzie się ogolił, a Nina zauważyła, że podczas kolacji pił tylko wodę. Mimo defetystycznego nastawienia, jakie okazywał w porze lunchu, wyglądało, że teraz zamierzał dać z siebie wszystko. Kiedy podnosił kartki z tekstem, Nina zwróciła uwagę, że trzęsą mu się dłonie.

– Zanim przeczytam mój urywek – zaczął z tak mocnym akcentem, że Nina się zastanawiała, czy południowcy wśród publiczności go zrozumieją – chciałbym podziękować wszystkim, którzy umożliwili mi pobyt tutaj. Bartonom i wykładowcom, a także kolegom za ich wsparcie. Ten kurs był spełnieniem moich marzeń.

Potem zaczął czytać. Nina sądziła, że będzie to początek jego powieści, scena akcji, pościg za dwójką nastolatków uciekających skradzionym autem przez osiedle komunalne w Blyth. Podczas lunchu twierdził, że właśnie ten urywek wybierze. Tekst był dobrze napisany, miał wartką akcję, wyraziste postaci. Ale Lenny wybrał coś innego, coś, co napisał pod jej naciskiem po ich pierwszych indywidualnych zajęciach.

– Podoba mi się, jak to napisałeś, Lenny – powiedziała mu wtedy. – Ale cała historia jest opowiedziana w tym samym tempie. Pęd i szaleństwo od samego początku do końca. A czytelnik od czasu do czasu musi złapać oddech i dobrze jest też trochę zmienić nastrój. Spróbuj napisać dla mnie coś łagodniejszego. Scenę miłosną lub rozmowę między rodzicem a dzieckiem.

Teraz stał z kartką, która drżała mu w dłoni jak szarpany wiatrem żagiel, i czytał. Robił to powoli, niemal bez wyrazu, ale tekst miał tak niespodziewaną tonację, był tak smutny, że od pierwszych słów przykuł ich uwagę. „Stała przy oknie i patrzyła, jak mężczyzna odchodzi z jej życia".

Po kilku minutach niespodziewanie przestał czytać. Nina nie była pewna, czy zrobił to celowo, czy może tak się wzruszył własnym dziełem i okazją, że nie był w stanie kontynuować. Usiadł przy wtórze oklasków i rozejrzał się dokoła, oszołomiony, jakby się dopiero obudził.

– No, no! – Miranda powstała z krzesła. – Świetna robota, Lenny. Nie zazdroszczę osobie, która wystąpi po czymś takim. – Rozejrzała się po obecnych i Nina pomyślała, że znowu zapyta o następnego ochotnika. Postanowiła, że się zgłosi, żeby mieć to już za sobą, ale Miranda skupiła uwagę na byłym policjancie, Marku Wintertonie. – Mark, masz ochotę spróbować?

Winterton wstał. Nie wyglądał na zdenerwowanego. Nina przypuszczała, że po zeznaniach w sądzie jest przyzwyczajony do publicznych wystąpień.

– Nie przeczytam mojego urywka – oznajmił. Miał szczupłą twarz, a małe, kwadratowe okulary, które nosił, nadawały mu wygląd pedantycznego nauczyciela. Jego słownictwo też było zwięzłe i precyzyjne. – Jednym z dobrodziejstw tego kursu było to, że można było w jego trakcie wyrobić sobie umiejętność oceniania własnych tekstów. A ja zdałem sobie sprawę, że moje tak naprawdę w ogóle nie były dobre! – Na drugim końcu stołu rozległy się życzliwe pomruki. – Dlatego nie będą was, kochani, męczył swoimi wypocinami. Niemniej, tak jak Lenny, chciałbym podziękować personelowi i kolegom za wsparcie. To było coś, czego musiałem spróbować. Spróbowałem i nie wyszło. Może będę musiał poszukać sobie innego ujścia dla mojej kreatywności. Na razie jednak będę z niecierpliwością czekał, że zobaczę wasze książki na półkach w księgarniach, i będę mógł powiedzieć znajomym: znałem ich, zanim jeszcze stali się sławni.

Posłał wszystkim uśmiech i z powrotem usiadł. Nina zaś pomyślała, że wieczór przebiega o wiele lepiej, niż się spodziewała. Może jednak nie będzie to napuszone targowisko próżności, jak się wcześniej obawiała. Odwróciła się, żeby obserwować Mirandę, która ponownie zajęła centralne miejsce. Za mocno się maluje: tyle pudru ją postarza. Ciekawe, kogo następnego wybierze. Spojrzenie Mirandy przesuwało się po siedzących. Och, Jezu, ta kobieta jest jak mediumistka szukająca wśród publiczności łatwego celu.

– Joanno – rzuciła Miranda. – Wiem, że nie miałaś łatwego tygodnia, ale może czujesz się na siłach przeczytać nam swój tekst, kochanie?

Protekcjonalny ton Mirandy natychmiast podziałał na Ninę tak, że miała ochotę zerwać się na nogi i stanąć w obronie Joanny. Dotarło do niej, że teraz, gdy się okazało, że Joanna prawdopodobnie nie zabiła Ferdinanda, Miranda nie lubiła jej bardziej, niż gdy wszyscy myśleli, że jest morderczynią. Jednak wyglądało, że Joanna świetnie potrafiła sama o siebie zadbać. Najpierw wolno się podniosła, potem nalała sobie wina do kieliszka i upiła łyk. Wtedy spojrzała na słuchaczy.

W świetle świec wyglądała imponująco. Długie blond włosy miała zaczesane do tyłu, a prosta czarna sukienka przywodziła Ninie na myśl młodą wdowę, a już na pewno kobietę w żałobie.

– Przyszłam na ten kurs z gotową historią – zaczęła. – Bardzo osobistą. Ale byłam zbyt blisko niej, dlatego źle ją napisałam. Język był zbyt wyszukany, emocjonalny. Z pomocą prowadzących, zwłaszcza Niny, zrozumiałam, że muszę pisać prościej. Że język musi być prawdziwszy. – Bez dalszego wstępu zaczęła czytać. Był to opis młodej kobiety bitej przez męża. Słowa były starannie dobrane, jasne i odarte z emocjonalności. Tekst był napisany z punktu widzenia kobiety, ale nie było tam użalania się nad sobą. Joanna opisywała, że znalazła się na podłodze i poczuła pod policzkiem chłód posadzki, wpatrzona w okruszyny chleba, które spadły ze stołu przy śniadaniu.

Kiedy przerwała, żeby nabrać powietrza, w głębi domu rozległo się nagłe trzaśnięcie drzwiami. Nina poczuła, że siedząca obok Holly tężeje. W jadalni znajdowali się wszyscy mieszkańcy domu. Możliwe, że ktoś zostawił otwarte okno i przeciąg zatrzasnął drzwi. Ale wieczór był bezwietrzny. Joanna powróciła do czytania. Wtedy drzwi jadalni stanęły otworem. Otworzyły się tak gwałtownie, że klamka uderzyła w ścianę.

Joanna zatrzymała się w połowie zdania i odwróciła, żeby popatrzeć na przybyłego. Do pokoju wkroczył mężczyzna – żylasty, w średnim wieku, siwiejące włosy związane w kucyk. Kiedy Joanna się odezwała, jej głos brzmiał jak głos matki, która po męczącym dniu zwraca się do niesfornego dziecka. W głosie jednocześnie pobrzmiewały nuty czułości i poirytowania.

– Jack, chłopie. Co ty tu, do cholery, robisz?

To wtedy mężczyzna stracił nad sobą panowanie i zaczął krzyczeć.

19

Vera siedziała w swoim domu w górach i czekała na wiadomość od Holly. Na dworze wciąż było dość jasno – po rozmowie z Helen Thomas nie warto było wracać do komisariatu, więc pojechała prosto do domu. Joego też zwolniła wcześniej, spodziewając się wdzięczności, bo przecież zawsze mówił, że lubi pobyć z dzieciakami, zanim pójdą spać, ale Joe cały dzień był w dziwnym nastroju i odjechał bez słowa. Było okropnie zimno – w tym roku zima zdawała się nadejść wcześniej – więc Vera porządnie napaliła w kominku. Grzała sobie przy nim stopy, popijając herbatę, gdy zadzwonił telefon.

– Holly. Jak ci poszło z Wintertonem?

Gdy Vera zaproponowała, żeby młoda policjantka spędziła popołudnie w Domu Pisarza i pogawędziła z byłym śledczym, Holly wyglądała jak spuszczony ze smyczy pies myśliwski. Prawie się trzęsła z podekscytowania.

– Nieźle. – Jakość połączeń w ośrodku nie była najlepsza i głos Holly brzmiał, jakby mówiła z głębokiego tunelu.

– Więc dlaczego twoim zdaniem postanowił zapisać się na ten kurs? Ma to jakiś związek ze śmiercią córki?

– Nie bezpośredni. Odniosłam wrażenie, że chciał się po prostu na jakiś czas wyrwać z domu. Nie jest mu tak dobrze na emeryturze, jak przypuszczał. Brakuje mu pracy. I poczucia, że jest potrzebny. Zapisał się na wieczorowe zajęcia z literatury angielskiej i tam załapał bakcyla pisarskiego.

– Aye, cóż, domyślam się, że niektórych może to pociągać. – Vera nienawidziła myśleć o emeryturze. Bała jej się bardziej niż choroby i nagłej śmierci. – Ale dlaczego akurat pisanie?

– Wszyscy mu mówili, że pisze dobre raporty – wyjaśniła Holly. – I czytał kryminały, w których błędnie opisano procedury policyjne, więc pomyślał, że jemu wyszłoby lepiej. Nie sądzę, żeby o coś więcej w tym chodziło. Jego córka studiowała na uniwersytecie w Manchesterze, więc nie miała kontaktu z Ferdinandem i z North-East.

Vera zorientowała się, że jej herbata jest już prawie zimna. Będzie musiała zrobić sobie następną.

– Czy Winterton miał coś ciekawego do powiedzenia o reszcie rezydentów? Coś, co mogliśmy przeoczyć?

Po drugiej stronie połączenia zapadła chwila ciszy.

– No Holly, przecież go o to pytałaś, prawda? Połechtałaś jego ego i pozwoliłaś mu myśleć, że potrzebujemy jego pomocy i doświadczenia?

– Robiłam, co mogłam!

– Ale nie wyszło? – Vera starała się zachować rozsądnie. Może to była jej wina. Sama powinna była zająć się Wintertonem.

– Mówił, że zostawił to życie za sobą. Kusiło go, żeby się wtrącić, ale wie, jak to jest, kiedy się pracuje przy śledztwie i jakiś emerytowany policjant próbuje człowiekowi tłumaczyć, jak się je powinno prowadzić.

Znowu zapadła cisza. Vera odniosła wrażenie, że słyszy na zewnątrz odgłos uruchamianego silnika. To pewnie Jack pracuje w stodole, chociaż teraz, po zachodzie słońca, musiało tam być cholernie zimno.

– W takim razie nic więcej nie mogłaś zdziałać – rzuciła do słuchawki. Tym razem nie widziała sensu w obwinianiu Holly. Poza tym nie chciała jej psuć humoru na początku wieczoru. Zależało jej, żeby do jego zakończenia Holly była w jak najlepszej formie. – Ale przynajmniej próbowałaś. – Znowu przerwała, nie potrafiąc się oprzeć ostatniej próbie. – Jakie miałaś odczucia, gdy rozmawiałaś z Wintertonem? Myślisz, że ma swoje podejrzenia? Odezwał się w nim instynkt śledczego? Przebywał z nimi wszystkimi prawie przez tydzień. Sądzisz, że ma jakiś pomysł, które z nich może być zabójcą?

– Jeśli nawet, to nie chciał się z tym zdradzić.

Znowu pauza. Potem Vera chciała coś powiedzieć, ale Holly ją uprzedziła.

– Tak jak ustaliłyśmy, załatwiłam, że tu zostanę. – Jej głos nagle zaczął brzmieć jasno i czysto, zupełnie jakby rozmawiała z pokoju obok. – Pójdę na kolację, na której mają czytać swoje teksty. I przenocuję w ośrodku. Na szczęście mają wolny pokój. To nasza ostatnia szansa na zobaczenie ich wszystkich naraz. Jutro porozjeżdżają się do domów.

– Zamknij drzwi na klucz przed snem – rzuciła Vera niby to lekko i z rozbawieniem. – Nie chciałabym stracić obiecującej policjantki. – Rozłączyła się, zanim Holly zdążyła odpowiedzieć. Wolała uniknąć nagabywań o kolejne komplementy.

Vera znowu nastawiła wodę. Tej nocy postanowiła nie pić alkoholu; chciała mieć jasny umysł. Tak jak powiedziała Holly, nazajutrz wszyscy podejrzani i świadkowie rozjadą się do domów. Wielu z nich mieszkało poza jej okręgiem. Poza jej kontrolą. To była odpowiednia pora na refleksje. Żałowała, że nie ma z nią Joego Ashwortha. Nie był orłem w kwestii oryginalności myślenia, ale potrafił jej wytknąć, kiedy wpadła na durne pomysły. Przez jedną szaloną chwilę kusiło ją, żeby do niego zadzwonić i kazać mu przyjechać. Potem zrezygnowała. Niech sobie ma ten jeden wieczór z rodziną. Nachyliła się i włączyła telewizor.

Na ekranie do życia przywoływano jej ofiarę. Program kulturalny puszczał pośmiertne wspomnienia o Tonym Ferdinandzie, pokazywano urywki z jego audycji. Siedział zrelaksowany w fotelu i mówił o pisarzu, o którym Vera nigdy nie słyszała. Audycja musiała być nagrywana latem, bo przez okno wpadało słońce. Ferdinand był ubrany w białą koszulę ze stójką i luźne płócienne spodnie, twarz opalona. Jego wygląd przyciągał. Vera zorientowała się, że nie słucha, co mówi, tylko wpatruje się w jego ciało, sprężyste i wysportowane mimo wieku, i w jego szare oczy. Któryś z funkcjonariuszy związany ze śledztwem opisał Ferdinanada jako osobę charyzmatyczną, i teraz Vera wyraźnie widziała, co miał na myśli. Potem nagle program się skończył. Wyłączyła telewizor.

Żałowała, że nie znała Ferdinanda osobiście, bo trudno jej było opierać się na opisach świadków. Większość z nich go nie lubiła, co było niezwykłe w sprawach o morderstwo. Najczęściej zdania bywały podzielone. W tym wypadku ta niemal jednomyślna wrogość budziła jej podejrzliwość. Czy podejrzani rozmawiali ze sobą na ten temat przed złożeniem zeznań? Wydawało się, że to raczej mało prawdopodobne. Vera pojawiła się na miejscu prawie zaraz po znalezieniu ciała. Chyba że doszło do jakichś ustaleń dotyczących zgonu, porozumienia w kwestii alibi i czasu wydarzeń. Jeśli tak, byłby to koszmar. Krąg potencjalnych podejrzanych bardzo by się powiększył. Ale wydawało się to zbyt wydumane nawet dla grupy pisarzy, ludzi zawodowo wymyślających nieprawdopodobne historie.

Więc jaki naprawdę był ten Ferdinand? Przypuszczała, że drapieżny, seksualnie i w życiu zawodowym. Przynajmniej zdaniem Niny i Joanny. Co mogło spowodować, że taki się stał?

Wyciągnęła akta z torby: notatki spisane przez Holly po jej rozmowach telefonicznych ze współpracownikami Ferdinanda. W zapiskach znajdował się domowy numer telefonu jednego z nich. Kobieta pracowała z Ferdinandem, gdy ten prowadził seminarium z kreatywnego pisarstwa. Sally Wheldon. Obok nazwiska widniał dopisek: „poetka". Dochodziła siódma. Czy o tej porze poeci są w domu? – zastanawiała się Vera. Dotąd nie poznała żadnego poety. Poszła po telefon, po czym wróciła do stojącego przed kominkiem fotela. Przy okazji wyjrzała przez okno, przekonując się, że na przedniej szybie land rovera pojawił się szron. Księżyc był zamglony.

Głos, który się odezwał w słuchawce, brzmiał starzej, niż się Vera spodziewała. Londyński głos. Matczyny, pozbawiony pretensjonalności.

– Słucham? Sally Wheldon.

Vera wytłumaczyła, kim jest.

– Zdaje się, że już pani rozmawiała z którymś z moich kolegów, ale może zgodziłaby się pani porozmawiać również ze mną. Nieformalnie. Moi młodsi koledzy nie zawsze poświęcają rozmowie odpowiednią ilość czasu. Zbierają fakty, ale nie mają cierpliwości, żeby spokojnie wysłuchać świadka.

– Jeśli pani uważa, że to coś pomoże. – Kobieta wydawała się zadowolona, że Vera się do niej zwróciła. Wyglądało też, że miała czas. Może jednak nie była matką, tylko samotną kobietą w średnim wieku. I z pewnością w domu nie było małych dzieci. Bo o tej porze byłoby je słychać, prawda? Lub przynajmniej odgłos telewizora w tle. A może dzieciom poetów nie wolno oglądać telewizji i grać na komputerze? Vera zorientowała się, że kobieta czeka na dalszy ciąg.

– Interesuje mnie tylko, jakiego rodzaju człowiekiem był profesor Ferdinand – wyjaśniła. – Nie poznałam go, więc trudno mi to określić.

Po drugiej stronie połączenia zapadła cisza. Panna Wheldon ostrożnie dobierała słowa. Dobry znak. Ale z drugiej strony to poetka, musi mieć wyczucie języka.

– Należał do osób, które potrzebują audytorium – rzekła w końcu. – Jego znajomości nigdy nie trwały długo i mieszkał sam, ale nie sprawiał wrażenia, jakby własne towarzystwo mu wystarczało. Gdy gdzieś się pojawiał, natychmiast szukał osoby, przed którą mógłby się popisać. Z tego powodu był raczej samolubnym nauczycielem. Tak naprawdę nie interesowały go prace studentów, tylko jego własna reakcja na nie.

– To dlatego nie był lubiany? – Vera żałowała, że nie jest w pokoju współpracowników Ferdinanda. Wyobrażała sobie, jak gawędzą przy herbacie. Wtedy mogłaby podejrzeć ich gesty i uśmieszki, które ujawniają więcej niż słowa.

– W zasadzie nigdy nie pasował do uczelni – stwierdziła kobieta. – Przynajmniej nie do St Ursula, która zawsze uważała się za lepszą od innych londyńskich uczelni. Był zbyt arogancki i zachwycony sobą. No, ale wcześniej pracował jako niezależny dziennikarz. Nigdy nie wydał żadnej powieści ani poezji i wiele osób miało za złe uczelni, że zaprosiła go do prowadzenia seminarium. Wiele osób uważało, że lepiej się do tego nadaje. Ludzie, którzy razem studiowali, którzy mówią tym samym językiem. Tony nie był przygotowany do udziału w ich gierkach. Nie musiał. Był celebrytą i ściągał do uczelni dzieciaki sławnych rodziców, reżyserów i dramaturgów. Polityków. Rozsławił seminarium i samą uczelnię. – Sally zrobiła pauzę. – Czasami dawał tym bogatym dzieciakom niezły wycisk. Sprzeczaliśmy się o to. To, że pochodziły z wpływowych rodzin, nie znaczyło jeszcze, że były na tyle pewne siebie, żeby łatwo przełykać krytykę. Ale Tony nie słuchał. Miał uraz do każdego, kto używał wyszukanego języka, każdego z wysokim stopniem naukowym. Ale ja nie posiadałam ani jednego, ani drugiego. Pochodziłam z robotniczej rodziny z Essex, więc mnie akurat traktował dobrze.

I może dlatego tak bardzo wspierał Lenny'ego Thomasa i czuł, że może drwić z Niny Backworth, absolwentki z dobrej rodziny, mającej wspierających rodziców.

– Ferdinand to był smutny człowiek – ciągnęła Sally. – Samotny, choć tak bardzo pragnął znajdować się w centrum uwagi. Pół roku temu ktoś go napadł na ulicy przed uczelnią i na kilka dni trafił do szpitala. Nikt go tam nie odwiedzał oprócz mnie.

Vera odłożyła słuchawkę, czując się niemal radośnie. Gdyby ona wylądowała w szpitalu, na pewno ktoś by ją odwiedził: Joanna i Jack, Joe i Holly, i Charlie. Przynieśliby winogrona i opowiadaliby żarty, żeby ją rozbawić.

Następne dziesięć minut słuchała wiadomości w radiu, potem znowu zadzwonił telefon. Holly.

– Może pani prowadzić?

– Aye, jasne. – Jakby było oczywiste, że każdego wieczoru jest trzeźwa jak świnia.

– W takim razie myślę, że powinna tu pani przyjechać. Zjawił się pani znajomy, Jack, i strasznie rozrabia. Rzuca się po całym domu. Jeśli czegoś z tym nie zrobimy, ktoś wezwie policję i facet wyląduje na noc w areszcie.

– Powiedz im, że już jadę.

Oskrobała szybę ze szronu na tyle, żeby mogła coś widzieć, potem włączyła ogrzewania na full, żeby roztopić resztę. Gdy dojechała do drogi prowadzącej na wybrzeże, wreszcie widziała, dokąd jedzie. Kiedy była blisko Domu Pisarza, na powierzchni morza zobaczyła refleksy promieni księżyca. Na parkingu nie było śladu po furgonetce Jacka, ale może zaparkował ją gdzieś na drodze i do ośrodka dotarł pieszo. Miał skłonności do tego rodzaju dramatycznych posunięć.

Holly czekała na nią w holu. W pozostałych częściach domu panowała cisza.

– Naprawdę mi przykro, że musiałam panią ściągnąć. – Holly była zażenowana, bo nie udało jej się zapanować nad sytuacją. – Zresztą chyba przesadziłam. Sytuacja już się rozwiązała. Ale pani sąsiad wpadł w szał i nie mogłam mu przemówić do rozsądku. – Tym ostatnim zdaniem zdawała się przerzucać winę, sugerować, że w jakiś sposób winna jest Vera.

– Aye, cóż, Jack i rozsądek to nigdy nie była dobrana para. Znaczy się, że już odjechał? – Vera zastanawiała się, czy go mijała, ale nie pamiętała, żeby widziała na drodze inne pojazdy.

– Nie, jest na tarasie z Joanną i Gilesem Rickardem.

– Czy to dobry pomysł? – Chociaż Vera nie wyobrażała sobie, żeby Jack mógł zaatakować Rickarda. Na pewno nie fizycznie. Rickard był zbyt stary i cherlawy, a Jack zbyt sentymentalny, żeby się rzucił na słabszego. Raczej wolał walczyć z wiatrakami.

– Joanna obu tam zaciągnęła. Wyglądała, jakby wiedziała, co robi.

Vera zorientowała się, że Holly była wstrząśnięta epizodem, tym, że Jack wtargnął na kolację i dał upust wściekłości. Nie potrafiła przywołać autorytetu, żeby zapanować nad sytuacją, a już na pewno nie posiadała wystarczająco silnej osobowości, żeby powstrzymać w czymkolwiek Joannę.

– A gdzie reszta zgromadzenia?

– W salonie – rzuciła Holly. – Po kolacji czytali swoje teksty. Sądzę, że niektórzy poczuli się oszukani, że nie mieli szansy zaprezentować swoich urywków, więc zabrali kawę i drinki do salonu, żeby tam kontynuować. – Zamilkła na chwilę, potem w desperackiej próbie zasłużenia na aprobatę dodała: – Za to świetnie się dogadywałam z Niną Backworth.

– Jestem o tym przekonana, kotku. Pokrewne dusze. – Vera odwróciła się i wyszła na zewnątrz. Jak za pierwszym razem, gdy tu przyjechała, obeszła dom, żeby dotrzeć do tarasu. Zasłony w salonie były zaciągnięte i jedyne światło na tarasie pochodziło od świeczki ustawionej na żelaznym stoliku, przy którym siedziały trzy osoby. Nie było nawet odrobiny wiatru, więc płomień świecy się nie poruszał. Joanna, Jack i Rickard siedzieli przy stole, wpatrując się w siebie. Rickard był ubrany w obszerny czarny płaszcz i apaszkę. Joanna owinęła się szalem, ale i tak zdaniem Very musiało jej być zimno.

– A więc, co tu się takiego wyprawia, moi drodzy? – Kiedy tylko skończyła mówić, Vera zdała sobie sprawę, że brzmi jak policjant z telewizyjnych kreskówek dla dzieci, więc szybko dodała: – Wywołujecie duchy? Bo wyglądacie, jak na seansie spirytualistycznym.

Przyciągnęła sobie krzesło i przysiadła się do nich. W domu słychać było przytłumione śmiechy, ale na zewnątrz panowała cisza.

– W co ty się zabawiasz, Jack, chłopie?

Zero odpowiedzi. Jakby wszyscy zamarzli. Na koniec to Joanna odpowiedziała.

– Wpadł mu do głowy durny pomysł, że znowu nawiązałam kontakt z Paulem.

– Twoim mężem?

– Moim byłym mężem. Politykiem, który cały swój czas poświęca podróżowaniu pomiędzy Brukselą a Sztrasburgiem.

Który nigdy, o ile mi wiadomo, nie dotarł na północ dalej niż do Birmingham – a i to byłoby zdecydowanie poza jego strefą komfortu.

– Ale ja wcale nie uważałem, że facet tu jest – próbował się bronić Jack. – Pomyślałem, że w jego imieniu przyjechał Rickard.

– I niby to ja jestem wariatką! – Joanna, unosząc głowę, przewróciła oczami. Światło świecy rzuciło dziwne cienie na jej twarz. Ale widać było, że mięknie. Możliwe, że lubi dramatyczne gesty Jacka, pomyślała Vera. Bo to musi być ekscytujące, wiedzieć, że się jest pępkiem świata dla mężczyzny, że się go doprowadza do szaleństwa.

– Wiedziałem, że coś jest nie tak – rzekł Jack. – Nocą, kiedy się kładłem, nachodziły mnie różne myśli. No wiecie, różne scenariusze, pytania. W końcu uwierzyłem we własne wymysły i nie mogłem już dłużej czekać, aż wrócisz do domu. Albo nie wrócisz.

Przez całą wymianę zdań Rickard się nie poruszył. Teraz jednak wstał.

– To był błąd – rzekł. – Nie powinienem był przyjmować zaproszenia Mirandy na przyjazd tutaj. Myślałem, że naprawię sytuację, ale tylko ją pogorszyłem. Jest mi bardzo przykro – zakończył i odszedł, rozpływając się w mroku.

20

Nina obudziła się, gdy jeszcze było ciemno. Tym razem nie czuła paniki, tylko z braku dostatecznej ilości snu szczypanie pod powiekami i sztywność w kończynach. Nie miała już tabletek nasennych, żeby się nimi wspomóc. Gdy wreszcie trafiła do łóżka, było późno. Potem leżała w ciemności, spięta, od nowa przeżywając szok wywołany pojawieniem się w jadalni osoby z zewnątrz. Teraz zastanawiała się, dlaczego wizyta partnera Joanny tak ich wszystkich zaniepokoiła? Przecież Jack nie stanowił realnego zagrożenia. Stał tam i krzyczał, trochę bełkotliwie wskutek gniewu, ale to były tylko słowa. Nie miał przy sobie broni ani nic nie wskazywało, że posunie się do rękoczynów.

A może chodziło o to, że w tamtej chwili spojrzeli na siebie tak, jak on ich widział? Jako żałosnych próżniaków. Krzyczał na wszystkich, wodząc spojrzeniem od jednej strony stołu do drugiej. „Jesteście bandą pobłażających sobie pozerów. Lepiej, gdybyście podnieśli te swoje dupska i zajęli się prawdziwą robotą". Czar wieczoru prysł, gdy tylko drzwi trzasnęły i Jack otworzył usta. Realizm świata zewnętrznego zakłócił ich groteskowe wyobrażenie cywilizowanego literackiego salonu.

Holly, ta młoda policjantka, próbowała uspokajać Jacka. Opuściła swoje miejsce i szybko do niego podeszła. „Nie ma potrzeby się tak unosić. Przejdźmy do drugiego pokoju, żeby mógł pan ochłonąć". Mówiła piskliwym głosem, po części, bo była wystraszona, po części z ekscytacji.

Ale tylko rozjątrzyła Jacka i jeszcze bardziej rozwścieczyła: „Nie odzywaj się do mnie, głupia babo. Co ty możesz o czymkolwiek wiedzieć?"

Wtedy podeszła do niego Joanna i objęła go, jakby był jej synem, nie partnerem. Z początku ją odepchnął, nadal krzycząc, nadal domagając się wyjaśnień. Potem się załamał i rozpłakał.

Teraz Nina uświadomiła sobie, że Jack nie na nich tak się wściekał. Nawet nie używał wulgaryzmów, jakich sama używała, gdy była zła lub zmęczona. Ale mimo wszystko ich zaszokował, bo jego gniew płynął z głębi i był prawdziwy. Spędzili cały tydzień na starannym dobieraniu słów, ale ten wybuch wywołał większy efekt niż wszystkie ich wymyślone historie zebrane do kupy.

Nina wstała i zaciągnęła zasłony. W pokoju było ciepło, ale przez szyby w oknach wiało chłodem. Od wschodu na horyzoncie zaczynało świtać. Pod wpływem impulsu założyła dżinsy i sweter i wyciągnęła z szafy kurtkę. To był jej ostatni poranek w Domu Pisarza, więc chciała go jak najlepiej wykorzystać. Po południu będzie już w mieście.

Na dole wciąż widniały ślady po minionym wieczorze. Wprawdzie z jadalni zniknęły brudne naczynia, ale w salonie nadal stały puste filiżanki i kieliszki. Siedzieli tam, ze wspomnieniem słów Jacka w głowach, i udawali, że ich pisanina coś znaczy. Czytali, słuchali, uprzejmie oklaskiwali. Ale nie Nina. Nie była w stanie zmusić się do przeczytania swojego opowiadania. Siedziała w kącie, na wpół przysłuchując się odczytom, klaszcząc tylko, gdy miała wrażenie, że się od niej tego oczekuje. Do momentu, gdy zaczęła czytać Miranda. Wtedy jej reakcja była szczera.

Drzwi do kuchni stały otworem, ale w środku nikogo nie było. Zwykle o tej porze Alex szykował w kuchni śniadanie. Zeszłego wieczoru Nina siedziała przy stole naprzeciwko niego. Znajdował się na linii jej wzorku, gdy do jadalni wparował Jack, i widziała jego minę, gdy intruz zaczął pluć oskarżeniami pod ich adresem. Alex był zaszokowany zamieszaniem, jak oni wszyscy, ale na jego twarzy malowało się coś jeszcze. Rozbawienie? Może nawet podziw? Kiedy się przenieśli do salonu, żeby kontynuować prezentacje prac, nie poszedł z nimi. Stwierdził, że jest zmęczony i że chce się wcześniej położyć.

Spoglądając przez szerokość podwórza, Nina zobaczyła, że w domku Mirandy się świeci. Nie chciała spotkać ani Mirandy, ani Alexa, a wiedziała, że niedługo zjawią się w głównym budynku, żeby zająć się szykowaniem śniadania i sprzątaniem. Założyła buty i wyszła na zewnątrz. Zimo zaparło jej dech w piersiach. Było już na tyle jasno, że dało się zobaczyć, iż trawnik jest ścięty szronem. Miała ochotę oddalić się od domu, pójść w stronę drogi wyjazdowej, ale wtedy musiałaby przejść obok domku Mirandy. Znowu pomyślała, że w każdej chwili któreś z Bartonów może stamtąd wyjść, a nie zniosłaby rozmowy o wczorajszych wydarzeniach. Dlatego zamiast ku drodze skierowała się do kamiennej ścieżki prowadzącej na stronę domu wychodzącą na morze.

Dzień wciąż się jeszcze nie rozpoczął. Trwał świt i wszystko dokoła było szare i niewyraźne. Drzewa otaczające dom tworzyły ściany czerni i przez chwilę, w ich cieniu, przechodząc między nimi a murem domu, Nina zupełnie nic nie widziała. Potem dotarła do tarasu i wyszła na otwartą przestrzeń, mając przed sobą morze. Otoczenie nagle pojaśniało i wszystko stało się wyraźne.

Wróciła na miejsce, które wybrała na scenerię swojej noweli. Teraz była zadowolona, że wczoraj jej nie przeczytała. Uratowało ją przed tym wtargnięcie Jacka. Opowiadanie nie jest skończone, myślała. Nie nadawało się do przeczytania. Niedobrze opisała scenerię. Podeszła bliżej, choć jej uwagę pochłaniało raczej słońce wstające nad morzem na linii horyzontu niż grupa ogrodowych mebli. Jakich słów powinna użyć, żeby sceneria – świt – wyglądał w oczach czytelnika realistycznie?

Nagle sobie uświadomiła, że nie jest sama. Ktoś siedział na najbliżej stojącym żelaznym krześle, patrząc w drugą stronę. Na stole widniały ślady, że ktoś przy nim siedział poprzedniej nocy: świeca, wypalona prawie do końca, wosk rozlał się po niebieskim ceramicznym świeczniku i przeciekł przez otwory w blacie stołu, formując się w dziwaczne sople. Dwa kieliszki do wina. Filiżanka od kawy. Popielniczka. Sceneria była dziwnie znajoma i po raz pierwszy Nina poczuła mrowienie strachu. A także niedowierzanie. Na ziemi dostrzegła białą serwetkę i wstrząsnęło nią wrażenie, że coś tu jest nie tak. Serwetki nie powinno tu być.

Osobą, która jej towarzyszyła, była Miranda. Nina rozpoznała grubą kurtkę, którą kobieta miała na sobie zeszłego popołudnia, oraz połysk farbowanych blond włosów upiętych wysoko na głowie. Wyglądało, że nie słyszała nadejścia Niny; być może była zbytnio pogrążona we własnych myślach. Nina chciała się cicho ulotnić – w końcu ostatnią rzeczą, na jaką miała ochotę tego poranka, to rozmowa z tą kobietą, ale oprawa scenerii – świeca, kieliszki, popielniczka – zatrzymała ją.

– Mirando.

Odpowiedzi nie było i zresztą Nina jej nie oczekiwała.

Okrążyła stół, tak że pierwszy raz mogła zobaczyć twarz kobiety. Jej gardło było rozcięte, otwarta rana ziała zakrzepłą krwią. Wyglądała prawie jak duże uśmiechnięte drugie usta. Skojarzenie było natychmiastowe i szokujące. Nie tylko z powodu straszności widoku, jego groteskowości i makabryczności, ale również dlatego, że Nina użyła wcześniej tego porównania. Opisywała już tę scenę. To było jej opowiadanie, które ktoś przywołał do życia.

Później, przy mocnej kawie – nie wyobrażała sobie, że jeszcze kiedyś zaśnie, więc kofeina stanowiła jej najmniejsze zmartwienie – próbowała przekazać Verze Stanhope wszystko, co wiedziała. Znowu siedziały w kaplicy. Na zewnątrz policjanci w niebisekich papierowych kombinezonach, wyglądający dziwnie bezpłciowo, nad tarasem rozstawili biały namiot. Innych uczestników kursu odwieziono taksówkami do pobliskiego hotelu. Vera zapowiedziała, że zostaną przesłuchani. Osobiste rzeczy mieli odzyskać po ich przejrzeniu. Potem prawdopodobnie będą mogli odjechać do domów. Holly też uczestniczyła w przesłuchaniu, notowała. Ale młodego sierżanta nie było. Szkoda, Nina wolała jego niż Holly. Nie był tak wścibski. Przez całe przesłuchanie Nina dobitnie czuła obecność kobiety. Holly, nawet gdy pisała, domagała się uwagi.

– No, to ile osób czytało pani opowiadanie? – zaczęła Vera.

– Żadna. Miałam je przeczytać wczoraj wieczorem. Właśnie tę scenę. Zwłoki na tarasie. Ale przyjechał Jack Joanny i nam przeszkodził.

– Znaczy się zbieg okoliczności.

Holly odłożyła notatnik na stół.

– Przeczytajmy ten urywek – zaproponowała.

Vera pochyliła się i wyciągnęła z torby parę lateksowych rękawiczek, potem przysunęła do siebie maszynopis i zaczęła czytać. Kiedy nie potrafiła odszyfrować pisma Niny, prosiła ją o podpowiedź. Gdy skończyła, starannie zamknęła notes.

– Ustawienie mebli jest dokładnie takie, jak w opowiadaniu – zauważyła Nina. Świeca, świecznik, kieliszki, filiżanka i popielniczka. To na pewno coś więcej niż zbieg okoliczności.

– Nie ma wzmianki o chusteczce. Pod stołem znaleźliśmy chusteczkę.

Nina nie wiedziała, co ma na to odpowiedzieć.

– Może ktoś ją tam upuścił w trakcie dnia? – Vera wyglądała, jakby się nad czymś zastanawiała. – A może nie.

– Sądzi pani, że to zabójca ją tam zgubił?

– Dobrze by było, prawda? Sprawdzilibyśmy DNA i sprawa zamknięta.

Vera cicho się roześmiała i Nina zrozumiała, że policjantka nie wierzy, żeby mogło być aż tak prosto.

– Świeca stała tam już poprzedniego dnia wieczorem – oznajmiła Vera. – Joanna i jej kochaś siedzieli na tarasie i toczyli poważne dyskusje z Gilesem Rickardem. – Vera umilkła.

Nina ucieszyła się w duchu, że policjantka traktuje ją poważnie. Gdyby było inaczej, musiałaby pogodzić się z faktem, że być może traci rozum.

– Ale świecznik miał inny kolor. I nie było popielniczki – kontynuowala Vera. – I były tylko kieliszki. Bez filiżanek. I krzesła stały inaczej. Więc wszystko zostało specjalnie ustawione, tak żeby wyglądało jak w pani opowiadaniu. Jakiś dureń sobie z nami pogrywa.

Pochyliła się tak, że jej twarz znalazła się centymetry od twarzy Niny.

– Chyba pani rozumie, jak to wygląda? Wykorzystano pani proszki nasenne do uśpienia profesora Ferdinanda. Następnie, na kilka dni wcześniej ze szczegółami opisała pani śmierć Mirandy. Jakby była pani jakąś wróżką. Jest pani w to zamieszana, czy się to pani podoba, czy nie.

– Po co miałabym zabijać Mirandę? Nie znałam jej. – Nina usłyszała ton histerii we własnym głosie i próbowała się uspokoić, biorąc głębsze oddechy. – Jeśli ktoś wkradł się do mnie po proszki, równie dobrze mógł to zrobić, żeby przeczytać moje opowiadanie.

– Nie zamykała pani drzwi? – zapytała Vera. – Po kradzieży tabletek?

– Zamykałam. – Nina starała się przypomnieć sobie chronologię wydarzeń. – Opowiadanie zaczęłam pisać, zanim mi powiedzieliście, że ktoś uśpił Ferdinanda. Poza tym cały tydzień nosiłam notes ze sobą. Każdy mógł do niego zajrzeć.

– No oczywiście. – Vera rozparła się na krześle. – Już o tym myślałam. Może jestem stara, ale nie głupia.

Nina mimowolnie się uśmiechnęła. O Verze Stanhope można było wiele powiedzieć, ale nie, że jest głupia.

– Wczoraj po południu miałam dziwną rozmowę z Mirandą.

– Aye. Widziano panią, jak pani do niej wchodziła.

Nina strzeliła spojrzeniem w stronę Very.

– A więc jestem jeszcze bardziej podejrzana? – Była ciekawa, kto ją widział z Mirandą, poza tym kolejny raz przemknęła jej myśl, że w ośrodku wszyscy byli obserwowani.

– Byłaby pani, gdyby mi pani o tym nie powiedziała – odparła Vera. – Więc co się tam stało? Nie wyglądałyście na wielce zaprzyjaźnione.

– No nie wiem – mruknęła Nina. Teraz, gdy o tym myślała, ostatnie spotkanie z Mirandą wydawało jej się surrealistyczne. Trudno jej było uwierzyć, że kobieta z tarasu to ta sama, która częstowała ją herbatą i karmiła kota. Zwykłe domowe zajęcia, których już nigdy nie będzie wykonywała. Spojrzała z nagła na Verę. – A jak się czuje Alex?

Vera wzruszyła ramionami.

– Trudno powiedzieć. Chyba jeszcze to do niego nie dotarło. Ale proszę mi opowiedzieć o pogawędce z Mirandą Barton.

– Spacerowałam po plaży, a ona na mnie czekała. W ogrodzie, tam gdzie ścieżka biegnie między zaroślami. Wystraszyła mnie. To było dziwne. Jak się zastanowić, to chyba nigdy nie widziałam Mirandy na dworze. Ciekawe, dlaczego kupiła to miejsce na odludziu. Bardziej mi pasowała do miasta. – Nina zdała sobie sprawę, że plecie trzy po trzy, więc umilkła.

– Czego od pani chciała? – Verze chyba nie przeszkadzało, że Nina odbiegła od tematu, mimo to z powrotem naprowadziła ją na kurs.

– Porozmawiać o morderstwie. I o Joannie. Chciała wiedzieć, czy uważam, że Joanna jest niewinna. Myślę, że dopiero do niej dotarło, że morderca mógł wciąż być na wolności. Wręcz jakby miała nadzieję, że to jednak Joanna zabiła Tony'ego. – Nina na moment przymknęła oczy, wspominając ciepłą kuchnię i swoje rozleniwienie. Możliwe, że to nie było do końca tak. Czyżby ewentualna niewinność Joanny poruszyła w Mirandzie jakąś strunę? Czy jej zachowanie to nie było przypadkiem podekscytowanie?

– Dużo osób tutaj miało taką nadzieję – rzuciła szybko Vera. – Jakie wrażenie zrobiła na pani Miranda? Była przestraszona?

Nina miała trudność z udzieleniem odpowiedzi.

– Przykro mi. Nie potrafiłam dojść, po co mnie do siebie ściągnęła. Czy była wystraszona? Możliwe. Ale chyba też podniecona. Powiedziałabym, że przyszykowana do podjęcia walki.

– O jaką walkę chodziło?

Nina bezradnie pokręciła głową.

– Nic nie było jasno powiedziane. Mówiła, jakby uważała, że wiem, o co jej chodzi. Ale na koniec zostałam z mętlikiem w głowie.

– Sądzi pani, że wiedziała, kto jest zabójcą? – Czekając na odpowiedź, Vera znów się nachyliła nad stołem; widać było, że ta informacja jest dla niej bardzo ważna.

– Nie na pewno – odrzekła Nina. – Ale chyba się domyślała.

21

Joe Ashworth przyjechał akurat, gdy Vera kończyła rozmowę z Niną Backworth. Pchnął ciężkie drzwi i zajrzał do środka.

– Wchodź! – zawołała Vera. Trochę ją zaniepokoiło, że tak ją uradował widok sierżanta; uświadomiła sobie, że nauczyła się polegać na jego obecności przy przesłuchaniach. Z Holly tak nie było. Przy niej nie potrafiła się aż tak zrelaksować. Ale to nie była wina dziewczyny i pewnie Vera niesprawiedliwie ją oceniała. – Holly, zabierz panią Backworth do jej pokoju i pomóż się jej spakować.

– Sama dam sobie radę z pakowaniem, dziękuję. – Nina miętła w palcach papierową chusteczkę i patrzyła na swoje ręce, jakby nie należały do niej.

– Wiem, że tak, kotku. Ale morderca, raniąc ofiarę, wszystko zanieczyścił krwią. Fachowo nazywamy to rozbryzgami. Są na posadzce tarasu. Dlatego musimy jeszcze obejrzeć pani ubranie i zabezpieczyć ewentualne ślady. To nic osobistego, nie tylko pani pomagaliśmy się pakować. – Vera wstała i poklepała Ninę po ramieniu.

Czekali, aż obie kobiety wyjdą.

– Przyjechałem najszybciej, jak mogłem – rzekł Joe.

– Wiem. – Vera widziała, że spodziewa się opieprzu za spóźnienie, ale myślała o Mirandzie Barton. Jeżeli pisarka sądziła, że wie, kto jest mordercą, dlaczego nie powiedziała o tym policji? Bo miała wątpliwości? Czy może raczej dostrzegła okazję na zarobienie kilku groszy. Zdaniem Very Miranda była zdolna posunąć się do szantażu. Prowadziła duży ośrodek i możliwe, że ludziska w dobie kryzysu nie mieli ochoty wybulać fortuny za siedzenie w kółku i gadanie o książkach. Może potencjalnym gościom wpadło do głowy, że mogą pisać w domach, co nic ich nie będzie kosztowało. – Chodźmy, zobaczysz miejsce zbrodni – rzuciła. – Potem pokażę ci coś jeszcze.

Słońce już wstało i ogród był zalany zimnym światłem. Nad ziemią nadal unosiła się rosa, przy oddychaniu z ust wydobywała się para.

– Mój cholerny samochód nie chciał ruszyć – tłumaczył się Joe. – A potem był wypadek na A1 z powodu oblodzenia.

– Koszmar! – mruknęła Vera, choć tak naprawdę nie słuchała.

Założyli kombinezony i stanęli przy wejściu do namiotu. Vera odchyliła brezentową ściankę, żeby mogli zajrzeć do środka. W tym samym momencie jeden z techników pstryknął zdjęcie zwłokom Mirandy. Vera pomyślała, że za życia kobieta byłaby zachwycona poświęcaną jej uwagą – fotografowie, publiczność. Być może dlatego otworzyła Dom Pisarza. Nie dla pieniędzy, ale dlatego że pożądała podziwu i zazdrości młodych pisarzy, którzy jeszcze niczego nie wydali. Chciała mieć poczucie, że wciąż jest częścią literackiego świata, na tej samej zasadzie, co starzejące się aktorki uczestniczące w galach otwarcia supermarketów lub w rozdawaniu nagród uczniom w szkołach.

– Co myślisz? – Vera odsunęła się na bok, żeby Ashworth miał lepszy widok.

– Wielokrotne rany kłute – odparł. – Ta sama przyczyna zgonu, co w przypadku Tony'ego Ferdinanda. I ten sam styl. Zbędna brutalność.

– Ale jednak nie do końca to samo – zauważyła Vera. – To rozcięcie na szyi. Zdaniem Paula Keatinga zostało wykonane, gdy ofiara już nie żyła. Ferdinand też miał kilka ran, ale tamto zabójstwo nie było aż tak teatralne.

– Czy to ważne?

– Założę się, że tak. Wróćmy do kaplicy, to coś ci przeczytam.

Już miała odejść, ale nagle się zatrzymała i przywołała jednego z techników.

– Co zrobiliście z chusteczką, która leżała na ziemi?

– Jest zabezpieczona i gotowa do przekazania do analizy. Pomyśleliśmy, że będziecie chcieli jak najszybciej uzyskać wyniki DNA.

– Obejrzyjmy ją, zanim ją odeślemy.

Młody technik przyniósł torebkę dowodową z zabezpieczoną chusteczką.

– Jest charakterystyczna – zauważył. – Biała, ale w rogu ma jakiś haft. Chyba ręczny. To coś jak wyszywanka dziecka w prezencie na Dzień Matki. Albo na walentynki. Wygląda to na małe czerwone serduszko.

W kaplicy Vera pokazała Joemu notatnik Niny.

– Napisała to w trakcie pobytu. Zwróć uwagę na szczegóły. Wszystko jest tak samo, jak w opisie sceny: świeca, liczba kieliszków, ich ustawienie. Choć o chustce nie ma słowa, co by sugerowało, że została upuszczona przypadkowo.

– Jeśli nawet zabójca wykorzystał opowiadanie jako wzór, to morderstwo nie mogło być aż tak wcześnie zaplanowane – rzucił Joe.

– Cóż, Miranda Barton mogła zostać wytypowana na ofiarę na początku, ale o egzekucji planu zabójca zadecydował dopiero, gdy przeczytał tekst.

Verze przyszło na myśl, że egzekucja to dobre określenie. Właśnie tak to jej zdaniem wyglądało. Morderstwo z rytuałem. Ale z drugiej strony ci ludzie to eksperci od powieści kryminalnych. Może taki był zamysł, żeby dla zmyłki morderstwo oprawić w dodatkowe warstwy znaczeniowe. Z doświadczenia wiedziała, że motywy zabójstw są proste. Na końcu zawsze sprowadzały się do pieniędzy lub seksu.

– Keating uważa, że zabójca użył tego samego noża co przy zabójstwie Ferdinanda – powiedziała. Przyszła pora spojrzeć na sprawę poważnie, skupić się na konkretach. – Gdzie on, do diabła, był ukryty? Ekipa bardzo dokładnie przeszukała dom i ogród. I gdzie on jest teraz? Barton zginęła niedługo po tym, gdy na tarasie widziałam Joannę, Rickarda i Jacka. Keating pewnie poda nam dokładniejszy czas zgonu, ale nie sądzę, żeby mnie zaskoczył. Więc zabójca mógł mieć całą noc na pozbycie się narzędzia zbrodni.

– Może syn pomoże w ustaleniu godziny zejścia? – Joe słuchał z wielkim skupieniem. Vera to w nim uwielbiała. To, jak pochłaniał każde jej słowo.

Pokręciła głową.

– Wcześniej chwilę z nim rozmawiałam. Twierdził, że poszedł się położyć zaraz po tym zamieszaniu z Jackiem. „To była żenada" – stwierdził. „Wiedziałem, co się będzie działo. Że będą krytykowali tego gościa, że śmiał im zakłócić ich głupi wieczór. Szczerze mówiąc, uważałem, że partner Joanny mówił nawet z sensem".

– Dziwne podejście, jeśli się żyje z pisarzy. – Joe zrobił pauzę. – I kiedy właśnie zabito komuś matkę.

– Aye, cóż, odnoszę wrażenie, że Alex jest dość dziwny. – Vera wciąż miała w pamięci obraz młodego mężczyzny i tego, jak wyglądał, gdy przyjechała. Znalazła go w kuchni, w białym fartuchu, wyjmującego z piecyka blachę z croissantami. Jakby nie potrafił przyjąć do wiadomości, że jego matka zginęła. Albo jakby go to nie obchodziło. Mimo wszystko uważał, że musi nakarmić gości.

– Nie słyszał, kiedy matka wróciła do domu? – spytał Joe, wyrywając Verę z zamyślenia.

– Twierdzi, że nie.

– Wydawałoby się – zaczął Joe, a Vera pomyślała, że czasami naprawdę potrafi być dociekliwy – że po tym całym zamieszaniu chciałby porozmawiać o nim z matką. Mówię o wybuchu Jacka w jadalni. Że chciałby wiedzieć, jak to się skończyło.

– Cóż, nie mnie o to trzeba pytać, nie sądzisz? Musimy pogadać z chłopakiem.

– A Jack gdzie wczoraj nocował? Wrócił na farmę?

– Nie – z zastanowieniem odpowiedziała Vera. – Joanna nie chciała, żeby w tym stanie wsiadał do samochodu. Przenocował z nią w jej pokoju. Rano obydwoje wysłałam do hotelu z resztą rezydentów. Ale dlaczego pytasz? Co ci chodzi po głowie? Że to Jack jest mordercą? Mało prawdopodobne. Nie było go w ośrodku, gdy zginął Ferdinand.

– Wcale tego nie wiemy, prawda? – Joe spojrzał na Verę, a ta zorientowała się, że ma jakąś teorię. I że uważa, że trudno mu będzie ją do niej przekonać. – Kiedy tamtego popołudnia, gdy zginął Ferdinand, jechałem do ośrodka, coś – lub ktoś – przebiegł mi drogę.

– Sądzisz, że to mógł być Jack?

Joe znowu na nią spojrzał. Nie spodziewał się, że potraktuje jego przypuszczenia poważnie.

– Nie wiem, ale od początku zakładaliśmy, że zabójcą jest ktoś przebywający w ośrodku. A przecież nie ma powodów, żeby tak zakładać.

– Masz rację – zgodziła się Vera. – Poszukamy furgonetki Jacka na nagraniach z monitoringu na drodze stąd do farmy. Choć nie wiem, jaki miałby mieć motyw.

– To pewnie i tak bezsensowny pomysł – mruknął Joe. Teraz, gdy Vera zgodziła się przyjrzeć sprawie, był zadowolony, że może ją sobie odpuścić. – Może lepiej chodźmy porozmawiać z Alexem Bartonem. Gdzie on teraz jest?

Vera uśmiechnęła się półgębkiem. Na koniec zawsze wychodziła na swoje.

– Nie odesłałam go do hotelu z całą resztą. Nie miałam serca. Poza tym uznałam, że więcej się od niego dowiemy, gdy będzie na swoim terenie. Jest w domku z opiekunem.

Wyszli na podwórze i na słońce, tak jaskrawe, że Verze zaczęły łzawić oczy.

– Ciągle mówi pani o nim „chłopak" – niespodziewanie zauważył Joe. – Ile on ma lat?

– Dwadzieścia trzy. – Vera wsadziła rękę do kieszeni, szukając chusteczki i znajdując połówkę rolki papieru toaletowego. Oddarła kilka listków i przetarła oczy. – Dla mnie to jeszcze dziecko.

Alex Barton siedział w kuchni z przekarmionym kotem na kolanach. Vera zapukała do drzwi, potem weszła, nie czekając na zaproszenie, ale Alex nie wyglądał na zaskoczonego ani wystraszonego ich odwiedzinami. Przy stole siedział posterunkowy w mundurze, który odetchnął z ulgą, gdy Vera gestem dłoni kazała mu wyjść.

– Od zawsze nienawidzę tego kota – mruknął Alex. – Po pierwsze, śmierdzi. Po drugie, jeszcze gdy był ruchliwszy, polował na ptaki.

– Ja też nie rozumiem, po co ludzie trzymają w domu zwierzęta. – Vera oparła się o kuchenkę, czując, jak ciepło przedziera się przez kurtkę i rozgrzewa jej plecy i pośladki. – Ale twoja matka go lubiła, prawda?

– Rozpuściła go do niemożliwości – prychnął Alex. – Jest stary. Jako dziecko myślałem, że kocha go bardziej niż mnie.

– To trudna relacja: samotny rodzic i jedynak. Podłoże do przesadnego poczucia winy i skłonności do nadopiekuńczości. – Vera wiedziała, że Ashworth pomyśli, że mówi na podstawie własnego doświadczenia. I tak było.

– Trzeba mi było się wyprowadzić – rzucił Alex. – Ale nie wyobrażałem sobie, jak ona da sobie sama radę z tym ośrodkiem. Potrzebowała mojej pomocy.

Vera uświadomiła sobie, że Alex jeszcze ani razu nie nazwał swojej matki inaczej niż „ona".

– Teraz będzie pan miał okazję – zauważyła. – Mówię o wyprowadzce. Pewnie trochę pan dostanie za to miejsce, nawet jeśli ma zadłużoną hipotekę. Niech pan je sprzeda i będzie pan mógł jechać, gdzie dusza zapragnie.

Alex zepchnął kota z kolan i spojrzał na Verę dużymi, smutnymi oczami. Zauważyła, że ładny z niego chłopaczyna. Miał w sobie coś kobiecego pomimo ciemnego owłosienia na rękach. Kiedy go pierwszy raz zobaczyła, pomyślała, że jest jak wilk. Teraz już by tak nie pomyślała. Alex nie był wystarczająco okrutny. Spodziewała się jakiejś reakcji na jej słowa. Gniewu. Zaprzeczenia, sugestii, że chce skorzystać na śmierci matki, gwałtownych zapewnień, że to ostatnia rzecz, o jakiej mógłby pomyśleć. Ale chłopak nie powiedział nic.

– Ma pan dziewczynę? – Vera ponownie celowo prowokowała go do mówienia.

Pokręcił głową.

– No tak, po co panu dziewczyna? Taki młody mężczyzna nie chce się jeszcze wiązać. Zresztą miał tu pan mnóstwo okazji na seks bez zobowiązań. Domyślam się, że większość kobiet przyjeżdża tu sama. Z dala od domu. Od mężów i dzieci. I pewnie dostarczają mocnych przeżyć. Są starsze, ale co złego w zbieraniu doświadczeń. Ta cała gadka o emocjach. Babki pewnie same mają ochotę na skok w bok.

Popatrzył na nią, jakby zwariowała, więc doszła do wniosku, że musi zastosować inną metodę, żeby do niego dotrzeć. Proste pytania, pomyślała. O fakty. Może to podziała.

– Jak długo pan tu mieszka?

Teraz już odpowiedział.

– Prawie piętnaście lat.

– Więc sprowadziliście się do tego domu, kiedy był pan dzieckiem?

Kiwnął głową.

– Chodziłem do podstawówki przy drodze, potem do liceum w Alnwick.

– Co sprowadziło tutaj pańską matkę?

Zapadła cisza i Vera pomyślała, że znowu nie usłyszy odpowiedzi. Wymagała oceny, zastanowienia, a wyglądało, że Alex nadal nie jest na to gotowy. Ale w końcu zaczął mówić.

– Dorastała w Newcastle i zawsze marzyła o zamieszkaniu na wybrzeżu. Tamtego roku jedna z jej powieści została zaadaptowana do telewizji. Wcześniej, w Boże Narodzenie, Tony napisał artykuł, w którym opisał ją jako jedną z najlepszych powieściopisarek pokolenia. Dużo to zmieniło w jej karierze. Do tamtego czasu wciąż pracowała w Londynie, w uniwersyteckiej bibliotece. Potem nagle mieliśmy pieniądze, które można było wydać. Widziała w tym domu inwestycję zabezpieczającą naszą przyszłość. I przyjemne miejsce do wychowywania dziecka.

Mówi zupełnie tak, myślała Vera, jakby recytował historię wyuczoną na pamięć. Słowa pochodziły od Mirandy, nie od niego.

– Więc na początku po prostu tu mieszkaliście? – upewniła się. – Miranda jeszcze wtedy nie prowadziła Domu Pisarza?

– Nie. – Alex mówił teraz rozmarzonym, sennym głosem. – Wtedy to był nasz dom. Normalny dom. Kochałem go. W Londynie mieszkaliśmy w małym mieszkanku, bo matka pracowała jako zwykła asystentka bibliotekarza na uniwersytecie St Ursula – i nawet gdy wydała pierwszą powieść, były z tego grosze – a potem nagle miałem do dyspozycji ogród i plażę. Tyle wolności.

– Kiedy pańska matka otworzyła ośrodek? – Vera zastanawiała się, jak to jest mieszkać w domu najeżdżanym przez obcych? Miranda pewnie widziała w tym inwazję. A może właśnie jej się to podobało? Rozmowy o literaturze, plotki, podobnie myślący ludzie przy stole. Musiało jej tu być samotnie, w towarzystwie jedynie syna.

– Miałem dwanaście lat – rzekł Alex. Było jasne, że jego na pewno nie cieszyła obecność obcych ludzi w domu. – Powieści mamy nie sprzedawały się za dobrze. Myślała, że może telewizyjna adaptacja *Okrutnych kobiet* będzie początkiem wspaniałego rozkwitu jej kariery. Okazało się, że był to moment przełomowy. Potrzebowaliśmy tych pieniędzy. Mama zawsze lubiła doradzać młodszym pisarzom, więc wpadła na pomysł zorganizowania kursów.

– I jak to wyszło? – zapytała Vera. Naprawdę była ciekawa. Hector za powód jego nocnych przygód podawał brak pieniędzy, wywołując tym w Verze poczucie winy: „Jak mam sobie znaleźć normalną pracę, skoro muszę się tobą zajmować?" Właśnie tak ją zwodził. – I wtedy jeszcze nie zajmował się pan gotowaniem? Chodził pan do szkoły.

– Ale już pomagałem. Zresztą wtedy kursanci sami gotowali. Mieli dyżury. To wtedy po raz pierwszy zainteresowałem się kuchnią. Kocham gotować: to zajęcie praktyczne i zarazem przynoszące satysfakcję.

– A co się stało z pańskim ojcem? – Nie zamierzała być tak obcesowa, ale pytanie przyszło do niej nagle.

Alex pokręcił głową.

– Nie znałem go.

– Umarł? Rozwiedli się?

– Ani to, ani to – zaprzeczył chłopak. – Matka nigdy za niego nie wyszła. A ja go nigdy nie poznałem.

– Ale wiedział pan, kto to jest?

– Ona mi powiedziała. – Alex pochylił się, żeby pogłaskać kota łaszącego się do jego nóg. – Ale chyba jej nie uwierzyłem.

– Co panu mówiła? – dociekała Vera, czując się, jakby brodziła w smole. – Posłuchajmy tej zmyślonej opowiastki, jeśli rzeczywiście były to wymysły.

– Mój ojciec miał już swoje lata. Był wydawcą. Poznała go na promocji książki i zaimponował jej inteligencją i wiedzą. Wdali się w romans. To był najbardziej ekscytujący, najszczęśliwszy okres w jej życiu. Ojciec zabierał ją do teatru, do opery, na romantyczne weekendowe wyjazdy – Barcelona, Rzym, Paryż. Był czarujący, opiekuńczy, nigdy nie znała kogoś takiego jak on.

– Ale był żonaty – wtrąciła Vera.

Alex pokiwał głową.

– I miał dziecko, które uwielbiał. Kiedy się dowiedziała, że jest w ciąży, przerwała romans. Nie chciała zmuszać ojca, żeby wybierał między rodzinami.

– Czy ten człowiek jakoś się nazywał? – Verze nie udało się ukryć sceptycyzmu w głosie.

– Myślę, że na pewno, pani inspektor. – Po raz pierwszy Alex zdobył się na cień humoru. – Pod warunkiem że w ogóle istniał. Ale matka nigdy mi nie wyjawiła jego personaliów.

– Nie próbował się pan dowiedzieć?

Alex wzruszył ramionami.

– Bałem się tego, co mógłbym odkryć. Wolałem żyć fantazjami, jak matka.

– Wcześniej zastanawiałam się, czy pańskim ojcem nie był Tony Ferdinand – rzekła Vera i spojrzała na Alexa, który siedział przygarbiony w fotelu bujanym. On sam jest nadal jak dziecko, pomyślała. Bystre, poranione dziecko.

– Ja też tak myślałem – rzucił gorzko Alex. – Jak już mówiłem, wolałem marzenia.

– Pytał pan matkę o niego?

– Nie – odparł. – Bałem się, że powie mi prawdę. Tony był cwaniakiem, manipulatorem, nie chciałem mieć z nim nic wspólnego. – Spojrzał na Verę. – On mnie nie lubił. Nie byłem wystarczająco inteligentny, żebym go sobą zainteresował.

Siedzieli w ciszy. Joe Ashworth zdawał się wyglądać przez okno. Podczas przesłuchań potrafił zastygać – stawał się prawie niewidoczny – ale Vera wiedziała, że ze skupieniem przysłuchuje się rozmowie.

– Jest pan pewien, że nie słyszał, jak matka wracała wczoraj do domu? – zapytał teraz, zwracając twarz ku Alexowi. Vera odebrała ten wtręt za rodzaj nagany: Joe uważał, że powinna się skupić na czasie zgonu. Ważnej informacji, która mogłaby pchnąć śledztwo naprzód. Na te bzdury o relacjach przyjdzie pora później. Alex nie odpowiedział od razu, więc Ashworth kontynuował: – Chyba pan rozumie, dlaczego to może być istotne? Jeśli pańska matka wróciła do domu po zakończeniu prezentacji i potem znowu wyszła, albo jeśli położyła się spać i wyszła wcześnie rano, wtedy nasze podejście do jej śmierci będzie zupełnie odmienne.

Ale Vera wiedziała, że Miranda nie kładła się spać. Miała na sobie to samo ubranie, w które była ubrana poprzedniego wieczoru. Biała jedwabna bluzka i długa czarna spódnica. To nie jest strój, który się zakłada na spacer w chłodny październikowy poranek.

– Nie słyszałem jej – odparł Alex. Spojrzał na Joego. – Nie chciałem jej słyszeć. Zasnąłem, słuchając muzyki.

Znowu zapadła cisza. Potem na zewnątrz ktoś krzyknął tak głośno, że okrzyk przedarł się przez cienkie mury domku.

– Ktoś widział szefową? Ekipa coś znalazła!

Joe wyszedł na dwór, ale Vera została tam, gdzie była. Powoli podźwignęła się na nogi.

– To gdzie pana mama trzymała książki? – zapytała. – Myślałam, że stoją dumnie na półkach w głównym budynku, ale nie znalazłam ich w bibliotece.

– Nie chciała, żeby kursanci zorientowali się, że minęły lata od jej ostatniej wydanej powieści – wyjaśnił Alex. – Książki są na górze, w jej sypialni.

– To ja tam zajrzę, dobrze? – rzuciła.

Alex zdawał się jej nie słyszeć, nawet się nie poruszył.

22

Joe Ashworth stanął przed drzwiami domku i wziął głęboki oddech. W środku czuć było słodką, nieprzyjemną woń. Jakaś chemia. Odświeżacz powietrza albo środek czyszczący? Może, żeby zabić zapach kota lub czegoś bardziej złowrogiego. Technicy po skończeniu na tarasie tu również mieli zajrzeć.

Na podwórzu było tłoczno. Kilku policjantów w kombinezonach i granatowych marynarkach stało w grupie i rozmawiało, a kobieta z ekipy techników, która przy busie ściągała papierowy kombinezon, podskakując, żeby przeciągnąć nogawkę przez stopę, wołała do kolegi:

– Gdzie tu jest toaleta?! Muszę się natychmiast wysikać.

Na końcu ścieżki Joe dostrzegł antenę wozu transmisyjnego. Prasa już przyjechała. Dziennikarze, którzy koczowali przy ośrodku od czasu śmierci Ferdinanda, wyjechali poprzedniego dnia, ale teraz wrócili. Joe był zadowolony, że ktoś miał tyle rozumu, że nie wpuścił pismaków do domu. I Charlie też tam był; opierał się o maskę swojego wozu i popijał herbatę z kubka z logo ośrodka. Cały teren wciąż tonął w słońcu, jego promienie odbijały się od szyb samochodów i zmrożonych kałuż i nadawały twarzom maślany odcień.

Joe zawołał do Charliego:

– Ktoś szukał szefowej! Jest zajęta. Co znaleźli?

Charlie podźwignął się z maski.

– Narzędzie zbrodni! – odkrzyknął. – Tak im się przynajmniej wydaje.

– Gdzie?

– Na plaży. Pokażę ci. Wygląda, że znaleźli je przypadkowo. Mieli farta.

Charlie pochylił się, żeby postawić kubek na stopniu przy drzwiach, i razem z Joe obeszli dom, docierając do strony wychodzącej na morze. Na tarasie pod białym namiotem wciąż toczyły się prace. Przez podświetlone słońcem nylonowe ścianki widać było zarysy wolno poruszających się postaci.

Kiedy szli przez ogród, Joe przypomniał sobie, co Alex mówił o przeprowadzce na wybrzeże z Londynu, o tym, jak bardzo kochał to miejsce, kiedy jeszcze był to zwykły rodzinny dom. Dla dziecka musiał tu być raj. Wspinaczka na drzewa, budowanie jaskiń, zbieranie kamieni, a gdy jakimś trafem pogoda sprzyjała, można się było wykąpać w morzu. I dziecko na pewno znałoby ten teren jak własną kieszeń. Jeśli ktoś miałby wyszukać dobrą kryjówkę w pobliżu, to byłby to właśnie Alex Barton.

Charlie zaczął schodzić w dół stromą ścieżką. W pewnej chwili pośliznął się i rozdarł nogawkę w kombinezonie. Zaklął, a gdy ciężko dysząc, dotarł na kamienistą plażę, zgiął się wpół i zaczął pocierać bok.

– Coś u ciebie kiepsko z kondycją, chłopie – zażartował Joe, ale on też odczuł wysiłek. Za dużo tłustych śniadań i za mało ruchu. Bywało, że podczas gry w piłkę z dzieciakami wiek dobitnie dawał mu się we znaki.

U podstawy klifu stały trzy osoby. Z tej odległości i przy takim świetle nie można było stwierdzić, czy to mężczyźni, czy kobiety. Małe stadko ptaków drobiło wzdłuż brzegu, po czym wzbiło się w powietrze ze skrzekiem – ciemne przecinki na tle jasnego nieba – obwieszczając nadejście Joego i Charliego. Postaci przy klifie nabrały wyrazistości, widać było więcej niż tylko ich zarysy. Dwóch mężczyzn i kobieta. Jednym z mężczyzn był kierownik techników, Billy Wainwright, który wcześniej pracował z ekipą na tarasie. Pozostałych dwóch osób Joe nie rozpoznawał. Członkowie ekipy poszukiwawczej.

Usłyszeli chrzęst kamyków pod stopami Joego i Charliego i Billy do nich pomachał. Kiedy podeszli bliżej, zobaczyli, że Billy radośnie szczerzy zęby.

– Co macie? – Pytanie zadał Joe; Charlie wciąż rzęził.

Billy odsunął się na bok. Joe jednak nie zauważył niczego niezwykłego. Na spodzie zbocza leżała kupka osuniętych kamieni. Z ziemi wyciekała woda – źródełko albo podziemny strumyk – i po piasku przepływała do morza. Joe wyobraził sobie, jak jego dzieci się tu bawią: budują tamy, zamki i fosy.

– To osunięcie to niedawna sprawa, tak? – Zaczynał tracić cierpliwość. Billy uwielbiał takie zabawy. Kochał robić ludziom kawały. – Czego mam szukać?

– Tutaj! – W cieniu rzucanym przez kamienie Joe dostrzegł koniec wystającej ze zbocza zardzewiałej rury odpływowej o średnicy około pół metra. – Kiedyś odprowadzano nią wodę z domu. Teraz pewnie korzystają z miejskiej kanalizacji. – Billy poświecił latarką w głąb rury pod takim kątem, żeby Joe mógł zobaczyć, co jest w środku. W odległości ramienia od boku zbocza w rurze mieniło się coś metalowego. Leżało tam też coś miękkiego i ciemnego.

– Co to jest? Nóż?

– Zdecydowanie. I coś jeszcze. Jakaś odzież? Zrobiłem, co mogłem w takich warunkach. Właśnie miałem to wyciągnąć.

Billy rozłożył na kamieniach plastikową płachtę i włożył rękę do rury. Najpierw wyciągnął nóż. Czarny trzonek i ząbkowane ostrze.

– Podobny do tych z kuchni w ośrodku – zauważył Joe. – Nóż do chleba.

– Podobny do noży we wszystkich domach w tym hrabstwie. – Billy rzucił nóż na plastik.

– Narzędzie zbrodni?

– Nie mnie to oceniać. – Billy na chwilę się wyprostował. – Musisz zapytać pana Keatinga. Ale postawiłbym na to moją pensję.

Położył się na brzuchu i jeszcze raz wsadził rękę do rury. Tym razem trudniej było wyciągnąć z niej to, co tam było. Przedmiot ściśle wypełniał sobą otwór, poza tym zaczepił się o ostre zagięcie w metalu.

– Ale to ci może pomóc. – Billy wyciągnął zawiniątko i upuścił je na płachtę. – Wodoodporna kurtka. Z gore-texu. Duża. I coś mi mówi, że te plamy są nie tylko od słonej wody i rdzy.

– Krew. – Ashworth przykucnął, żeby się lepiej przyjrzeć. Czuł ulgę i pokrzepiające zadowolenie płynące z faktu odnalezienia namacalnego dowodu. Niech tam Vera Stanhope przesłuchuje sobie swoich świadków. On wolał techniki śledcze. Odciski palców i analizy DNA. – Pewnie w samej kurtce nie ma nic, po czym można by zidentyfikować właściciela. Ale może coś jest w kieszeniach?

Billy Wainwright przełożył kurtkę na drugą stronę i dłoń w gumowej rękawiczce wsunął do zewnętrznej kieszeni: papierowa chusteczka, długopis i trzydzieści pensów drobnymi.

– Musicie pobrać DNA z chusteczki. Chociaż ktoś i tak na pewno rozpozna kurtkę. – Billy wetknął rękę do wewnętrznej kieszeni i wyciągnął z niej kawałek kartki. Wycinek z gazety. Lub raczej, poprawił się Joe, z kolorowego pisma. Billy ostrożnie ułożył kartkę na plastiku i ją rozprostował, żeby mogli odczytać tekst. Zdjęcie młodej Mirandy Barton. Krótsze blond włosy, w których Mirandzie było bardziej do twarzy, sylwetka szczuplejsza. Nagłówek brzmiał: „Jedna okrutna kobieta".

– Co to jest?

– Wygląda jak wycinek z kobiecego magazynu – mruknął Billy. – Bo raczej nie z dodatku do niedzielnej gazety. Wywiad z ofiarą. Nie wiedziałem, że była sławna.

– Nie była. – Ashworth wstał. – A przynajmniej nie ostatnio. – Zaświtało mu, że to nie przypadek. Wycinek znalazł się w kieszeni celowo. Zabójca spodziewał się, że go znajdą. Myśleli, że są tacy sprytni, bo znaleźli dowód rzeczowy, ale morderca cały czas się z nimi bawił.

– Spójrz na to. – Billy przesunął palcem do kołnierza kurtki od wewnętrznej strony. Była tam biała naszywka, a na niej napisana niezmywalnym markerem informacja: Do użytku mieszkańców Domu Pisarza. Można wypożyczyć przy złej pogodzie, ale prosimy o zwrot do szatni. – Kurtka należała do wyposażenia ośrodka – rzekł. – A nie do kogoś konkretnego. Pewnie mógł ją nosić każdy z waszych podejrzanych. Miejmy nadzieję, że znajdziemy DNA na chusteczce. – Billy wciąż żartował. Ashworth nie mógł tego znieść, więc odwrócił się plecami do grupy i popatrzył na morze. Wiedział, że nie znajdą niczego użytecznego w kieszeniach. To wszystko było ukartowane, część sztuki. Kurtka i nóż służyły za rekwizyty, które miały rozproszyć ich uwagę. Nienawidził być nabijany w butelkę.

Ktoś schodził na plażę po ścieżce wiodącej z domu. Osoba była wysoka, ubrana w długi czarny płaszcz. Joe dopiero po chwili rozpoznał, że to Nina Backworth.

– A ona co tu robi, do jasnej cholery? Kto ją wypuścił na plażę? – Był zadowolony, że może dać upust frustracji. Nikt nie odpowiedział, więc ruszył gwałtownie w kierunku kobiety, pozwalając, by słona woda i mokry piasek zachlapywały mu nogawki spodni.

– Nie powinna tu pani schodzić! – zawołał, nim jeszcze dotarł do Niny. W jego głosie pobrzmiewał gniew.

– Dlaczego?

Była bardzo blada. Wiedział, że to ona znalazła ciało. Swoim opowiadaniem przewidziała morderstwo. Jej tabletki nasenne zwaliły z nóg Tony'ego Ferdinanda. A teraz była tutaj. Przyszła sprawdzić, czy znaleźli kurtkę i nóż? Mimo wszystko nie potrafił wyobrazić sobie Niny Backworth w roli zabójczyni.

– Bo teren jest zabezpieczany przez techników – odrzekł.

– Proszę nie żartować! – Mówiła do niego, jakby był szczególnie tępym uczniem. – Rano był przypływ. Wszelkie dowody są już w połowie drogi do Norwegii.

Patrzyli na siebie. Nie wiedział, co ma odpowiedzieć.

– Całe rano przesiedziałam w cholernej bibliotece – odezwała się w końcu. Po jej policzkach pociekły łzy i Joe dopiero teraz zauważył, jak bardzo jest zmęczona i wystraszona. – Nikt mi nie chce niczego wyjaśnić. Holly coś tam mówiła, ale nie podała żadnych konkretów, tylko same zdawkowe bzdury. Chcę wiedzieć, czy jestem zatrzymana? I czy uważacie, że zabiłam Mirandę Barton?

– Nie. Ależ skąd! – Tak jak poprzedniego dnia w jej pokoju miał ochotę ją objąć. I gdyby nie widownia stojąca w cieniu zbocza, może i by tak uczynił. – Ale nie wolno tu pani zostać. Proszę ze mną wrócić, to postaram się dowiedzieć, czy może pani jechać do domu. Albo przynajmniej dołączyć do pozostałych osób w hotelu.

– Nie! – Stała bardzo blisko. Odmowa, echo jego własnej odpowiedzi, przywiodła mu na myśl córkę, gdy wpadała w buntowniczy nastrój. W takich chwilach nic nie było w stanie sprawić, żeby zmieniła zdanie. Powtarzała tylko jak zdarta płyta: nie, nie i nie.

– Czy pan nic nie rozumie?! – krzyknęła Nina. – Jedna z tych osób to zabójca. Ten ktoś poderżnął Mirandzie gardło. A pan oczekuję, że będę z nimi siedziała w jednym pomieszczeniu? Będę piła z nimi herbatkę i prowadziła uprzejmą rozmowę?

Odwróciła się plecami i ruszyła z powrotem do domu. Pobiegł za nią, żeby ją dogonić.

23

Vera wspięła się po wąskich schodach w domku letniskowym Bartonów i wchodząc na podest, schyliła głowę, żeby nie uderzyć nią w nisko zawieszoną belkę. Znajdowała się w wąskim korytarzu z trójką drzwi. Gdyby nie łuna bijąca z kuchni, byłoby tu zupełnie ciemno. Przypuszczała, że Alex Barton dalej siedzi na dole w bujanym fotelu, nadal nie odzywając się do umundurowanego funkcjonariusza, którego przywołała z powrotem, żeby pilnował chłopaka. Zanim zaczęła otwierać drzwi i zaglądać do pomieszczeń, założyła rękawiczki. Były tam dwie sypialnie i łazienka.

Najpierw obejrzała łazienkę. Była malutka, z małą wanną w rogu, zamontowanym nad nią prysznicem, z umywalką i sedesem. Brakowało miejsca na krzesło lub komódkę, nie licząc małej szafki zawieszonej na ścianie nad umywalką. Miała lustro na drzwiczkach. W środku leżały opakowane kostki mydła i tubka jakiejś pasty do zębów. Oprócz tego leki na przeziębienie i grypę, na niestrawność. Środków nasennych nie było. Czy Alex Barton przyszedł tu zeszłej nocy i wziął prysznic? Czy stał w wannie i zmywał z siebie krew matki? Jeśli tak, prawdopodobnie znajdą resztki krwi w odpływie. Ale łazienka zdaniem Very wyglądała nieskazitelnie. Unosił się w niej zapach chloru. Nic, co mogłoby wzbudzać podejrzenia. Być może Bartonowie z natury byli bardzo czyści. Sama nie miała takich inklinacji, ale to było wiadome.

Alex zajmował mniejszą sypialnię. Była wbudowana w poddasze na froncie i miała widok na podwórko. Szyby nie były podwójne, więc Vera słyszała prowadzone na dole rozmowy, nawet z pokoju wyczuwała atmosferę oczekiwania. Ktoś coś znalazł. Wiedziała, że później też będzie się ekscytowała, ale w tym momencie rozmowy płynące z dołu w jej głowie stanowiły tylko hałas w tle, od którego starała się odciąć. Teraz chciała się skupić na domownikach i na łączącej ich dziwnej relacji. Samotna matka i jej jedyne dziecko. Mógł z tego wyjść bardzo bliski związek, ale również coś bardzo toksycznego.

Pokój młodego był urządzony funkcjonalnie i tak czysty, że Vera nie czuła się tu komfortowo. Psycholog pewnie zasugerowałby potrzebę utrzymania kontroli. Pod jedną ze ścian stało łóżko, kołdra starannie założona do połowy, żeby pościel się wietrzyła. Pod oknem, tam gdzie dach był najniżej, stało małe biurko z komputerem. Bez drukarki. Prawdopodobnie nie była potrzebna. W tych czasach wszyscy młodzi porozumiewają się drogą elektroniczną. Czy Alex Barton ma znajomych w swoim wieku? Ludzi, z którymi esemesuje i dzieli się dowcipami na Facebooku? Jakoś tego nie widziała. Alex dorastał w okolicy, chodził do szkoły z równolatkami z tej części hrabstwa, ale trudno było go sobie wyobrazić, jak w piątkowy wieczór popija z kolegami na molo w Newcastle. Było tak, jakby to miejsce wyssało z niego całą młodość i zamieniło go w samotnika. A jednak, kiedy go pierwszy raz zobaczyła, wywarł na niej wrażenie osoby pewnej siebie, kompetentnej. Być może czuł się pewnie tylko w tym domu, na domowym terytorium. I być może praca była też jego zbawieniem.

Vera usiadła w obrotowym fotelu przed biurkiem. Stąd Alex widział każdego, kto szedł ścieżką do domu, ale nie miał widoku na taras ani plażę. Obok łóżka stała komoda z szufladami. Nie jakiś staroć, jak w głównym budynku, ale mebel do samodzielnego składania z dużego sieciowego sklepu meblowego. Wybór Alexa czy matka musiała oszczędzać? Na komodzie stał mały płaskoekranowy telewizor.

Co takiego chłopak oglądał? Vera bardzo by sobie życzyła, żeby dało się to sprawdzić. Może te programy o survivalu dla macho? O przeżyciu w lesie tylko z nożem i butelką wody. Nie potrafiła sobie wyobrazić, że Alex relaksuje się, oglądając mydlane opery lub filmy przygodowe. Komedie? Ani razu nie pokazał, że ma poczucie humoru, nawet zanim zginęła matka, ale z drugiej strony nie wszyscy uważają za stosowne dowcipkować z morderstwa.

Leżące w szufladach ubrania były uprasowane i starannie poskładane. W górnej leżały dwa zestawy kuchennych fartuchów i bielizna. W pozostałych zwyczajne T-shirty i dżinsy. W szafie, w tym samym stylu co komoda, wisiał jeden garnitur, odświętna marynarka i dwie pary szarych spodni. Cztery koszule, też nienagannie wyprasowane. Vera wiedziała, że codziennie do ośrodka przyjeżdżały kobiety do sprzątania głównego domu i że pod koniec każdego kursu ręczniki i pościel były oddawane do pralni. Zdaniem Very dopilnowaniem tego na pewno zajmował się Alex. Znowu ta potrzeba kontroli. Chłopak dba o swoje rzeczy. Może nie powinna za dużo sobie wyobrażać z powodu nieskazitelnej łazienki. Jeśli Alex trzymał taki porządek w swoim pokoju, to może miał również zwyczaj codziennie myć umywalkę i wannę. Ich czystość nie znaczyła, że całą noc je pucował, żeby zmyć z nich krew matki.

Zajrzała pod łóżko i za szafę. Pornosów nie znalazła. Na ścianach też nie było plakatów z rozebranymi dziewczynami. W zasadzie nic na nich nie wisiało oprócz oprawionego w ramki certyfikatu ukończenia kursu cateringu. Więc jak on zaspokajał potrzeby seksualne? Prawdopodobnie korzystał z Internetu, jak większość męskiej populacji Wielkiej Brytanii. Verze przyszło do głowy, że najprawdopodobniej chłopak jest jeszcze prawiczkiem.

W odróżnieniu do pokoju Alexa pokój Mirandy był zaskakująco duży. Luksusowy i olśniewający, w staromodnym stylu. Stało w nim podwójne łoże, na którym piętrzyły się poduchy w jedwabnych pokrowcach w różnych odcieniach fioletu. Poduszki były artystycznie ułożone – kolejny znak, że Miranda poprzedniej nocy się nie kładła. Był tam też mały kominek z żeliwnym rusztem, teraz służący tylko za dekorację. W miejscu, gdzie się rozpalało ogień, stała świeczka w dużym niebieskim świeczniku, identycznym jak ten, który stał na stole na tarasie. Czy to miało jakieś znaczenie? Vera próbowała sobie przypomnieć, czy widziała podobny świecznik w głównym budynku. Po jednej stronie kominka znajdowała się zabudowana półkami wnęka, po drugiej stała wiktoriańska szafa. Pod oknem toaletka z lustrem w zdobnej ramie i przed nią tapicerowany stołek. Komputera nie było.

A Miranda? Jak ona zaspokajała swoje potrzeby? Pytanie pojawiło się w głowie Very nieproszone. Usiadła na stołku i uśmiechnęła się kwaśno do lustra. Wiedziała, że jej podwładni czasami zadają to samo pytanie w związku z nią. Ale ostatnio już tego nie robili. Kiedy się człowiek starzeje, ludzie myślą, że można się obyć bez tych rzeczy.

To tutaj Miranda siadywała, żeby się przygotować na spotkanie z rezydentami. Verze znowu przyszła na myśl starzejąca się aktorka. Toaletka Mirandy była zarzucona kosmetykami. Kobieta nie dzieliła z synem jego obsesji na punkcie czystości i porządku. A za lustrem rozciągał się widok na wybrzeże. Tarasu nie można było stąd zobaczyć – ginął w cieniu dużego domu. Ale plażę było widać. O czym myślała Miranda, kiedy się malowała, kiedy układała włosy i spryskiwała je lakierem? Że jej życie jako pisarki jest skończone? A może wciąż liczyła na przełom, na plakaty w metrze i recenzje w niedzielnych wydaniach gazet? Czy nadal pisała?

To pytanie wydało się Verze tak istotne, tak fundamentalne, że uznała, iż jest idiotką, że wcześniej o tym nie pomyślała. Jeśli Miranda pisała nową powieść i Ferdinand zaoferował się, że pomoże przy jej promocji, wtedy byłoby zupełnie zrozumiałe, że Miranda wpadła w rozpacz po jego śmierci. Zadźgane ciało stanowiłoby symbol pogrzebanych marzeń. Kobiecie w średnim wieku, uważanej za przebrzmiałą gwiazdę, trudno jest znowu odnieść sukces. Jeśli nawet w policji pokładało się nadzieje w młodych i bystrych, to czy branża wydawnicza tym bardziej się do tego nie skłaniała? Żeby wydawcy zechcieli promować jakiegoś autora, pewnie już nie wystarcza sam talent, potrzeba jeszcze urody. Okrzyk udręki, jaki Vera usłyszała tamtego popołudnia, gdy zginął Ferdinand, był wyrazem rozpaczy, jaką Miranda odczuła, myśląc o własnej przyszłości. Nie widziała w niej dla siebie niczego poza oferowaniem zakwaterowania i wyżywienia młodszym, bardziej utalentowanym pisarzom. Prywatnie zupełnie nie dbała o Ferdinanda.

Przynajmniej tak to wyglądało w oczach Very. Ale musiała być ostrożna, bo już się zdarzało, że dawała się ponieść własnym wymysłom. Lepiej zbytnio się nie ekscytować. Najpierw trzeba sprawdzić, czy Miranda pisała nową powieść.

Oddaliła się od półki z książkami, żeby przemyśleć temat. Wciąż głowę miała nabitą pomysłem, że Miranda powróciła do pisania. Tamtego popołudnia, kiedy przyjechała do ośrodka, szukając Joanny, widziała ją w kuchni, czytającą rękopis. Czyżby to była jej własna powieść? Różne teorie przewalały się Verze po głowie w szalonym kołowrocie. Ale nie potrafiła wydobyć z nich żadnego sensu. Na chwilę, gdy spojrzała w okno, jej uwagę rozproszył widok Niny Backworth stojącej prawie przy samej wodzie. Na widoku pojawił się też Joe Ashworth. Wyglądali jak para kłócących się kochanków. Vera uśmiechnęła się z tego pomysłu i powróciła do regału.

Wyciągnęła z niego powieści Mirandy i rozłożyła je na łóżku. Kilka zostało przetłumaczonych na obce języki – jedna chyba na polski, inna na niemiecki. Było też małe różowe wydanie, na pewno po japońsku. Vera odłożyła obcojęzyczne wydania na bok. Resztę książek ułożyła według roczników wydania. Było ich cztery. *Okrutne kobiety*, powieść zaadaptowana na potrzeby telewizji, wyszła jako trzecia w kolejności. Vera wrzuciła ją do torby, pozostałe odstawiła na półkę.

Skoro w pokoju nie ma komputera, to gdzie Miranda pisała? W głównym budynku znajdowało się biuro. Całkiem spokojne miejsce, gdy nie ma kursantów. Ale Miranda była romantyczką. Upinane włosy, długie spódnice, aksamit i jedwabie, nasycone kolory w jej sypialni – wszystko to było policzone na przekazanie pewnego obrazu, reprezentowało pewien styl. Vera mogła sobie wyobrazić Mirandę siedzącą z notatnikiem i piórem wiecznym w eleganckim salonie ośrodka, przed oknem z widokiem na wybrzeże, być może skupioną na pisaniu, ale również sycącą się myślą, że wygląda jak prawdziwa pisarka. Vera otworzyła szuflady i zaczęła szukać rękopisu lub wydruków.

Pół godziny później dała sobie spokój. W szufladach znalazła całe mnóstwo koronkowej bielizny. Tego rodzaju, jakiej można by się spodziewać w paryskim burdelu w latach pięćdziesiątych. Ośmiornica splątanych kolorowych rajstop. Ale żadnego zeszytu lub notatnika. I żadnych chusteczek z wyhaftowanym w rogu czerwonym serduszkiem.

Kiedy wróciła do kuchni, Alex sprawiał wrażenie zaskoczonego. Jakby zapomniał, że była w domu. Usiadła przy stole i odwróciła się do chłopaka.

– Czy pana mama nadal pisała? W wieczór, gdy zginęła, czytała jakieś opowiadanie. Czy pochodziło z jej nowej powieści?

– Co proszę? – Popatrzył na nią tymi bezbronnymi oczętami małego chłopca.

– Minęło dziesięć lat od wydania jej ostatniej książki. Czy matka zarzuciła pisanie? No, jakby przeszła na emeryturę? Widziałam ją kiedyś, jak czytała coś w kuchni. To mogła być jej powieść? Czy raczej dała sobie spokój? – Czas spędzony na szperaniu w rzeczach Mirandy sprawił, że Vera się niecierpliwiła. Miała ochotę potrząsnąć Alexem Bartonem i na niego nawrzeszczeć.

Ale chłopak nie był za bardzo zainteresowany jej pytaniami.

– Nie sądzę – odparł, wzruszając ramionami. – Zawsze myślała o sobie jako o pisarce. Nie porzuciłaby pisania. Ale nie wiem, czy ostatnio nad czymś pracowała. Szczerze mówiąc, nie dzieliła się ze mną takimi informacjami.

Dlaczego tu zostałeś? – zastanawiała się Vera. Nie miałeś nic wspólnego z matką, więc dlaczego się nie wyprowadziłeś? Ale ona też została z Hectorem. Możliwe, że życie nigdy nie jest aż tak proste.

24

W domu było cicho. Ninie pozwolono wrócić do jej pokoju. Vera wyznaczyła funkcjonariuszkę, która miała dyskretnie czuwać na półpiętrze, w miejscu, z którego miała widok na drzwi. Nie sądziła, żeby Nina wykorzystała okazję – była na to zbyt inteligentna – ale Vera wolała nie ryzykować. Alex Barton nadal siedział w domku, za jedyne towarzystwo mając znudzonego policjanta i kota, którego nienawidził. Holly i Charlie byli w hotelu Coquet, odbierali zeznania od pozostałych rezydentów. Vera wiedziała, że niedługo też będzie musiała się tam pojawić, ale na razie nie potrafiła się zmusić do opuszczenia Domu Pisarza.

Po wyjściu z domku Alexa udała się na plażę obejrzeć miejsce, w którym znaleziono nóż. Po drodze wyobrażała sobie scenerię i ciąg wydarzeń po morderstwie Mirandy. Wczesny poranek. Gruba warstwa szronu i zapierające dech w piersiach zimno. Na niebie półksiężyc, ale jak się przekonała w tamto popołudnie, gdy zginął Ferdinand, w ogrodzie widoczność była ograniczona. Musi zapytać ekipę poszukiwawczą, czy któryś z rezydentów trzymał w pokoju latarkę. Czy zabójca zdjął kurtkę na tarasie, czy raczej wyszedł w niej na plażę? Jeśli on – lub ona – ściągnął ją na tarasie, gdzieś musi być poplamiona krwią torba: zabójca musiał w czymś nieść kurtkę i nóż. Więc gdzie jest torba? Jeśli morderca został w kurtce, powinni znaleźć ślady krwi na ścieżce.

Teraz jednak bardziej ją interesowała zawartość kieszeni kurtki. I jedzenie. Oraz kawa. Razem z Joe siedziała w kuchni Domu Pisarza.

– Zrób nam kilka kanapek, kotku. Nie da się przecież pracować na pusty żołądek.

Chleb był świeży, kromki grube, a dżem domowej roboty. Joe nie potrafił obsłużyć wymyślnego ekspresu, więc pili kawę rozpuszczalną, mimo to Vera myślała, że od wieków nie była tak szczęśliwa. Joe był przygaszony, ale ten markotny nastrój miał już od kilku dni. Gdyby był kobietą, pomyślałaby, że zbliżał mu się okres.

– Więc o co w tym wszystkim chodzi? – Na stole między nimi położyła zamknięty w plastikowej torebce wycinek z gazety. – Wiemy już z jakiego to pisma?

– Billy go zeskanował i wysłał do centrum dowodzenia. Próbują go tam rozszyfrować.

– W takim razie nie będziemy teraz wstrzymywali oddechów.

– Jakoś nie potrafię tego potraktować serio – przyznał się Joe. – To zupełnie, jakby ktoś naoglądał się kiepskich filmów policyjnych. Albo naczytał kryminałów, w których na każdej stronie ktoś ginie, a gliny i tak nie są w stanie złapać zabójcy.

– A więc to żart, a nie prawdziwa wiadomość? – Vera wypiła kawę i zaczęła się zastanawiać, czy zdoła przekonać Joego, żeby zaparzył następną. Nie lubiła odgrywać wymagającej szefowej.

– Nie tyle żart, co raczej próba odwrócenia naszej uwagi. Żeby sprawa wydawała się bardziej skomplikowana, niż faktycznie jest. Najbardziej prawdopodobny scenariusz to ten, że Miranda Barton została zabita, ponieważ widziała pierwszego mordercę. Albo domyśliła się, kim jest. Umiejscowienie ciała na tarasie, wycinki z gazet – to tylko próby zmuszenia nas do szukania innych powiązań między ofiarami. Wszystko na tle noweli Niny Backworth.

– Aye – mruknęła Vera, którą wciąż częściowo pochłaniała myśl o kawie. – Śmiem twierdzić, że masz rację. – Coś jej przyszło do głowy. – Tylko jak morderca namówił Mirandę Barton, żeby nocą wyszła na taras? Musiało być bardzo późno. Kiedy wyjeżdżałam, Joanna, Jack i Rickard nadal tam siedzieli. I było cholernie zimno, nawet już wcześniej.

Musiała mieć poważny powód, żeby zgodzić się na spotkanie.

– Może to ona je wyznaczyła – podsunął Joe.

– Czyli znowu wracamy do szantażu? – Vera odchyliła się na oparcie krzesła. – Miranda znała tożsamość zabójcy lub zgadła, kto nim jest, i umówiła się z nim na rozmowę? To ma sens. Nie zaprosiłaby mordercy do siebie. Alex był w domu i mógłby ich podsłuchać. – Spojrzała na wycinek i odsunęła go na taką odległość, żeby w miarę wyraźnie widzieć tekst. Był wydrukowany bardzo małą czcionką i Vera po raz kolejny pomyślała, że powinna się udać do okulisty, żeby zamówić sobie okulary. Nie chodziło o próżność. Kiedy się ma ciało wielkości i kształtu balonu zaporowego, bycie próżnym mija się z celem. Ale jeszcze do niedawna miała doskonały wzrok. Hector nie musiał nosić okularów aż do późnej sześćdziesiątki. Wyobraziła sobie, jak z niej szydzi: Zaczynamy odczuwać upływ lat, co, Vee?

– Przeczytaj mi to, kotku – zwróciła się do Joego. Nie przepraszała i nie wyjaśniała, prowokując go, żeby zapytał, dlaczego sama nie chce przeczytać.

Rzucił jej spojrzenie, ale nic nie powiedział. Wiedział, kiedy należy trzymać gębę na kłódkę. Między innymi to właśnie w nim lubiła.

„We wtorkowy wieczór w BBC zostanie pokazana telewizyjna adaptacja *Okrutnych kobiet*. Sophia Young zagra kobietę interesów, Samanthę. Autorka powieści, Miranda Barton, mimo zapełnionego grafiku, zgodziła się udzielić nam wywiadu. Spotykamy się z nią w bibliotece londyńskiej uczelni St Ursula, w której pani Barton niegdyś pracowała".

– To znaczy, że Miranda utrzymywała kontakt z uczelnią – rzuciła Vera. – Myślę, że w pewnym sensie właśnie ona łączy obie ofiary. Wtedy Ferdinand musiał już prowadzić te seminaria z pisarstwa. – Zdjęcie widziała wyraźnie: Miranda na tle stosu książek.

– O Ferdinandzie nie ma wzmianki – rzekł Joe. Vera czuła, że uważa, że znowu odbiega od tematu. Nie rozumiał, że uwielbiała komplikacje.

Posłała mu gniewne spojrzenie.

– Więc czytaj dalej. – Powiedziała to ze złością, jakby to on ją rozproszył. – Posłuchajmy reszty.

Miranda wyjaśnia, że główna bohaterka powieści w żadnym wypadku nie jest postacią autobiograficzną. „W pewnym sensie powieść jest alegorią" – opowiada. „Studium chciwości we współczesnym brytyjskim społeczeństwie. Tony Ferdinand pierwszy zwrócił na to uwagę. Samantha stawia swoją karierę ponad wszystko – ponad rodzinę, przyjaciół, partnerów. Oczywiście mnie też zależy na odnoszeniu sukcesów, jednak mam nadzieję, że mój stosunek do życia jest bardziej zrównoważony. Na przykład dla mnie nie istnieje nic ważniejszego od mojego syna".

Joe podniósł wzrok znad tekstu.

– Potem są informacje o jej ostatniej powieści, data wydania i tak dalej. Powieść nie była długa.

– Jaki miała tytuł? – Vera pomyślała, że nie mogło chodzić o *Okrutne kobiety*. Scenariusz i sam film musiały powstać na wiele miesięcy przed transmisją.

– *Starsi panowie*. – Joe spojrzał na Verę. – Myśli pani, że to istotne?

– Nie, prawdopodobnie nie – mruknęła, myśląc, że w sprawie jest zbyt wiele drobnych szczegółów, zbyt wiele możliwości do wyboru. – To była jej ostatnia wydana powieść. Egzemplarze wszystkich trzymała w swojej sypialni; sprawdzałam daty. W tamtym roku był ten film telewizyjny i wywiad w ogólnokrajowym piśmie. Wydawałoby się, że powinna chcieć wycisnąć wszystkie soki z sukcesu. Więc dlaczego nic więcej nie wydała?

– Może ostatnia książka nie była dobra? – zasugerował Joe.

– Aye, może. – Ale Vera podejrzewała, że branża wydawnicza tak nie działa. Wcale nie była przekonana, że jakość powieści musi mieć coś wspólnego z wielkością sprzedaży. – Musimy się skontaktować z jej wydawcą. Może znajdziemy kogoś, kto ją pamięta. – Umilkła i ponownie spojrzała na wycinek. – Artykuł chyba był dłuższy. Spójrz, ktoś równo odciął bok. Pewnie składał się z dwóch kolumn.

Joe zrobił sceptyczną minę.

– Na jakiej podstawie tak pani sądzi?

– Na podstawie rozmieszczenia nagłówka. Nie jest umieszczony symetrycznie. No i ten tytuł: „Jedna okrutna kobieta"? W tekście nic go nie wyjaśnia. – Vera mówiła, jakby rozmawiała sama ze sobą. – Czy zabójca chciał, żebyśmy się zorientowali, że to tylko połowa artykułu? Czy może nas nie docenia?

– To nie jest gra. – Joe tracił cierpliwość. – Ani jedna z ich powieści.

– Och, ależ przeciwnie – nie zgodziła się Vera. – To jak najbardziej jest gra.

Przez chwilę siedzieli w milczeniu i gapili się na siebie. Pomieszczenie wypełniało zimne poranne światło. Vera sądziła, że Joe każe jej wyjaśniać, ale on tylko patrzył na nią, jakby była wariatką.

– Myślę, że Miranda nie przestała pisać – rzekła.

Wygłosiła to oświadczenie, jakby to była sensacja, ale Joe zawiódł ją swoją reakcją.

– Uważa pani, że to ważne?

– Jeśli Ferdinand miał jej pomóc znaleźć wydawcę, wtedy jej rozpacz po jego śmierci byłaby zrozumiała. Rozpaczała nie z osobistych, lecz czysto zawodowych powodów.

Teraz już patrzył na nią z zaciekawieniem.

– Backworth mówiła, że wczoraj wieczorem wszyscy mieli przeczytać swoje teksty. Nawet Miranda Barton. Jack wprawdzie przerwał przyjęcie, ale potem przenieśli się do salonu. Nina może widzieć, czy Miranda coś czytała i czy mówiła, skąd tekst pochodzi.

– Tak, to możliwe. – Vera posłała Joemu przeciągły leniwy uśmiech. – Więc może skoczysz na górę, kotku, i ją o to zapytasz? I nie spiesz się. Wiesz, jak rozmawiać z kobietami. Potrzebujemy najdrobniejszych szczegółów, wszystko, co zdoła sobie przypomnieć. – Kiwnęła głową w stronę wycinka na stole. – Weź go ze sobą. Nasza Nina może wiedzieć, z jakiego to pisma. W końcu też była uczennicą Ferdinanda, kiedy Miranda zrobiła się bogata i sławna. Może będzie pamiętała, czy sprawa dotyczyła czegoś więcej, niż tylko tego, co tu mamy. Zaczekam tu na ciebie.

Kiedy Ashworth wyszedł, Vera ponownie włączyła czajnik. Zrobiła sobie następną kawę i znalazła puszkę, w której zostało jeszcze kilka domowej roboty ciasteczek. Szkoda by było, żeby się zmarnowały. Zadzwonił jej telefon. Holly.

– Właśnie dzwonili z centrum operacyjnego. Jakiś człowiek chciał z panią rozmawiać.

– Och, aye. – Ludzie, którym się wydaje, że posiadają istotne informacje, zawsze chcą rozmawiać z głównodowodzącym. Nie ufają, że osoba, która odebrała telefon, przekaże informację dalej. I nie bez powodu. Gdyby Vera czytała wszystkie zgłoszenia, nie miałaby czasu na nic innego. – Więc, co jest tak pilnego, że się z tobą skontaktowali?

– Telefon był od polityka. Deputowanego Unii Europejskiej.

– Niech no zgadnę – mruknęła Vera. – Ten polityk nazywa się Paul Rutherford. – Były małżonek Joanny.

25

Joe Ashworth zapukał do pokoju Niny Backworth i czekał, aż zostanie zaproszony. Gdy otwierał drzwi, właśnie podnosiła się z łóżka. Poczuł się skrępowany, jakby zastał ją nagą pod prysznicem. Wiedział, że nie lubiła, kiedy się nachodziło jej prywatną przestrzeń.

– Przepraszam – rzucił. – Chciała się pani zdrzemnąć?

– Próbowałam – odparła. – Ale bez większych sukcesów. – Spuściła nogi na podłogę. – Mogę zrobić kawę albo herbatę, jeśli ma pan ochotę. Miranda pilnowała, żeby pokoje były w pełni zaopatrzone.

– Uważa pani, że była lepszym zarządcą niż pisarką?

– Wyszłabym na straszną wiedźmę, gdybym powiedziała, że tak? – Nina wyszła do łazienki, żeby nalać wody do czajnika, ale wyjrzała zza drzwi, żeby usłyszeć odpowiedź.

– Już nam pani mówiła, że nie ceniła pani jej pisarstwa.

Podłączyła czajnik do prądu i wcisnęła pstryczek, dając sobie czas na ułożenie odpowiedzi.

– Tak było, kiedy żyła. Uważałam, że jej powieści są pretensjonalne i przegadane. Jak kiepskie imitacje powieści innych autorów z tamtego okresu. Ale o wiele trudniej mi mówić takie rzeczy o zmarłej. Poza tym możliwe, że jej nie rozumiałam.

– Wolałbym, żeby była pani ze mną szczera – oznajmił Joe. – To teraz najważniejsze. – Usiadł w fotelu przy biurku i przyglądał się, jak Nina bawi się małym kartonem mleka i herbatą w torebkach. Miała bardzo długie i blade palce.

– Od początku byłam szczera – zapewniła. – Dlaczego miałabym kłamać?

Pozostawił pytanie bez odpowiedzi. Nalała wody do kubka i spojrzała na niego.

– Jak mocną pan lubi? Woli pan sam wyjąć torebkę?

– Wczoraj – zaczął – po awanturze Jacka Devanneya w jadalni razem z resztą przeszła pani do wypoczynkowego wysłuchać próbek tekstów.

– Do salonu – poprawiła go odruchowo. Jak nauczycielka ucznia. – Tak, nie sądziłam, że uda mi się od tego wymigać.

– Czy wszyscy czytali swoje prace?

– Ja nie – zaprzeczyła. – Inspektor Stanhope już mnie o to pytała. Nie byłam w stanie po scenie przy kolacji. Czułam się jak pozerka. Ten, kto ustawił scenerię na tarasie, musiał przeczytać moje opowiadanie bez mojej wiedzy.

Joe zrozumiał, że Nina obwinia się o śmierć Mirandy; pewnie myślała, że w jakiś sposób do niej doprowadziła, kreując scenę zbrodni w swojej wyobraźni i ją opisując. Jakby to były jakieś groteskowe czary.

– To nie była pani wina – powiedział.

– A czuję się tak, jakby była. Pisałam dla rozrywki. Dla zabawy. Nie sądziłam, że moje opowiadanie zostanie przywołane do życia. – Wetknęła dłoń do kieszeni w poszukiwaniu chusteczki.

– W tym momencie bardziej mnie interesują inni. – Joe mówił ściszonym głosem. Nachylił się do Niny. – Na przykład, mówiła pani, że Miranda czytała urywek z własnej powieści.

– Tak! – Nina miała rozgorączkowane spojrzenie i Joe pomyślał, że powinna opuścić to miejsce, bo jeśli jeszcze dłużej posiedzi w tym pokoju, załamie się nerwowo. – Miranda faktycznie czytała. Nie bardzo jej słuchałam. Byłam bardzo zmęczona i ciągle patrzyłam na zegarek. Czekałam, żeby już było po wszystkim. Wszyscy kursanci przeczytali swoje kawałki i pomyślałam: Hura! Wreszcie! Mogę uciekać do siebie. I wtedy wstała Miranda, a mnie zrobiło się słabo. Ale to było dobre. Mam na myśli to, co napisała. Przeczytała tylko kilka akapitów, ale były tak dobre, że nawet ja się zastanawiałam, czy to jej tekst. Pomyślałam, że go komuś podkradła. Wszyscy mamy nadzieję, że wraz z praktyką będziemy coraz lepsi, ale ten tekst tak się różnił od jej wcześniejszych powieści, że nie mogłam uwierzyć, że napisała go ta sama osoba.

– O czym był? – Joe przez krótką chwilę się zastanawiał, czy kradzież tekstu to przestępstwo w sensie formalnym. Istnieją przecież prawa autorskie, ale to z pewnością sprawa dla sądów cywilnych.

Ninie chwilę zajęło, zanim odpowiedziała.

– Szczerze mówiąc, nie jestem pewna – odparła. – Nie, nie umiem powiedzieć. Ale sam może pan sprawdzić. Miranda zostawiła tekst w salonie, więc go zabrałam. Na pewno miała go zapisany w komputerze, ale prawdopodobnie chciałaby też odzyskać wydruk. Z prawami autorskimi różnie bywa. Trzeba się pilnować.

Nina podniosła się z łóżka i wyciągnęła z szuflady kartkę papieru. Była formatu A4, odstępy w tekście były podwójne, a i tak zajmował on tylko trzy czwarte kartki. Choć Joe mógł sam go przeczytać, Nina dalej go opisywała. Domyślał się, że to nawyk nauczycielki.

– Miranda opowiada o kobiecie, która wchodzi do pustego domu. Nie ma w nim mebli oprócz jednego kuchennego krzesła. Tło i kontekst są bardzo skąpe. Nie wiemy, kto wcześniej mieszkał w domu i dlaczego pisarz się w nim znalazł, ale w zaledwie kilku słowach Mirandzie udało się wyczarować atmosferę posępności. Rozpaczy. Przez samo towarzyszenie kobiecie, gdy otwiera drzwi i wchodzi do środka.

– Jaka była reakcja grupy?

– Zaskakująca. Miranda sprawiła, że wszyscy zapomnieli o wybuchu Jacka Devanneya w jadalni. Wciągnęło nas już pierwszych kilka zdań. I potem nikt się nie odezwał. Słuchaliśmy. – Nina umilkła. – Sądzę, że po części był to szok. Nie spodziewaliśmy się, że zaprezentuje coś tak poruszającego. Kiedy skończyła, przez chwilę panowała kompletna cisza i potem ktoś powiedział: „No coś ty, Mirando, przeczytaj więcej. Musisz nam powiedzieć, co się dalej stało". Ale Miranda pokręciła głową i się pożegnała. Wszyscy zaczęli klaskać. Ja poszłam się położyć.

Joe próbował wyobrazić sobie scenę. Rezydenci byli zmęczeni, to była ich ostatnia noc. Jack zakłócił kolację. Każdy miał swoje pięć minut w blasku reflektorów i wszyscy starali się być szczodrzy, gdy występowali koledzy. A potem lekko utyta kobieta w średnim wieku zaczyna czytać i natychmiast przykuwa ich uwagę. Znowu dziwaczna magia?

– Kto poprosił, żeby pani Barton czytała dalej?

Nina dziwnie na niego spojrzała, jakby uważała, że pytanie jest bezsensowne.

– Joanna.

– Myślałem, że ona, Jack i Giles Rickard siedzieli wtedy na tarasie. – Vera mówiła mu, że widziała tam całą trójkę.

– Na początku tak. Ale później przyszli do salonu. – Nina lekko się uśmiechnęła. – Joanna doskonale to rozegrała. „Jack przeprasza, że zachował się jak dureń" – wyrecytowała, udając wyniosły głos Joanny. Gdyby zamknął oczy, Joe nie umiałby ich odróżnić. Nina kontynuowała, już jako ona: – Wtedy Jack wstał i lekko się ukłonił. Wyglądał jak jakiś artysta. Skojarzył mi się z wodzirejem w cyrku. Do tego czasu wszyscy sporo wypiliśmy i byliśmy w wyrozumiałych nastrojach. Joanna i Jack słuchali odczytów pozostałych osób i zostali do chwili, aż towarzystwo się rozeszło.

– Czy Miranda coś jeszcze przeczytała?

– Nie – rzuciła Nina. – I to mnie zaskoczyło. Zawsze myślałam, że uwielbiała szum wokół siebie.

– A co z Gilesem Rickardem? – zapytał Joe. – Też tam był?

– Pan Rickard nie przyszedł z Joanną i Jackiem – odparła Nina. Wstała i podeszła do okna. Joe pomyślał, że odtwarza w wyobraźni wczorajszy wieczór, zupełnie jak on wcześniej. – Ale musiał wśliznąć się po cichu później, bo był w salonie, kiedy Miranda czytała. Podszedł do niej. Pewnie, żeby jej pogratulować. Chyba tak wypadało. Jest kimś w rodzaju celebryty, więc jego pochwały musiały wiele dla niej znaczyć.

Popatrzyli na siebie. Joe wyobraził sobie Mirandę i rumieniec na jej twarzy wywołany zadowoleniem z odbioru, z jakim spotkał się tekst. Możliwe, że postrzegała tę chwilę jako nowy początek w jej karierze. Kilka godzin później już nie żyła.

– Wiedziała pani, że pani Barton wciąż pisała? – zapytał. – Ostatnią powieść wydała dziesięć lat temu. Można by pomyśleć, że się poddała.

– Nie wiem, czy pisarze kiedykolwiek porzucają myśl o pisaniu – odrzekła Nina. – Ale nie wiedziałam, że pisze na poważnie. Nie przyjaźniłyśmy się ani nic w tym stylu, więc mi się nie zwierzała. Kartkę z tekstem zostawiła w salonie, a ja ją zabrałam, żeby jej oddać. Teraz już nie będzie mogła skończyć opowiadania. Chce pan ten tekst?

Joe odebrał kartkę. Vera będzie miała radochę.

– Ta chustka, która leżała pod stołem na tarasie – zaczął – miała małe czerwone serduszko wyhaftowane w rogu. Nie przypuszczam, żeby w trakcie pobytu rzuciło się pani w oczy coś podobnego?

Pokręciła głową.

– Aye, cóż, warto było spróbować. – Położył torebkę z artykułem na toaletkę. – Zechciałaby pani na to zerknąć? Czy coś to pani mówi?

Spojrzała na wycinek i wyglądało, jakby przez jej twarz przemknął błysk rozpoznania.

– Nic oprócz oczywistego wniosku – rzuciła. – Miranda próbowała skorzystać na reklamie filmu. Nie pamiętam, żebym widziała wcześniej ten artykuł.

– Nic więcej się pani nie nasuwa? – Sposób, w jaki patrzyła na zdjęcie, kazał mu przypuszczać, że coś jeszcze chodziło jej po głowie.

– Pamiętam, że czasami widywałam ją w St Ursula, kiedy tam byłam – powiedziała. – Już zapomniałam, jaka była wtedy atrakcyjna. Zupełnie inna kobieta.

Joe odwrócił się, żeby wyjść.

– Kiedy będę mogła wyjechać?! – zawołała za nim niespodziewanie. – Kiedy mogę wrócić do domu?

Przystanął przy drzwiach. Szlag z Verą, ta kobieta jest strzępkiem nerwów.

– Ma tu pani własny samochód?

Kiwnęła głową.

– W takim razie niech pani jedzie – rzucił. – Odebraliśmy pani zeznania i wiemy, gdzie pani szukać. Powiem chłopakom przy bramie, żeby panią wypuścili.

Uśmiechnęła się, a jemu przez chwilę się wydawało, że się na niego rzuci i go wycałuje. Kiedy schodził do Very, uzmysłowił sobie, że na myśl o tym cały drży.

Vera zareagowała nadzwyczajnie dobrze na wieść, że odesłał Ninę Backworth do domu. Szturchnęła go w bok.

– Ech, Joey, zawsze jesteś miękki, gdy chodzi o ładne panny. Chociaż nie myślałam, że akurat ta jest w twoim typie.

Ale wszystko to w ramach żartu. Bez złośliwości. Vera była zaabsorbowana perspektywą spotkania z Paulem Rutherfordem.

– Jedzie pani aż do Londynu, żeby się zobaczyć z byłym Joanny? – Joe nie ukrywał niedowierzania. Krytyki. Uważał, że Verą kieruje własny interes. Nie mogła być obiektywna, przesłuchując człowieka, który bił jej sąsiadkę. Przyjaciółkę.

– Nie ma takiej potrzeby, chłoptasiu. On przyjeżdża do mnie. Góra do Mahometa. Tak czy owak twierdzi, że ma spotkanie w Newcastle. Nie bardzo wierzę, że to prawda.

– Co chce pani, żebym teraz zrobił? – Widział, że nie ma sensu przekonywać Very, że rozmowa z Rutherfordem to zły pomysł. Przez okno w kuchni zobaczył Ninę Backworth zmierzającą podwórzem na parking. Ciągnęła za sobą małą walizkę na kółkach, telepiącą się na kocich łbach. Walizka była czerwona, tak jak szminka na ustach Niny.

– Jedź do hotelu Coquet i zobacz, jak Holly i Charlie radzą sobie z zeznaniami.

– Co mam zrobić z rezydentami po odebraniu zeznań?

– Odeślij do domów – odparła Vera. – Nie możemy stosować innych zasad dla Niny Backworth, a innych dla reszty.

Hotel Coquet w Seahouses został zbudowany w latach siedemdziesiątych, w okresie, gdy na tym terenie wciąż istniały kopalnie i stocznie, a wybrzeże Northumberland stanowiło dla robotników ze Szkocji pociągające miejsce do spędzania wakacji. Joego raz do hotelu zabrała jego babcia. Zaciągnęła go tam pewnego lata w ramach wycieczki autokarowej dla emerytów i pamiętał, że nie przestawał narzekać, że się strasznie nudzi. Nawet dla siedmiolatka hotel wyglądał nędznie. Wypili w lobby popołudniową herbatę, a potem zabrano ich na zwiedzanie zamku Bamburgh. Zapamiętał deser lodowy w szklance tak wysokiej, że ledwie sięgał łyżką do dna. Babcia narzekała, że herbatniki w deserze są twarde. W drodze powrotnej w autokarze ściągnęła buty; miała okropnie spuchnięte stopy, palce powyginane i zakrzywione.

– Nigdy się nie starzej, Joe – powiedziała, chociaż nie wyglądała na przygnębioną i razem z innymi całą drogę do Blyth śpiewała *Dziesięć zielonych butelek*. Tylko strasznie fałszowała, więc wykręcał głowę do okna, udając, że przez nie wygląda i że nie ma z babcią nic wspólnego.

Hotel stał na obrzeżu miasteczka, patrząc w dół ponad przystanią. Ostatnio przeszedł renowację, więc w miejsce poplamionego betonu z jego pamięci zobaczył czystą, jaskrawą biel. Ale z bliska było widać, że robota nie została wykonana starannie. Farba z desek okapowych ściekła na białe mury. Ostatnie desperackie próby właściciela, żeby ratować hotel, domyślił się Joe. Na wybrzeżu wszystkie świeciły pustkami.

Towarzystwo z Domu Pisarza siedziało w holu, który Joemu skojarzył się z holem w domu starców lub poczekalnią w przychodni. Pod ścianami stały proste krzesła. Duże widokowe okna od zewnątrz znaczyły zacieki z soli. Joe przypuszczał, że nie myto ich co najmniej od wrześniowych sztormów. Pomieszczenie było na tyle duże, że Holly i Charlie mogli rozbić obozowisko pod jedną ze ścian, tak żeby nie słyszały ich osoby siedzące pod przeciwległą ścianą. Wszędzie walały się puste filiżanki, zmięte serwetki, a na niskich stolikach kawowych stało kilka tac z resztką smutno wyglądających kanapek. Znaczy, że gościom Domu Pisarza zapewniono lunch. Joe zastanawiał się, czy pieniądze na posiłek poszły z budżetu Very.

Kiedy wszedł, wszyscy na niego spojrzeli. Nawet Charlie i Holly. I gapili się jak na jakieś zwierzę w zoo. Sierżant policji, dziwny i obcy gatunek. Sądzili, że ich pogryzie albo podrapie? Chyba był zmęczony, bo jego umysł dziwnie funkcjonował.

– Ci, którzy już składali zeznania, mogą jechać do domu – poinformował. – Zapewniamy podwózkę do ośrodka, żebyście mogli państwo odebrać swoje samochody.

Przepraszamy za niedogodności. Proszę zaczekać na zewnątrz, za kilka minut podjedzie minibus. – Spodziewał się okrzyków radości, ale kursanci byli przybici, więc odzew był słaby. Zebrali walizki i zaczęli wychodzić. Joanna otoczyła Jacka ramieniem w opiekuńczym geście. Można by pomyśleć, że to jego oskarżono o popełnienie morderstwa.

Wyglądało, że Holly i Charliemu zostali do przesłuchania tylko Lenny Thomas i Mark Winterton. Panowie siedzieli po przeciwnych stronach pomieszczenia. Lenny uśmiechnął się, wzruszył ramionami i podszedł do byłego policjanta.

– A na koniec zostało tylko ich dwóch, co, Mark? – Pomachał do Joego, żeby pokazać, że nie ma o nic pretensji. Joe dołączył do kolegów i gdy przeglądał zeznania, w tle słyszał głos Lenny'ego wypytującego o miejsca zbrodni i procedury, i cierpliwe odpowiedzi Marka. Zmęczony i spięty, pomyślał, że stłumione głosy brzmią, jak szum fal obijających się o kamienisty brzeg, i znowu mu się przypomniało wcześniejsze spotkanie z Niną Backworth. Uświadomił sobie, że zna jej adres i że mógłby wymyślić jakiś pretekst, żeby ją odwiedzić.

26

Joe Ashworth zwrócił się do kolegów:

– Więc po skończonym przyjęciu wszyscy poszli spać i nikt nic nie widział ani nie słyszał, tak? – Mówił cicho, chociaż Lenny i Mark wciąż rozmawiali po drugiej stronie pomieszczenia i nie zwracali na nich uwagi. Czekając na odpowiedź, Joe wpatrywał się w Holly i Charliego.

– Mniej więcej – mruknął Charlie. – Jack wstał w nocy do toalety i miał wrażenie, że słyszał muzykę. Beatlesi, coś z albumu *Sierżant Pepper*.

– O której to było?

– Około drugiej nad ranem. Ale czy to naprawdę istotne?

– O tyle, że wiemy, że ktoś jednak w nocy nie spał. To nasz potencjalny świadek.

– Skoro uważasz, że można wierzyć w to, co opowiada ten facet... – Charlie wywrócił oczami.

– Poza tym wszyscy podziwiali Mirandę Barton – wtrąciła się Holly. – Ale nikt jej wcześniej nie znał.

– Nawet Giles Rickard? – zdziwił się Joe. – Pisali w tym samym okresie.

– Ale co innego. Ona była uważana za autorkę powieści o ogólnej tematyce. On pisał kryminały. Nie mieli powodów na siebie wpadać. – Holly zrobiła przerwę. – I nikt nie pamięta, żeby widział chusteczkę z wyhaftowanym w rogu czerwonym serduszkiem.

– Musisz pogadać z szefową – rzucił gniewnie Charlie. Joe przypuszczał, że chyba nawet nie słuchał ostatniej wymiany zdań. Charlie czasami tak miał, bez powodu. Odkąd żona od niego odeszła, bywało, że wściekał się na cały świat.

– O czym? – zapytał Joe, chociaż się domyślał.

– Przez tych hippisów robi z siebie idiotkę. – Joe pomyślał, że Charlie też jadł lunch. Kanapki z tuńczykiem, sądząc po oddechu. – To oczywiste, że to ich sprawka. Babka już kiedyś próbowała zabić, a facet jest kompletnie szurnięty. *Sierżant Pepper*, też coś! I jeszcze to, jak tam wczoraj wparował i wykrzykiwał brednie.

– Ale podobno szybko się uspokoił i pod koniec wieczoru przeprosił za swoje zachowanie. – Joe nie rozumiał, dlaczego broni hippisów. Dlatego że Vera nie uważała, że to oni stoją za morderstwami? Tym się stał? Ogólnoświatowym reprezentantem Very Stanhope?

– Co nie znaczy, że gość nie planował morderstwa. – Charlie mamrotał pod nosem na tyle głośno, że Joe doskonale go słyszal.

Pomyślał, że jeśli nie rozpoczną ostatnich dwóch przesłuchań, spędzą tu cały dzień, a hotel z jego wystrojem z lat siedemdziesiątych i duchem babci zaczynał go przerażać.

– Wiesz co, Charlie, ty już jedź – zaproponował. – Zostanę z Holly i razem dokończymy przesłuchania. Nie musi nas być tu troje.

Charlie się rozpromienił.

– Umówiłem się, że pojadę wieczorem do Carlisle na piwo z kolegą. Z tym, co pracował z Wintertonem. Nie widzę powodu, żebym miał to robić w wolnym czasie.

– W takim razie znikaj.

I gdy Charlie wytaszczył się z hotelu, Joemu nagle ulżyło.

Pierwszego wzięli Marka Wintertona, bo miał dalej do domu, a Lenny'emu raczej chyba się nie spieszyło. Były policjant usiadł przed nimi. Hotel dał im do użytku stół na krzyżakach, przez co zbieranie zeznań bardziej przypominało rozmowę o pracę niż przesłuchanie. Proszę powiedzieć, panie Winterton, dlaczego chce się pan zatrudnić jako pisarz?

I pierwsze pytanie brzmiało prawie tak samo.

– Dlaczego pan się zapisał na ten kurs? Raczej nie jest tani, za to dość intensywny jak dla początkującego. Mógł pan przecież znaleźć coś podobnego bliżej miejsca zamieszkania. Kurs wieczorowy lub coś w tym stylu.

Mark Winterton zamrugał zza małych kwadratowych okularów.

– Sądziłem, że już to wyjaśniłem koleżance. – Kiwnął głową w stronę Holly. Mówił cicho i cierpliwie, ale mrugające oczy zdradzały hamowaną irytację. – Zawsze lubiłem pisać, a ten kurs wydał mi się świetną okazją do tego, żebym zabrał się do kryminału, który sobie wymyśliłem. – Na chwilę zamilkł. – Co do pieniędzy, to nie mam wielu kosztownych zachcianek. – Uśmiechnął się z zakłopotaniem. – Oczywiście po rozwodzie płaciłem alimenty, ale teraz dzieciaki są już dorosłe. Była żona szybko powtórnie wyszła za mąż, a jej mąż nie jest biedny. Mam skromne wymagania, dlatego moja emerytura dla mnie jednego to aż nadto.

Joe zastanawiał się, dlaczego Winterton sądzi, że powinien dzielić się z nimi tymi wszystkimi osobistymi informacjami. Możliwe, że po prostu jest samotny, co by również tłumaczyło fakt, że zapisał się na kurs.

– Z przykrością się dowiedziałem, że pana córka nie żyje – rzekł.

– Wiecie o tym? No tak, jasne, musieliście sprawdzić wszystkich. Potem już nic nie jest takie samo. – Winterton popatrzył na Joego. – Wczoraj wieczorem rozmawialiśmy o tym z Mirandą. O stracie dziecka i jak to wpływa absolutnie na wszystko, co się później dzieje. Miranda doskonale mnie rozumiała. Szczerze mówiąc, jeszcze z nikim w ten sposób o tych sprawach nie rozmawiałem. Miranda była bardzo współczująca.

– Kiedy dokładnie rozmawialiście? – Joe mówił gawędziarskim tonem. Miranda Barton nie wywarła na nim wrażenia osoby szczególnie empatycznej. Siedząca obok Holly wierciła się na krześle, niczym pies, który wyczuł zwierzynę. Miał nadzieję, że będzie miała na tyle rozumu, żeby trzymać buzię zamkniętą na kłódkę.

– Przed kolacją. Zawsze wszędzie zjawiam się wcześnie. W pracy zadręczałem ludzi kwestią punktualności, a teraz widzę, że to była obsesja. Wykąpałem się, przebrałem i czekałem na innych w salonie. Wtedy przeszyła Miranda. Przyniosła mi sherry i zaczęliśmy rozmowę. Chyba była zdenerwowana. Zależało jej, żeby ostatni wieczór dobrze wypadł, mimo śmierci Tony'ego. Nigdy wcześniej sam na sam z nią nie rozmawiałem i byłem zaskoczony, jak dobrze nam się gadało.

– Czy prosiła pana o radę? – Joe przypomniał sobie, że tego samego dnia Miranda zaprosiła do siebie Ninę Backworth.

– Takie odniosłem wrażenie, że czegoś ode mnie chciała, ale do końca nie umiałem stwierdzić, o co chodziło. Pewnie pan to zna, sierżancie: znajomi z nieokreślonymi niepokojami, szukający wsparcia. W sprawie dzieci, które się wmieszały w złe towarzystwo, lub sąsiadów, którzy jakoś dziwnie szybko się wzbogacili. Prawdopodobnie idzie to w parze z naszym zawodem, ale oczywiście nie mamy na wszystko odpowiedzi. Nawet własnych rodzin nie jesteśmy w stanie zawsze ochronić. – Winterton podniósł wzrok. Joe odnosił wrażenie, że mężczyzna chętnie dłużej by porozmawiał, że nie spieszyło mu się z powrotem do pustego domu. Joe pomyślał o byłej żonie Wintertona. Czy miała kochanka jeszcze przed rozwodem? Czy właśnie to było jego przyczyną? Uznał, że dobrze byłoby się z nią spotkać.

– A co takiego dręczyło Mirandę? Martwiła się o syna?

– Oczywiście rozmawialiśmy o dzieciach, ale nie sądzę, żeby Alex przysparzał jej kłopotów. Raczej zawsze sprawiał wrażenie dzieciaka, z którego można być dumnym. Za to się zastanawiałem...

– Tak?

– ...czy przypadkiem Miranda nie miała również córki. Która na przykład zmarła w dzieciństwie. – Winterton położył dłonie na blacie stołu. Joe zauważył, że wciąż nosił na palcu prostą złotą obrączkę. – Miranda z takim zrozumieniem wypowiadała się o utracie dziecka – dokończył. – A wczoraj w czasie rozmowy się przejęzyczyła i właśnie dlatego pomyślałem, że mogła mieć córkę. Mówiła o porodzie. „Nigdy nie przeżyłam takiego bólu, ale kiedy dostałam dziecko do rąk, zapomniałam o całym cierpieniu. Była taka maleńka". Jestem pewien, że powiedziała „była", ale nie ciągnąłem tematu. – Podniósł wzrok i zmarszczył czoło. – Oczywiście to żaden dowód i pewnie niepotrzebnie o tym wspominam, ale czasami takie drobnostki doprowadzają do przełomu w śledztwie. Dlatego uznałem, że powinniście to usłyszeć.

Uwagę Joego przykuł jaskrawożółty autokar, który zatrzymał się przed hotelem. Zaczęli z niego wysiadać starsi ludzie; kierowca wyjmował bagaże. Joe zmusił się, żeby powrócić uwagą do rozmowy.

– Oczywiście – rzucił. – Jesteśmy wdzięczni. Zechce pan zaczekać, aż skończymy rozmowę z panem Thomasem? Wtedy obu panów podwieziemy do Domu Pisarza.

– Nie ma problemu. – Winterton wstał i uprzejmie kiwnął głową. – Nie spieszy mi się do domu.

Teraz przed stołem zasiadł Lenny Thomas. Wyglądał na zdenerwowanego.

– Ja jej nie zabiłem – zaczął bez wstępu. – To znaczy, nie zabiłem ani jej, ani jego. A Miranda wybrała mnie, żebym uczestniczył w kursie, i byłem zachwycony każdą jego minutą. Do końca życia będę jej wdzięczny, że dała mi taką szansę. Że potraktowała mnie poważnie. Jako pisarza, mam na myśli.

– O nic pana nie oskarżamy, panie Thomas – odezwała się Holly. Umówili się, że tę rozmowę przeprowadzi ona. Tak było sprawiedliwie. Jednak Joe wolałby, żeby to on zadawał pytania. Ostra, błyskotliwa Holly mogła spłoszyć Lenny'ego. – Próbujemy tylko ustalić, co się wydarzyło. – Umilkła. – Wczoraj czytał pan swój tekst na początku wieczoru, kiedy jeszcze wszyscy byli w jadalni.

– Aye. – Lenny popatrzył na Holly. – Pani też tam była. Co pani myśli o moim kawałku?

Pytanie wyraźnie zbiło Holly z tropu.

– Był bardzo dobry – odrzekła w końcu. – Bardzo poruszający.

Lenny szeroko się uśmiechnął do obojga. Joe pomyślał, że wygląda jak jego najmłodsze dziecko, gdy wracało z przedszkola ze złotą gwiazdką na rysunku.

– Co pan robił później? – zapytała Holly. Joe czuł, że jest spięta i zniecierpliwiona. Jej stopa pod stołem wybijała miarowy rytm.

– Po tym, jak wpadł Jack Devanney i zaczął się wydzierać, przeniosłem się z resztą do salonu, gdzie dalej czytaliśmy nasze urywki.

– A potem?

– Wszyscy poszli spać, ale ja nie. To była nasza ostatnia noc w ośrodku i chciałem ją do cna wykorzystać. Jakoś ją uczcić. Rozumie pan? – Z pytaniem zwrócił się do Joego. Pewnie uważał, że Holly jest zbyt młoda i zbyt pewna siebie, że to zrozumieć.

Joe kiwnął głową.

– Co pan robił, panie Thomas? – Holly natychmiast się wtrąciła. – Przesiedział pan całą noc w salonie?

– Jakiś czas tam siedziałem. Potem pomyślałem, że się przejdę, żeby oczyścić umysł przed snem. Na zewnątrz było cicho jak makiem zasiał. I te wszystkie gwiazdy. W mieście, przez światła, nie widać gwiazd. Księżyc rzucał łunę na morze. Chciałem to zapamiętać. Może pewnego dnia o tym napiszę.

– Dokąd pan poszedł, panie Thomas? – Holly udało się zawrzeć w głosie ton znudzenia połączonego z wrogością.

– Na taras. Ale tam nikogo nie było. Zwłok też nie.

– Jest pan pewien? – zapytał Joe. – Było ciemno.

– Aye, ale jak mówiłem, świecił księżyc.

– I było zimno – dodał Joe. Wiedział, że Holly piorunuje go wzrokiem, ale nie zwracał na to uwagi. – Poszedł pan przed wyjściem po kurtkę do swojego pokoju?

– Nie, w szatni na dole wisi kurtka, którą można wypożyczyć. Ją założyłem. – Lenny popatrzył na Joego, jakby ten był lekko opóźniony w rozwoju.

– Co pan z nią zrobił po powrocie?

– Odwiesiłem na miejsce!

– A potem? – zapytała Holly, chcąc mieć ostatnie słowo. – Co pan zrobił później?

– Poszedłem spać – odparł Lenny. – Nie mogłem w nieskończoność przedłużać tej nocy. I tak miała się skończyć, prawda? Musiałem się przyszykować do powrotu do normalnego życia.

– Która to była? – Joe zastanawiał się, czy pobyt w Domu Pisarza na pewno wyszedł Lenny'emu na dobre. Czy nie wyrobił w nim oczekiwań, które prawdopodobnie nie będą mogły być zrealizowane?

– Wpół do pierwszej. Spojrzałem na zegarek, kiedy wszedłem do pokoju.

– Słuchał pan muzyki, gdy był pan w salonie? – zapytał Joe.

– Nie. Skąd taki pomysł? – zdziwił się Lenny.

Joe spojrzał na Holly. Holly pokręciła głową na znak, że więcej pytań nie mają.

Skończyło się na tym, że Joe podwiózł Lenny'ego do jego mieszkania w Red Row. Lenny powiedział, że nie ma samochodu. Jego była żona proponowała mu, żeby wziął jej stare auto, ale Lenny'ego nie było stać na jego utrzymanie. Po drodze podrzucili Marka Wintertona do Domu Pisarza, żeby mógł odebrać swoje volvo. Podjazd był zablokowany pojazdami. Dziennikarz BBC z programu *Look North* nagrywał przed kamerą reportaż z domem w tle. Przyglądali się, jak poprawia krawat, potem daje znak kamerzyście. W końcu wozy mediów zjechały na bok, żeby przepuścić ich samochód. Joe sądził, że Lenny będzie zainteresowany wydarzeniami, ale on siedział na miejscu pasażera dziwnie osowiały i obojętny.

Red Row było niegdyś wioską górniczą, położoną w głębi lądu zatoki Druridge. Ostatnio w okolicy pobudowały się nowe prywatne domy, wszystkie z oknami wychodzącymi na morze, ale sama wioska nadal wyglądała ponuro. Jakby jej istnienie nie miało sensu. Przy głównej ulicy ciągnęły się szeregowce z czerwonej cegły, dalej było małe osiedle komunalne. I zabity deskami sklep.

– Wejdzie pan? – Lenny mówił z nadzieją w głosie, chociaż spodziewał się odmowy.

– Aye, dlaczego nie? Chętnie napiję się herbaty.

I zanim Joe skończył, Lenny już pukał do drzwi sąsiada, żeby wysępić trochę mleka. Starsza pani, która mu otworzyła, wyraźnie się ucieszyła na jego widok: „Ech, Lenny, chłopcze. Dobrze, że wróciłeś".

Siedząc w małym, zimnym pokoju, Joe zastanawiał się, co on tu robi. Czyżby przyjął zaproszenie z litości?

– Rozmawialiśmy z pańską żoną – rzekł i ugryzł się w język. Nie przemyślał, co powie, a zabrzmiało to jak wścibianie nosa w nie swoje sprawy.

Ale Lenny się nie obraził.

– To ekstrababka – rzucił. – I wspaniała matka.

– Nie myśleliście, żeby jeszcze raz spróbować? – Joe był ciekaw, co by na to powiedziała Vera. Zająłeś się teraz doradzaniem parom, Joey, chłoptasiu? Cóż, może i przyjęliby cię do jakiejś poradni.

Lenny spojrzał na niego i smutno się uśmiechnął.

– Chyba już za dużo wody upłynęło – rzekł posępnie. – Poza tym już dłużej nie mógłbym żyć na czyimś utrzymaniu. Mogłoby być inaczej, gdyby jakiś wydawca podpisał ze mną umowę. Wtedy bylibyśmy na równej stopie. Wie pan, o czym mówię?

Joe kiwnął głową.

– Nie, żebym o tym nie marzył – ciągnął Lenny. – Późną nocą. I nie, żebym nie zrobił wszystkiego, żeby było dobrze.

Wracając do komisariatu, Joe myślał o Lennym. Że jest romantykiem, romantykiem z rodzaju tych niebezpiecznych, którzy dla idealnego związku są gotowi zabić. Tylko Joe nie widział, w jaki sposób śmierć Tony'ego Ferdinanda lub Mirandy Barton mogłaby pomóc Lenny'emu w połączeniu z byłą żoną.

27

Vera umówiła się z Paulem Rutherfordem w bibliotece Lit & Phil w Newcastle. To ona zaproponowała miejsce, bo biblioteka znajdowała się tuż za rogiem dworca, a Rutherford zapowiedział, że może jej poświęcić tylko godzinę: miał już wykupiony bilet na pociąg. Lit & Phil była prywatną biblioteką. Hector się do niej zapisał i ciągał tam Verę na wykłady i spotkania, do czasu aż osiągnęła taki wiek, że mogła zostawać w domu sama. Zwykle Vera gardziła rzeczami i miejscami, które Hector kochał – dla zasady – ale do biblioteki nadal żywiła sentyment i co roku odnawiała swoje w niej członkostwo. Gdy prowadziła szczególnie trudne śledztwo, miała zwyczaj schodzić do podziemia do Sali Ciszy i tam, bez zakłóceń, roztrząsała szczegóły dochodzenia. Nawet już rozpoznawała niektórych regularnych bywalców biblioteki – wysokiego patykowatego mężczyznę, zawsze w kapeluszu na głowie, wytworną historyczkę sztuki, sławnego poetę – i kiwała do nich, ilekroć się spotykali, jakby byli jej znajomymi.

Na górze, w okazałej głównej sali w stylu georgiańskim z jej kopulastym stropem i balkonami, cisza nie obowiązywała.

Tego dnia przy dużym stole siedziało dwóch starszych panów, którzy za pomocą książek i wspomnień odtwarzali historię rzeki Tyne i opowiadali o budowie statków. U kobiety przy stoisku z herbatą Vera kupiła kawę i lepiącą się do palców bułeczkę, potem znalazła spokojny stolik z widokiem na wejście. Gdy usiadła, wygooglowała Rutherforda w Internecie. Miał w nim swoją dobrze zaprojektowaną witrynę, w której na głównej stronie widniało jego zdjęcie. Promiennie się na nim uśmiechał. Ale gdy się pojawił, zachowywał się tak, że pewnie i tak by go rozpoznała: zanim zszedł po szerokich schodach, przez chwilę stał na ich szczycie i niepewnie się rozglądał.

Był ubrany na czarno, ale nieformalnie, dlatego Verze trudno było uwierzyć w to spotkanie w okolicy, którego użył jako wymówki. Politycy przecież zawsze chodzą w garniturach, tak czy nie? Rutherford miał na sobie czarne dżinsy i czarny T-shirt pod czarną marynarką. Pomyślała, że musiał zmarznąć na dworze bez płaszcza, potem jednak przyszło jej do głowy, że może specjalnie tak się ubrał, żeby wywrzeć groźne wrażenie. Czyżby przyjechał, żeby ją zastraszyć?

Ale wyglądało, że najpierw postanowił ją sobą zauroczyć. Wstała, gdy się zbliżał, a on przywitał się z nią jak z dawno niewidzianą dobrą znajomą.

– Inspektor Stanhope. Dziękuję, że zechciała pani poświęcić czas, żeby się ze mną spotkać. Domyślam się, że musi być pani bardzo zajęta. – Mówił z akcentem wyższych sfer z południa, ale bez przeciągania samogłosek. Posłał jej krótki uśmieszek, któremu jednak brakowało ciepła i wesołości. I unikał jej spojrzenia. Dwóch starszych panów przeszło obok nich do wyjścia. W bibliotece oprócz nich została tylko pani sprzedająca herbatę i bibliotekarka za biurkiem.

– Kawy? – zaproponowała Vera. – Czy raczej jest pan z tych, co wolą herbatę?

– Och tak – odparł. – Herbata, zawsze i wszędzie.

Kupiła mu herbatę. Nie zaproponował, że za nią zapłaci. Skąpstwo czy arogancja? Uważał, że jego nie obowiązują drobne towarzyskie uprzejmości? Usiedli za rogiem, z dala od spojrzenia bibliotekarki. Rutherford nie zwrócił uwagi na piękne otoczenie ani na regały z książkami.

– Powiem szczerze – zaczęła Vera – że nie bardzo rozumiem, dlaczego chciał się pan ze mną spotkać. – Posłała mu promienny uśmiech.

– Wciąż w pewnym stopniu czuję się odpowiedzialny za Joannę – odrzekł. – Od naszego rozwodu minęło sporo czasu, ale uczuć nie da się tak po prostu wyłączyć. Przejąłem się, kiedy usłyszałem, że Joanna ma kłopoty.

– A ma? – Vera popatrzyła na Rutherforda szeroko rozwartymi oczami.

To go zbiło z tropu.

– Z tego, co czytałem w prasie, zrozumiałem, że była przesłuchiwana w sprawie o popełnienie morderstwa. Na Tonym Ferdinandzie.

– Przesłuchiwana – rzekła Vera – a nie oskarżona. Przesłuchiwaliśmy wszystkich, którzy przebywali w ośrodku. Nawet pańskiego starego przyjaciela Gilesa Rickarda.

– To jakaś niedorzeczność – obruszył się Rutherford. – Giles muchy by nie skrzywdził. Znam go od dziecka. – Podniósł filiżankę do ust, upił i skrzywił się, żeby pokazać, że pijał lepszą herbatę. Vera zauważyła, że jego dłonie wyglądają starzej niż twarz. Rutherford kontynuował: – Był dla mnie jak drugi ojciec.

– Ale w przypadku Joanny, uważa pan, że byłaby zdolna zabić? – zapytała. Popatrzyła na Rutherforda w taki sposób, jakby jego odpowiedź ogromnie ją interesowała.

– Przecież próbowała zabić mnie! – odrzekł gniewnie w przypływie niemal dziecięcej złości.

– Tylko że tamto to niewątpliwe coś innego. O ile wiem, profesor Ferdinand nie więził Joanny ani jej nie bił. – Vera mówiła spokojnie. Wiedziała, że drugiej szansy nie będzie, i nie chciała wybuchnąć. Poza tym dobrze się bawiła. To było interesujące doświadczenie. Nie często spotykała psychopatów. Przyszło jej na myśl, że ich odsetek jest może nawet większy w parlamencie niż w więzieniach.

Rutherford przez chwilę milczał, potem znowu sztywno się uśmiechnął.

– Zdaje sobie pani sprawę, pani inspektor, że to, co pani mówi, brzmi jak oszczerstwo.

Pochyliła się nad stolikiem i powiedziała ciepło, niemal kokieteryjnie:

– Coś mi się wydaje, panie Rutherford, że nie będzie pan mnie skarżył.

Siedzieli, lustrując się spojrzeniami. Było bardzo duszno. W kaloryferach gulgotała gorąca woda. Na biurku bibliotekarki rozdzwonił się telefon.

– Może już skończmy z tymi gierkami, co? – Vera nagle straciła całą cierpliwość do Rutherforda. – Dlaczego pan przyjechał? Czego pan ode mnie chce?

– Chcę panią ostrzec – odrzekł. – Żeby nie dała się pani zwieść mojej byłej żonie. Ona opowiada różne historyjki. Nie tylko innym, ale również samej sobie. I w końcu zaczyna w nie wierzyć, jak sądzę. Naprawdę pani myśli, że zamykałem ją w mieszkaniu w Paryżu? Że ją biłem? To jakieś melodramatyczne bzdury. – Jego słowa były przesiąknięte zjadliwością. – Jest przekonująca, bezbronna. I bardzo przebiegła. Potrafi sprawić, żeby ludzie ją kochali. Potem robi z nich idiotów. Niech pani nie pozwoli, żeby i panią okpiła, pani inspektor.

Zaczął się podnosić, jakby zamierzał odejść, ale Vera ruchem głowy kazała mu pozostać na miejscu.

– Kiedy ostatnio Joanna kontaktowała się z panem, panie Rutherford?

Nie odpowiedział od razu, jakby się zastanawiał, czy powinien wyjawić prawdę. Albo możliwe, że jemu też podobał się dramatyzm sytuacji i swoim wahaniem chciał podtrzymać napięcie.

– Jakiś miesiąc temu.

– Zechciałby pan wyjawić, czego od pana chciała?

Teraz już naprawdę wstał.

– Pieniędzy, pani inspektor. O to jej właśnie chodziło. Joanna mnie szantażowała. Oczywiście nic jej nie dałem. I to chyba raczej zbieg okoliczności, że nagle jej zdjęcie znalazło się na stronach wszystkich popularnych gazet. Bo nawet mnie trudno byłoby uwierzyć, że zabiła tylko po to, żeby zrobić mi na złość. – Po tych słowach odwrócił się gwałtownie i odszedł. Vera, nie ruszając się z miejsca, odprowadziła go wzrokiem.

W drodze powrotnej Verze przyszło na myśl, że być może przez cały czas myliła się co do Joanny. Możliwe, że Rutherford nie był psychopatą, a tylko zestresowanym facetem, nękanym przez szurniętą byłą żonę. Hipoteza była szokująca: Vera nie lubiła się mylić. Tylko po co były te pieniądze, kotku. Dlaczego zniżyłaś się do szantażu? Akurat tego Vera naprawdę nie potrafiła zrozumieć. Joanna, którą znała, chełpiła się ciuchami ze sklepów charytatywnych, barterowanymi warzywami, lodówką z recyklingu. Joanna uważała, że pieniądze są prostackie, wulgarne, a obsesja na ich punkcie oznaczała brak dobrego smaku. Co mówiła o chciwości? Że to najpodlejsza z wad. Więc dlaczego tak bardzo potrzebuje kasy, że aż zwróciła się do człowieka, którego nienawidzi?

Vera była tak zaintrygowana, że prawie przegapiła zjazd do domu Chrissie Kerr, wydawcy Niny, której adres odnalazła poprzedniego dnia. Chrissie była już wcześniej przesłuchiwana przez Holly. W końcu ona też przebywała w Domu Pisarza tego dnia, gdy zginął Ferdinand. W raporcie z rozmowy Holly napisała, że kobieta nie posiadała żadnych użytecznych informacji, ale Holly nie była najbystrzejsza w odczytywaniu niewypowiedzianych przekazów. Poza tym Vera miała teraz własne powody, żeby spotkać się z wydawcą.

Okazało się, że Chrissie Kerr nadal mieszka u rodziców. Ich dom był niegdyś taką samą ruderą jak chałupa Jacka i Joanny, ale po sprzedaży ziemi rodzice panny Kerr odnowili dom i teraz prezentował się on okazale, był solidny, po obu stronach wejścia miał duże podnoszone okna z widokiem na Park Narodowy. Stodoła, należąca do obejścia, została przerobiona na stylowe biuro, jedna ściana była prawie cała wykonana ze szkła, dach pokryty solarnymi panelami. Szyld, zielone litery na czarnym tle: „North Farm Press". Pomiędzy dwoma budynkami, tam gdzie niegdyś rozciągało się brudne podwórze, białe pasy wyznaczały miejsca postojowe na wyłożonym brukiem dziedzińcu.

Kasy to tu nie brak, pomyślała Vera, wysiadając z samochodu. Chrissie się jej spodziewała, więc sądziła, że za chwilę się pojawi. Zbliżał się środek popołudnia, dzień wciąż był piękny, ale słońce wisiało już nisko. Vera zawahała się, nie wiedząc, czy ma zapukać do drzwi domu, czy do biura.

– Inspektor Stanhope!

Młoda kobieta, dwadzieścia kilka lat, ale pewna siebie i głośna. Z dużym biustem i szerokimi biodrami, ubrana w czarną kieckę, tuszującą większość wypukłości. Vera mało wiedziała o ciuchach, ale domyślała się, że ten rodzaj magii nie jest tani. Sama powinna coś takiego nosić, ale prawdopodobnie skurczyłaby sukienkę już przy pierwszym praniu. Tak czy owak nie miałaby odwagi się w czymś takim pokazać.

– Zapraszam do domu na herbatę. – Syreni głos Chrissie niósł się od drzwi biura. – Zwykle o tej porze robię sobie przerwę. Mama i tata pojechali do miasta, więc będziemy same.

Do czasu gdy herbata została przyrządzona i przyniesiona do salonu, Vera wiedziała już wszystko o Chrissie Kerr. O tym, że mamusia była wykładowcą akademickim, klasycystką, a tatuś naukowcem, i że oboje zrezygnowali z posad na uniwersytecie, żeby przenieść się na wieś.

– Jedno i drugie dostało naprawdę niezłą odprawę. Pobierali najwyższe pensje i uczelnia nie mogła się doczekać, aż się ich pozbędzie. – Chrissie nalewała herbatę, lecz nie przestawała paplać. Vera rozejrzała się po pokoju. Czerwony dywan, przed kominkiem kosztowny bieżnik. Na ścianach oryginalne obrazy: para dużych olejnych malowideł. – Oczywiście rodzice nie przestali pracować. Nadal piszą. I odkąd moja firma się rozrosła, zaangażowali się bardziej w jej działalność.

– Jest pani wydawcą? – Verze wreszcie udało się zadać pytanie. Było oczywiste, ale przynajmniej powstrzymała nim potok słów.

– No tak! Szaleństwo, prawda? Wydawcy kojarzą się z Londynem. Z dużymi biurami. Kobiety i mężczyźni w eleganckich garniturkach. Ale ja sobie całkiem nieźle radzę.

– I wydaje pani książki Niny Backworth?

– Była jednym z powodów, dla których założyłam wydawnictwo. Studiowałam anglistykę w Oksfordzie, potem wróciłam do domu, żeby obronić dyplom w Newcastle. Nina była tam jednym z asystentów. Ona fantastycznie pisze! Jest naprawdę niesamowita. Ale nie mogła znaleźć wydawcy. Więc pomyślałam: Ile jest jeszcze osób takich jak ty? Wspaniałych pisarzy, niedocenionych przez duże wydawnictwa. Pieniądze na otwarcie dostałam od mamy, ale już prawie ją spłaciłam. I jeden z moich autorów dostał się na listę oczekujących do nagrody Man Booker, wyobraża to sobie pani! A recenzje powieści Niny też są oszałamiające. Ale tak naprawdę wybór odpowiedniej powieści to dopiero początek. Na koniec wszystko sprowadza się do marketingu. Jeśli czytelnicy nie słyszeli o książce, jak mają ją przeczytać? Potrzebujemy reklamy. Żeby o nas było głośno. Pracuję nad tym, jednak to trudny rynek.

Zapadła cisza, która po takim zalewie słów wydawała się dość szokująca.

– Ja pracuję w dochodzeniówce – odezwała się Vera. – Nie znam się na pani branży. I dlatego chciałam się z panią spotkać. – Przynajmniej po części dlatego. – Nie jest pani podejrzaną ani świadkiem. Pomyślałam, że mogłaby mi pani pomóc.

– Oczywiście, jeśli tylko będę w stanie.

Vera wiedziała, że kobieta mówi szczerze. Fajnie byłoby mieć w zespole taką młodą, pogodną i przebojową dziewczynę. Pomyślała o Holly – spiętej, rywalizującej – i ciężko westchnęła.

– Pierwszą ofiarą był Tony Ferdinand. Na pewno pani o nim słyszała. I oczywiście spotkała go pani, bo prowadziła zajęcia w Domu Pisarza w ten dzień, gdy został zabity. Druga ofiara to Miranda Barton, pisarka i zarazem właścicielka ośrodka.

– Słyszałam – mruknęła Chrissie. – Pisały o tym wszystkie gazety, więc chcąc nie chcąc, czytałam o morderstwach. To jak jakaś tragiczna opera mydlana z udziałem osób, które się zna. I jedna z pani podwładnych była tutaj po śmierci Ferdinanda odebrać ode mnie zeznania.

– Jak dobrze znała pani profesora?

– W ogóle go nie znałam. Widziałam go tylko raz. Cała moja wiedza o nim pochodzi z tego, co czytałam w prasie i widziałam w telewizji – wyjaśniła Chrissie. – I z tego, co opowiadała Nina. Ale ją trudną nazwać obiektywną obserwatorką.

– Dlaczego ktoś chciał go zabić?

– Nie zdaje sobie pani sprawy, jak wpływową osobą był profesor – zaczęła Chrissie. – Nie był wydawcą ani agentem, ale posiadał ogromną władzę! Przesłałam mu wiele moich tytułów, ale niestety bez odzewu, i to samo robili wszyscy wielcy w branży literackiej z Londynu. Jeśli mu się spodobała jakaś książka, potrafił przekonać wydawcę, żeby ją przyjął, a jego recenzje miały ogromny wpływ na sprzedaż. – Chrissie zauważyła, że Vera nie posiada się ze zdumienia. – Proszę go potratować jak Simona Cowella* światka wydawniczego.

Vera zaczęła się zastanawiać. Lenny Thomas zdawał się lekko traktować swoją karierę pisarską. Marzył, żeby zostać pisarzem, ale nie wierzył, że to możliwe. Mark Winterton bezspornie zdał sobie sprawę z własnych ograniczeń. Ani jeden, ani drugi, w razie gdyby Ferdinand odmówił im pomocy, nie poczułby się na tyle wzburzony, żeby zabić. Ale co z Joanną? Miała bardzo żarliwy stosunek do swojego pisarstwa. Zależało jej, żeby jej opowieść – krzywdy, jakich doznała ze strony poważanego byłego męża – została upubliczniona. Vera pokręciła głową.

– Nieee, nie wierzę, nikt aż tak bardzo nie chciałby zobaczyć swojego nazwiska na okładce książki.

– To lepiej niech pani uwierzy! – Chrissie wyszczerzyła zęby. – Właśnie dlatego Dom Pisarza cieszył się taką popularnością. Mnóstwo osób ma aspiracje i jest przekonanych, że staną się bestsellerowymi autorami.

– Dom Pisarza rzeczywiście był aż tak popularny?

---

* Simon Cowell – angielski łowca talentów i producent telewizyjny, znany jako juror w programach: *Pop Idol, American Idol, Britain's Got Talent* i *X Factor* (przyp. tłum.)

– Oczywiście – potwierdziła Chrissie. – Zyskał niesamowitą sławę i reputację. W trakcie kursu kilku młodych pisarzy znalazło wydawców. Sama jednego do siebie przyjęłam.

– Prowadziła tam pani zajęcia?

– Tak, w zeszłym roku wiosną. A w tym roku oczywiście byłam tam w roli wizytującego wykładowcy. Rano tego dnia, gdy zginął Ferdinand, miałam tam wykład.

– Co pani sądziła o Mirandzie Barton? – Vera przyłapała się na tym, że czekając na odpowiedź, wstrzymuje oddech. Ceniła sobie zdanie Chrissie i uważała, że przemyślenia młodej dziewczyny pomogą pchnąć śledztwo naprzód.

– Uważałam, że Miranda była raczej przeceniana jako pisarka. Pewnie trafiła w nastroje społeczne, skoro tak dobrze się sprzedawała – sama rekomendacja Tony'ego nie wystarczyłaby, żeby zrobić z niej aż taką gwiazdę. Ale bardzo szybko poszła w zapomnienie. Jako osoba wydawała mi się dość dziwna. Żal mi było jej syna. Dobrze gotuje i spokojnie mógłby się nająć do każdej modnej restauracji. Próbowałam go do tego namówić, ale twierdził, że matka go potrzebuje. Możliwe, że tylko tak mówił, a naprawdę brakowało mu odwagi, żeby pójść na swoje.

Vera wstała. Była zawiedziona. Spodziewała się więcej po tej rozmowie, a wyglądało, że wyjeżdża z niczym. Chrissie razem z nią wyszła z domu, obok stojaka na parasole w korytarzu, butów i kurtek.

– Tak się zastanawiałam… – Po raz pierwszy dziewczyna wyglądała na niepewną.

– Tak!

– Myślę, że Dom Pisarza nie powinien przestać istnieć. W sensie, jako idea. Zamysł. Dlatego wpadłam na pomysł, że założę fundację, żeby mógł dalej funkcjonować. I wykupię Alexa, jeśli nie będzie chciał uczestniczyć w projekcie.

– Mnie niech pani o to nie pyta, kotku. Już mówiłam: to nie mój świat.

– Nina pokazywała mi teksty napisane w trakcie kursu. Niektóre są bardzo dobre. Pomyślałam, że zrobię z nich broszurkę, coś w rodzaju próbki, żeby pokazać osiągnięcia Domu Pisarza. Właściwie to Nina wpadła na ten pomysł. Była tu wcześniej; musiała ją pani mijać na drodze. North Farm Press będzie sprzedawało broszurkę w ramach zbiórki funduszów na ośrodek. Wszystkie zyski pójdą na realizację projektu. Co pani o tym myśli? Bo nie chciałabym w jakikolwiek sposób zaszkodzić śledztwu.

Były już na dziedzińcu. Vera zatrzymała się i mrużąc oczy, spojrzała w słońce.

– Kiedy zamierza pani wydać broszurkę?

Chrissie wyraźnie się zmieszała.

– Jak najszybciej.

Vera kiwnęła głową ze zrozumieniem.

– Żeby wykorzystać rozgłos towarzyszący morderstwom?

– Uważa pani, że będzie to odebrane jako coś rażącego?

– Pewnie tak – przytaknęła Vera. – Ale już się zorientowałam, że pisarstwo to nie jest szlachetne powołanie. Sama pani mówiła, że wszystko sprowadza się do marketingu, czyż nie? Więc nie będę pani przeszkadzała. – Wsiadając do land rovera Hectora, Vera się uśmiechała. Opuściła szybę. Do głowy wpadł jej pewien pomysł. – A może urządzi pani przyjęcie na rozpoczęcie kampanii?

28

Kiedy Vera dotarła do domu, zadzwoniła do Joego Ashwortha.

– No i jaki on był – zapytał Joe. – Ten potwór z Unii Europejskiej?

– Ach, Joe, no wiesz, ja nie wierzę w potwory. Choć jeśli ktoś miałby sprawić, żebym zmieniła zdanie, to byłby to właśnie on. I zachowałam spokój. Byłbyś ze mnie dumny. – Przeciągnęła palcem po okiennym parapecie, zostawiając na nim podłużny ślad w kurzu. Dom był bardziej zaniedbany niż za czasów Hectora, a to o czymś świadczyło. Zdawała sobie sprawę, że Joe chciałby usłyszeć całe sprawozdanie, ale sama jeszcze nie wiedziała, co sądzi o Rutherfordzie. Musiała się nad tym zastanowić. – Co teraz robisz?

– Wciąż jestem w biurze – odparł. – Po zeznaniach w hotelu Coquet odwiozłem Lenny'ego Thomasa do Red Row.

– I? – Vera uważała, że Joe to drań o miękkim sercu, ale tym bardziej go za to lubiła.

– Nic. Wygląda, że to miły gość. Szczery. Przesłuchania niczego nowego nie wniosły, chociaż Winterton miał pewne przemyślenia na temat Mirandy Barton. Zastanawiał się, czy przypadkiem nie umarło jej dziecko. Możliwe, że córka. Nie miał na to dowodów, ale mówił, że coś jej się takiego wymsknęło.

– Takie rzeczy łatwo sprawdzić. – Vera nie lubiła domysłów, irytowały ją. No chyba że sama je snuła.

– I dlatego nadal tu siedzę, chociaż żona domaga się, żebym już wracał. Nie ma żadnych danych potwierdzających, że Miranda kiedykolwiek urodziła córkę. Alex jest jej jedynym dzieckiem. Winterton musiał coś pokręcić.

– Muszę porozmawiać z Joanną – oznajmiła Vera. Miała dosyć fantazjowania Joego. – A nie mogę zrobić tego sama.

– Pewnie nie da się z tym zaczekać do rana...

– Aye, czemu nie? – Domyśliła się, że jej natychmiastowa zgoda go zaskoczyła, i aż się do siebie uśmiechnęła. Nie zamierzała się przyznać, że bardziej chodziło o to, że bała się rozmowy z Joanną, że jeszcze nie wiedziała, co powinna powiedzieć. Niech Joe sobie myśli, że ma na względzie dobro jego rodziny. – Trzeba zachować równowagę między pracą a życiem osobistym. Zresztą chyba właśnie tego dotyczyło to memorandum z góry sprzed kilku miesięcy? I nawet jeśli w rzeczywistości szefom zależało na zaoszczędzeniu na nadgodzinach niż na dobru małżeństw, to przecież mnie znasz, kotku, wiesz, że zawsze biorę sobie do serca zalecenia przełożonych.

Znowu się uśmiechnęła, rozkoszując się zaszokowanym milczeniem po drugiej stronie połączenia, po czym odłożyła słuchawkę.

Jeszcze jadła śniadanie, gdy na zewnątrz usłyszała samochód Joego. Dzień znowu był pogody i mroźny. Nad zatoką unosiła się lekka mgła, ale było wiadomo, że wkrótce się rozejdzie. Vera wstała, żeby wpuścić Joego, przy okazji stwierdzając, że furgonetka Jacka nie stoi na podwórzu. Tego dnia w Alnwick odbywał się jarmark, więc Jack wcześnie wyjechał z farmy. Miała nadzieję, że Joanna z nim nie pojechała.

Pchnęła czajniczek z herbatą w stronę Joego i wstała, żeby przynieść mu kubek.

– Śniadanie jadłeś. – To nie było pytanie. Żona dbała o Joego bez względu to, jak wcześnie zaczynał pracę.

– Ale zjadłbym grzankę, jeśli jest,

– Przykro mi, ale nie ma pieczywa. – Nie była to do końca prawda, jednak Vera nie miała ochoty się z tym teraz chrzanić. Joe przyjechał, więc chciała zabrać się do roboty.

– Rutherford twierdzi, że Joanna go szantażuje – powiedziała.

Joe wolno odstawił kubek.

– Wierzy mu pani?

– Tak – odparła. – Wkurza mnie to, ale wierzę.

– Czy to coś zmienia? – Uwagę Joego przykuł widok za oknem, wydawał się nim pochłonięty. Mieszkał w nowoczesnym bliźniaku na spokojnym osiedlu. Vera wiedziała, że wieś budziła w nim uczucie trwogi i podejrzliwości. – Nie bardzo widzę, jaki to może mieć związek z dochodzeniem – dokończył. – W życiu każdego ze świadków znaleźlibyśmy podejrzane sprawki.

– Naturalnie – zgodziła się Vera. – Ale oni ich nie opisują i nie próbują przedstawić całemu światu. – Po tych słowach się zawahała. Nie była przekonana, czy to na pewno prawda. Z zeznań wynikało, że urywek czytany przez Lenny'ego Thomasa w tę noc, gdy zginęła Miranda Barton, też był osobisty. – Tak czy owak – kontynuowała, podnosząc się, bo znowu zaczął jej dokuczać ból w kolanach – może do niej zajrzymy i po prostu zapytamy?

Zastali Joannę w trakcie rozwieszania prania.

– Za godzinę to wszystko zamarznie na kość – rzuciła Vera w ramach przywitania.

Joanna roześmiała się i odparła, że ma dosyć ciuchów wiszących w kuchni.

– Lubię, jak pranie się przewietrzy.

– Przejdziemy się?

Joanna spojrzała na Joego.

– Co się dzieje, Vee? Chodzisz teraz z obstawą? Boisz się, że tobie też poderżnę gardło?

– Ech, kotku, wiesz, jak jest. Nie mogę z tobą rozmawiać bez obecności trzeciej osoby.

Przeszli kawałek drogą, potem wzdłuż skraju świeżo zaoranego pola. Ziemia była zbita na kamień, ale Vera widziała, że Joe martwi się o stan swojego obuwia. Cieszyła się, że są na zewnątrz: ta sprawa od początku wywoływała w niej klaustrofobię. Ciągle gnili w Domu Pisarza, zupełnie jak więźniowie w areszcie. Na obrzeżu pola rósł głóg; drozdy i wróble podjadały jagody. Vera szła w sznureczku za Joanną i Ashworthem, aż dotarli do bramy i szerokiej leśnej przecinki. Wtedy Vera dołączyła do Joanny i rozpoczęła przesłuchanie.

– Nie mówiłaś, że ostatnio kontaktowałaś się z byłym mężem. – Ton wypowiedzi brzmiał niewinnie, ale Vera widziała, że Joanna wyczuła zawartą w niej stalową nutę. – Właściwie to mówiłaś, że boisz się, że Rickard może mu zdradzić, gdzie jesteś.

– Widzę, że rozmawiałaś z Paulem – rzuciła Joanna. – Cóż, mogłam się domyślić, że to zrobisz. – Joanna zwolniła i odwróciła się do Very. – Wszyscy daliśmy się tobie nabrać.

– To nie ja nawiązałam kontakt, tylko twój były mąż – wyjaśniła Vera. – Sądzę, że przyjechał do Newcastle tylko po to, żeby mi opowiedzieć o twoich knowaniach. – Ziemia pod drzewami była wyschnięta, w powietrzu unosił się sosnowy zapach. – Zarozumiały drań z niego, co?

– Tak uważasz? Tak dawno go nie widziałam, że naprawdę już nie pamiętam. Możliwe, że jest tylko wymysłem mojej wyobraźni. – Joanna brodziła stopami w igliwiu. Na jej twarz padały przeświecające przez gałęzie promienie słońca.

– O nie, zapewniam, że jest w pełni realny – mruknęła Vera, pamiętając, że kilka kroków za nimi idzie Joe, starający się jak najmniej rzucać w oczy. – Ale te historie, które mi opowiadałaś. O tym, że cię bił. Zamykał. Były prawdziwe? Bo już sama nie wiem.

– Wiesz co, Vee? – W głosie Joanny słychać było gniew. Vera widziała, że Joanna jest bliska płaczu. – Ja też nie wiem. Może jestem oszustką i mitomanką. Może nie powinnaś wierzyć w ani jedno moje słowo. Każą mi brać tyle prochów, że nic dziwnego, że nie umiem sobie przypomnieć, co się działo te wszystkie lata temu.

Dotarli do miejsca, gdzie prowadzono wycinkę. Stosy pni czekały na wywózkę. Vera przysiadła na jednym i poklepała miejsce obok, zachęcając Joannę, żeby też usiadła.

– Po co ci były te pieniądze? – zapytała. Mówiła łagodnie, niemal matczynym tonem. – Wszystko inne jakoś potrafię zrozumieć, ale nie to. Nie szantaż!

Joanna pokręciła głową, jakby chciała powiedzieć, że tłumaczenie czegokolwiek mija się z celem: Vera i tak nie zrozumie.

– Chodzi o hazard? Narkotyki?

– Nie! Za kogo ty nas masz? Żyjemy z Jackiem jak dwójka starych pryków. Stałam się kurą domową jak moja matka. Tyle że nie mam służby, która wykonywałaby za mnie nudne zajęcia. Ale to kocham. Naprawdę kocham.

– Więc do czego ci pieniądze? – Tym razem pytanie zostało zadane ostrzejszym tonem.

Joanna znowu pokręciła głową.

– Rozmowa z Paulem to był błąd. Szaleństwo. Zadzwoniłam do niego, gdy przestałam brać proszki. Nie myślałam wtedy rozsądnie. I nie kłamałam w sprawie Gilesa Rickarda – nie rozmawiałam z nim, bo się bałam, że Paul mnie znajdzie. Dopilnowałam, żeby Paul nie mógł wyśledzić, skąd do niego dzwonię. I nie widziałam w tym szantażu. Bardziej prośbę o to, co był mi winien. Po rozwodzie nic od niego nie dostałam. Ale nie powinnam była do niego dzwonić. Mogłam przewidzieć, że będą z tego same kłopoty.

Zerwała się z pnia i odbiegła w stronę farmy, jej długi warkocz podskakiwał na plecach. Była zbyt zwinna, żeby Vera zdołała ją dogonić; Joe również nie ruszył się z miejsca. Odprowadzali wzrokiem sylwetkę Joanny, coraz bardziej niewyraźną, migoczącą między drzewami, jak w jakimś starym niemym filmie.

Vera przesunęła poranną odprawę na później tylko po to, żeby mieć czas na rozmowę z Joanną. Teraz jednak zastanawiała się, czy coś w ogóle przez to zyskała? Podejrzliwość w stosunku do Joanny trawiła ją niczym tasiemiec i sprawiała, że ją mdliło. Czy Joanna oszukiwała Jacka? Czy jest oszustką, krętaczką, nie można jej ufać? Czy zrobiła z Very idiotkę, jak sugerował Paul? Tego Vera by nie zniosła. Jednak głęboko w sercu wciąż miała Joannę za dobrą osobę.

Kiedy stanęła przed zespołem, starała się odsunąć od siebie te pytania. Wiedziała, że ludzie są zmęczeni i zdenerwowani, bo tak niewiele udało im się osiągnąć. To był ten etap dochodzenia, w którym desperacja prowadziła do błędów i wyciągania pochopnych wniosków.

– No to, co tam słychać? – zaczęła z promiennym uśmiechem. Niczym dopingująca nauczycielka, dająca uczniom do zrozumienia, że wie, iż jej nie zawiodą. – Co dla mnie macie? Holly?

– Zrobiłam, jak pani kazała, i podzwoniłam po największych agentach literackich i wydawcach, żeby się dowiedzieć, czy Miranda Barton zgłaszała się do nich ostatnio. Lub Tony Ferdinand w jej imieniu. – Holly trzymała przed sobą kartkę papieru. Vera widziała listę nazwisk i starannie wykaligrafowane ptaszki obok każdego. Zorganizowana i wydajna, cała Holly.

– I?

– I nic. Twierdzili, że pamiętaliby, gdyby Ferdinand się z nimi kontaktował. – Holly na chwilę zamilkła. – Ale mówili też, że często się zdarza, że autor, który od dawna nic nie wydawał, nową powieść wydaje pod pseudonimem. Widocznie wydawcy chętniej ryzykują z nowymi nazwiskami niż z kimś, kto od dłuższego czasu się obijał.

Vera pomyślała, że całkiem podobnie jest w większości branż. Łatwiej pokładać nadzieje w młodych bystrzakach niż przesiąkniętych cynizmem byłych gwiazdach.

– Więc? – ponagliła.

– Nina Backworth zabrała rękopis Mirandy po wieczorze czytelniczym i oddała go Joemu – ciągnęła Holly. –

Przefaksowałam tekst do osób z listy, żeby sprawdziły, czy go rozpoznają, w razie gdyby został złożony pod innym nazwiskiem.

– Dobra robota! – Od czasu do czasu oprócz kopniaków w tyłek zespół potrzebował również zachęty. – Ktoś już odpowiedział?

– Jeszcze nie. Ale obiecali, że się odezwą.

– Pogoń ich, jeśli do końca tygodnia nie dadzą znaku życia. – Jakąś asystentkę czekała nudna i żmudna robota. Vera wątpiła, żeby zlecenie wylądowało na początku listy rzeczy do zrobienia. – Coś jeszcze?

– Udało mi się wyśledzić nauczycieli Alexa Bartona, jak pani prosiła. Jednego ze szkoły, drugiego z kursu cateringowego w Newcastle Collage.

– I?

– Nigdy nie stwarzał problemów, ale obie osoby opisały go jako dziwaka. Nie miał wielu przyjaciół. Nie uczył się specjalnie dobrze, chociaż wykazywał szczególne... – Holly zajrzała do notatek – ...zainteresowanie i zdolności do literatury angielskiej. W college'u rozwinął skrzydła. Zawsze najlepszy w grupie. Świetnie gotował. Był dokładny. Czasami wybuchał, gdy coś mu nie poszło, jak chciał, ale ogólnie był pogodny. Jego nauczyciel był zadowolony, że postanowił pracować u matki. Uważał, że mógłby nie dać sobie rady ze stresem w restauracyjnej kuchni, gdzie zawsze jest presja czasu i dużo się dzieje. „Nie najlepiej wypadał w działaniach grupowych". Tak go właśnie opisał nauczyciel.

Vera kiwnęła głową. Zastanawiała się, jak Alex poradzi sobie teraz, gdy został sam. Spojrzała na Holly.

– Te wybuchy, czy kiedykolwiek towarzyszyła im przemoc?

– Nauczyciel o tym nie wspomniał.

– Więc zadzwoń i się dowiedz.

– Zastanawiałam się…

– Aye? – Vera zadbała, żeby jej głos nie brzmiał zbyt zachęcająco. Nie zawsze lubiła ludzi, którzy potrafią samodzielnie myśleć.

– Od początku założyliśmy, że mordercą był ktoś, kto przebywał w Domu Pisarza, ale tak wcale nie musiało być, prawda? Jack Devanney jakoś się dostał do ośrodka tamtego wieczoru. Ferdinand zginął po południu, wtedy drzwi były otwarte. A Barton była na zewnątrz, kiedy ktoś jej poderżnął gardło. Nie twierdzę, że nie zostali zamordowani przez mieszkańca, ale być może nie powinniśmy tego z góry zakładać.

– Słusznie mówisz, kotku. – Vera przymrużyła oczy. – I nie powinniśmy również uczyć ojca dzieci robić.

Holly poczerwieniała, a Vera pomyślała, że jest zbyt surowa dla dziewczyny. Ale nie lubiła, gdy jej się mówiło, jak ma wykonywać swoją robotę. Zwłaszcza gdy osoba, która to czyniła, miała rację.

– Nie, ale na poważnie – zrehabilitowała się. – To słuszna uwaga, którą zresztą już wcześniej słyszałam od Joego. Możliwe, że za bardzo się skupiliśmy na rezydentach. – Rozejrzała się dokoła z naganą w oczach. – Mam nadzieję, że wszystkie kamery monitoringu w okolicy zostały sprawdzone?

– Nie było tego wiele. – Joe posłał szybkie i triumfujące spojrzenie w stronę Holly, zadowolony, że ją uprzedził. – Jedna kamera na stacji benzynowej przy drodze do Seahouses. Sprawdziłem nagrania, ale nie znalazłem nic, co miałoby związek z kimkolwiek zamieszanym w sprawę.

– Charlie. A ty czym się zajmowałeś?

– Pojechałem wieczorem do Carlisle. Żeby dowiedzieć się czegoś o Wintertonie. W moim wolnym czasie.

Vera wyrzuciła ręce w geście udawanego przerażenia.

– Spędził wieczór w pubie i chce za to medal! Mam nadzieję, że nie wracałeś samochodem. Znasz moje zdanie o prowadzeniu pod wpływem.

– Nocowałem u kolegi. – Charlie się nadąsał. – Na cholernie niewygodnej kanapie.

– I czego się dowiedziałeś?

– Była Wintertona właśnie znowu się rozwiodła i wzięła sobie nowego kochasia. Prawnika, połowę od niej młodszego. Zajmuje się prawem karnym, więc chłopaki go znają.

– Znaczy, że Winterton znowu stanie się pośmiewiskiem kolegów – mruknęła Vera. – Jest szanowanym obywatelem, trochę taki nawiedzony święty, a była żona robi z siebie widowisko. Założę się, że chłopaki są zachwyceni.

Charlie wzruszył ramionami.

– Mnie tam się wydaje, że po prostu współczują biedakowi.

– Dowiedziałeś się czegoś jeszcze w trakcie tej szalonej nocy w gronie miłośników owiec? – Vera wiedziała, że to irracjonalne, ale nigdy nie miała dobrego zdania o Cumbrii. Ziemia wygryziona przez owce, artystyczne saloniki herbaciane i całe masy turystów.

Charlie pokręcił głową.

Vera miała właśnie wygłosić motywacyjną mowę końcową i wysłać ludzi do dalszej owocnej pracy, gdy nagle rozległo się pukanie do drzwi. Posterunkowa z tak przeciągłym akcentem, że Vera ledwie ją rozumiała.

– Pani inspektor.

– Czego tam?

Kobieta dzielnie kontynuowała.

– Był telefon, pani inspektor. W sprawie Niny Backworth. Miejscowy patrol już tam był, ale wiadomość brzmiała tak, jakby to było coś ważnego.

29

Nina sądziła, że w domu poczuje się lepiej. Swobodniej. Wreszcie będzie mogła zapomnieć o koszmarze z Domu Pisarza. Ale już w chwilę po wejściu, gdy podniosła pocztę z podłogi, zrozumiała, że zmiana miejsca nie pomoże. Wręcz przeciwnie, poczuła się jeszcze bardziej zdenerwowana i spięta. Mieszkanie, które kupiła ze spadku po dziadkach, zwykle było jej schronieniem, miejscem ucieczki od drobnych nieprzyjemności uniwersyteckiego życia. Znajdowało się na pierwszym piętrze ostatniego domu w rzędzie wiktoriańskich szeregowców. Pokoje były wysokie, okna wychodziły na cmentarz: połać zieleni w środku miasta. Gdy tylko ujrzała ten widok, zakochała się w nim: w drzewach i starych szarych nagrobkach. Lubiła się przyglądać, jak starsze panie układają na nich kwiaty. Ale teraz czuła straszliwe osamotnienie. Włączyła radio. Akurat leciał ten idiotyczny program z telefonami od słuchaczy, który zwykle doprowadzał ją do szału, jednak w obecnej chwili cieszyła się, że słyszy w tle ludzkie głosy.

Poszła do kuchni, żeby przełożyć do lodówki i szafek zakupy, które zrobiła po drodze w supermarkecie. Potem przygotowała sobie kanapkę i popijając sok, włączyła laptop, żeby sprawdzić pocztę. W Domu Pisarza nie było dostępu do Internetu. To przemyślana decyzja, oznajmiła Miranda. Nie chciała, żeby kursantów cokolwiek rozpraszało. W poczcie nie było nic interesującego: kupa spamu i kilka prac studentów. Lenny Thomas zdążył przesłać swoją powieść. Jedyna ciekawa wiadomość pochodziła od Chrissie, która proponowała, żeby się spotkały i omówiły wypromowanie nowej powieści.

Idąc za ciosem, Nina wyciągnęła komórkę i zadzwoniła do Chrissie.

– Pewnie nie masz dzisiaj czasu, ale jutro wracam do pracy i mogę mieć problem z wyrwaniem się.

– Ależ nie, przyjeżdżaj. Nawet zaraz. Mam jeszcze trochę roboty papierkowej, ale to może zaczekać.

Nina wyraźnie słyszała, że Chrissie jest podekscytowana. Ale nie chodzi o powieść, pomyślała. Chodziło o morderstwa. We wszystkich budziły niezdrową ciekawość.

Nina polubiła Chrissie już przy pierwszym spotkaniu, gdy dziewczyna zgłosiła się na zajęcia. Nie było w niej cienia pretensjonalności mimo dobrego wykształcenia i oczywistej inteligencji. Z całej duszy kochała literaturę i książki wprost pożerała. Ukończyła studia, jednak nie kusiło jej, żeby pójść dalej w tym kierunku. „Na świecie jest wystarczająco wielu złych pisarzy – zwierzyła się kiedyś Ninie; było to wtedy, gdy wpadła na pomysł założenia własnego wydawnictwa. „Nie potrzebny mu jest kolejny. Mój czas i energię wolę poświęcić na promowanie dobrych autorów. Na przykład ciebie".

Powstanie North Farm Press zapoczątkowało ich współpracę, która przynosiła korzyść każdej ze stron. Nina czuła się doceniona, co dodawało jej pewności siebie i sprawiało, że miała odwagę eksperymentować z pisaniem. Chrissie wyrabiała sobie markę. I nawet trochę zarabiała.

Chrissie wybiegła z biura, gdy tylko Nina pojawiła się na podjeździe.

– To musiał być koszmar! – wołała już z daleka. – Pewnie byłaś przerażona. Ja bym była: ten upiorny dom i morderca na wolności.

Ale Nina pomyślała, że Chrissie wcale by się nie bała. Należała do tego typu kobiet, które nie boją się niczego. Można ją sobie było wyobrazić w roli nieustraszonej misjonarki, przedzierającej się przez afrykański busz tylko z plecakiem, Biblią i parasolką dla ochrony.

I jakby czytając jej w myślach, Chrissie dodała:

– Chociaż czuję się trochę oszukana. Wyjechałam stamtąd akurat, gdy wszystko się zaczęło...

– A ja nadal nie mogę uwierzyć, że to się naprawdę wydarzyło – rzuciła Nina. – Teraz mam wrażenie, jakbym oglądała sztukę. Jakąś tragedię. Na przykład Webstera. Ta cała krew...

– Ale jeśli chodzi o moment, to nie mógł być lepszy! – Chrissie nie potrafiła poskromić entuzjazmu. – Mam na myśli promocję nowej powieści. Umówiłam już kilka wywiadów z krajowymi gazetami. I oczywiście z Radiem Newcastle. – Musiała zdać sobie sprawę, że brzmi bezdusznie, bo zmarszczyła czoło. – To chyba nic złego, jak sądzisz? Mirandzie by to nie przeszkadzało. Też potrafiła być ekspansywna, kiedy chciała.

Nina, idąc za Chrissie do biura, nie odpowiedziała bezpośrednio. Usiadła na małej czerwonej sofie stojącej pod jedną ze ścian.

– Czy Miranda zwracała się do ciebie z jakąś swoją książką? Policja pytała mnie, czy nadal pisała. Właśnie do mnie dotarło, że ty wiedziałabyś o tym więcej niż ja.

– Nie, nie zwracała się – odparła Chrissie bez zastanowienia. Przewracała papiery na biurku, szukając listy wywiadów, które umówiła dla Niny. – A szkoda. Sprzedawałaby się teraz jak gorące bułeczki.

Przez moment rozmawiały o kampanii reklamowej.

– W Szkocji jest kobieta z „Timesa". Obawiam się, że nie puszczą powieści w Londynie, ale książka pojawi się na ich stronie. Będzie wspaniale. I ta babka w każdej chwili jest gotowa przyjechać z Edynburga. I co powiesz o wywiadzie w *Woman's Hour*?

Nina pomyślała, że jeszcze miesiąc temu poszłaby kupić szampana, żeby uczcić to całe zainteresowanie. Teraz jednak miała wrażenie, że wykorzystuje czyjąś śmierć.

– Przypuszczam, że wszyscy głównie będą pytali o morderstwa w Domu Pisarza.

– Ależ to oczywiste, kochanie! – Czasami Chrissie dla żartu mówiła pretensjonalnym tonem. – Wcale by mnie to nie zdziwiło. Prowadziłaś zajęcia na temat kryminałów, a tu nagle ginie dwoje ludzi w dramatycznych i przerażających okolicznościach. Aż trudno opisać, jaka to pychota. – Siedziała na swoim biurku i nachylała się do Niny. – Pójdziesz na te wywiady, Nino, prawda? Przecież nawet niespecjalnie lubiłaś tę dwójkę. Poza tym to może być przełom, którego potrzebujesz. Szkoda tylko, że nie promujemy kryminału.

– Zaczęłam pisać nowelę kryminalną – przyznała się Nina. – Jeszcze w ośrodku...

– Naprawdę? Skończyłaś ją?

– Nie nadaje się jeszcze do pokazania. I jest króciutka.

– Tak czy inaczej, może weźmie ją jeden z tych bardziej inteligentnych kobiecych magazynów. Nawet znam osobę, z którą powinnam pogadać. – Chrissie od razu zaczęła przeglądać notes z telefonami. Nina pomyślała, że nie widziała jej jeszcze tak podekscytowanej.

– Kilka osób z kursu zrobiło na mnie duże wrażenie – powiedziała na głos z nadzieją na zmianę tematu. Nie była przekonana, czy chce, żeby Chrissie sprzedała jej opowiadanie. Nowela była dobrze napisana, ale fabuła tak bardzo przypominała rzeczywiste wydarzenia, że nie wypadało, żeby tekst stał się przedmiotem rozrywki. – Może powinnaś przejrzeć ich teksty, zanim się zwrócą do większych wydawców.

Chrissie znieruchomiała.

– Opowiedz mi o nich.

– Jedna z tych osób to Joanna Tobin. Ona i mąż prowadzą małe gospodarstwo rolne. Jej tekst opowiada o maltretowanej kobiecie. Drugi jest Lenny Thomas. Kiedyś pracował w kopalni odkrywkowej, do czasu aż się nabawił problemów z kręgosłupem. Siedział pół roku, więc zna się na temacie.

I to w tym momencie Chrissie wpadła na pomysł wydania zbioru prac kursantów, chociaż w jakiś sposób wykręciła to tak, że wyszło, iż pomysł poddała Nina.

– Ależ tak! Już to widzę. Próbki tekstów, żeby pokazać, czym się zajmowaliście na kursie. – I kilka sekund później puściła bombę, mówiąc, że zastanawia się, jak zrobić, żeby Dom Pisarza nadal funkcjonował.

– Inspektor Stanhope nigdy tego nie przełknie – orzekła Nina.

– Oczywiście, porozmawiam z nią o tym. – Chrissie spojrzała na zegarek. – W zasadzie nawet już zaraz. Ma tu być za piętnaście minut. Dzwoniła i umówiła się na spotkanie. Chociaż nie wiem, w jaki sposób jej zdaniem mogłabym pomóc. Nawet mnie tam nie było.

Nina pomyślała, że wcale nie ma ochoty tak szybko znowu zobaczyć się z Verą Stanhope. Gdyby chodziło o sierżanta, może by została. Jeszcze mu nie podziękowała, że rano pozwolił jej wrócić do domu. Dlatego pożegnała się z Chrissie i odjechała.

Wieczorem namówiła znajomego, żeby wybrał się z nią na kolację. Ian pracował na uniwersytecie i żywił nadzieję – o czym Nina świetne wiedziała – że pewnego dnia połączy ich coś więcej niż tylko przyjaźń. Miała go za słodkiego chłopaka, ale jej nie pociągał, dlatego dręczyły ją wyrzuty sumienia, że go wykorzystuje. Spędzili razem miły wieczór we włoskiej knajpce niedaleko jej mieszkania. Zachęcona współczuciem Iana, cały wieczór opowiadała o swoich strasznych przeżyciach. Wypili butelkę wina.

Na koniec Ian zaproponował, że ją odprowadzi, ale przy okazji dotknął jej ręki i dodał, że zawsze może na niego liczyć, więc wiedziała, że będzie niezręcznie, kiedy dotrą do niej, bo pewnie Ian będzie chciał ją pocałować. A ona, czując się tak osamotniona, może nawet zaprosiłaby go na górę i się z nim przespała. To by doprowadziło do okropnych komplikacji. Więc uścisnęła jego rękę, podziękowała i powiedziała, że nie musi jej odprowadzać. W końcu do domu miała niedaleko.

– Chyba rozumiesz, Ianie, dlaczego chcę być dzisiaj sama, prawda?

Skinął ponuro głową i odrzekł, że oczywiście rozumie. Chociaż to był absurd, bo gdyby chodziło o kogokolwiek innego, na pewno wolałaby towarzystwo tej osoby niż samotność.

Zostawiła go przed restauracją i szybko odeszła, przypuszczając, że będzie za nią patrzył, przynajmniej aż dotrze do rogu budynku. Znowu było lodowato i z jej ust wylatywały białe obłoczki pary. Schowała dłonie do kieszeni płaszcza. Była zaledwie ósma, ale ludzie chyba wystraszyli się zimna i siedzieli w domach. Nie licząc głównej ulicy, reszta była opustoszała. Zasłony w oknach zaciągnięte. Wydało jej się, że słyszy za sobą kroki. Może Ian, ryzykując jej niezadowolenie, postanowił jednak zabawić się w dżentelmena. Ale kiedy się obejrzała, nikogo nie zobaczyła.

Później szła tak szybko, ostatnie sto metrów prawie biegła, że kiedy dotarła do mieszkania, nagle zrobiło jej się bardzo gorąco. Podczas jej nieobecności włączyło się ogrzewanie. Zamknęła drzwi, ciesząc się, że mieszka na pierwszym piętrze. Nie groziło jej, że ktoś zakradnie się do niej przez okno.

Nigdy w ten sposób nie myślałam. Nigdy się nie bałam. Czy właśnie tak działa brutalna przemoc na postronnych świadków? Z nas też czyni ofiary naszego własnego lęku?

Przygotowała sobie kąpiel i leżąc w wodzie, rozmyślała o spotkaniu z Chrissie. O tym, że Chrissie wydawała się taka pełna energii, taka silna. Czy gdyby ostatni tydzień spędziła w Domu Pisarza, też wyobrażałaby sobie kroki w ciemności? Prawdopodobnie nie. Zastanawiała się, czy Chrissie wciągnie na listę swoich autorów Joannę i Lenny'ego i co z tego wyniknie dla niej, gdyby do tego doszło. W pewnym sensie staliby się jej konkurencją. Przyszło jej nagle na myśl, że nie chce nigdy więcej spotkać ani jednego, ani drugiego. Lenny już zdążył jej przysłać w mailu całą powieść: „Wiem, że to zuchwała prośba, ale czy zechciałabyś do tego zajrzeć i powiedzieć, co o tym sądzisz?" Nie otworzyła załącznika ani nie przesłała odpowiedzi. Życzyła obojgu wszystkiego najlepszego jako pisarzom, ale nie chciała, żeby coś jej przypominało miniony tydzień.

Kiedy się położyła, włączyła stojące przy łóżku radio. Długo nie mogła zasnąć, więc słuchała BBC World Service, w którym mowa była o powodziach w Pakistanie, ulicznych rozruchach w Rio i trzęsieniu ziemi w Meksyku. Wielkie tragedie, przez które te miejscowe wydawały się mniejsze. Ale dla niej nadal były ważne, bo znała osoby, których te tragedie dotknęły. Znała po imieniu. I nie lubiła ich.

Obudziła się nagle, radio nadal mamrotało jej do ucha. Wiedziała, że jest środek nocy. Wyciągnęła rękę i wyłączyła radio. Cisza. Potem kroki w sąsiadującym z sypialnią salonie. To tylko moja wyobraźnia. Przypomniało jej się, jak się obudziła w nocy w Domu Pisarza, wystraszona wizją krwi i śmierci. Wtedy to był tylko koszmar i teraz też tak jest. Zachowuję się jak wariatka.

W jej mieszkaniu nie dało się chodzić cicho. Deski podłogowe skrzypiały. Drzwi frontowe były wypaczone i żeby je zamknąć, trzeba nimi było porządnie trzasnąć. Dopiero teraz do niej dotarło, że musiało ją obudzić właśnie to trzaśnięcie. Jeśli będę leżała cicho, zabiorą, co chcą zabrać, i odejdą. Ale kroki z salonu zmierzały ku sypialni. Bezwiednie zaczęła krzyczeć. Potem do jej krzyku dołączyło się wycie syreny –

na zewnątrz przejechał wóz policyjny albo karetka. Kroki zabębniły na klatce schodowej, drzwi frontowe zamknęły się z hukiem i potem znowu zapadła cisza.

Nina zerwała się z łóżka i zarzuciła na siebie szlafrok. Czyżby sąsiedzi widzieli, że ktoś się do niej włamał, i wezwali policję? Pobiegła do salonu i wyjrzała przez okno. Ale na ulicy panował spokój. Przejazd pojazdu na sygnale był sprawą przypadku. Miała szczęście. I nigdzie nie dostrzegła włamywacza. Gdzieś z głębi ulicy doszedł ją odgłos uruchamianego silnika.

Spróbowała uspokoić oddech. Może ten cały incydent to jednak tylko koszmarny sen wywołany przez ostatnie tragiczne wydarzenia. Zaparzy sobie rumianku i spróbuje zasnąć. Włączyła światło, chcąc sprawdzić, czy znajdzie ślady włamania. W pokoju panował porządek. Wydawało się, że nic nie zostało przestawione ani nie zginęło. Ale na środku stołu stała kryształowa misa po brzegi wypełniona dojrzałymi morelami.

30

Vera posłała Ashwortha, żeby zajął się incydentem w mieszkaniu Niny Backworth. Reszta załogi była podekscytowana wiadomościami o włamaniu. Dochodzenie tak się ślimaczyło, że cieszyło ich wszystko, co mogło pchnąć je naprzód.

– Zbyt duży zbieg okoliczności, jeśli włamanie nie ma związku ze sprawą morderstw. – Holly, której oczy błyszczały podnieceniem, była gotowa jechać natychmiast.

Ale Vera zdawała się pochłonięta jakimś własnym projektem. Joe pomyślał, że pewnie w trakcie odprawy coś jej przyszło do głowy, skojarzyła jakieś fakty albo dostrzegła te, które im umknęły. Od czasu do czasu miewała takie przebłyski inspiracji; zwykle do niczego nie prowadziły, ale czasami okazywały się ważne i kierowały śledztwo na nowe, interesujące tory. Teraz machała rękami, odsyłając go do jego zadań.

– Sam dokonaj oceny. Będziesz wiedział, czy to był tylko zbieg okoliczności – jakiś łachmyta próbował swojego szczęścia – czy sprawa ma związek z dochodzeniem. Pewnie nie. Ekipa techników już tam była. Holly, zacznij poganiać wydawców. Muszę wiedzieć, co knuła Miranda. To jest teraz nasz priorytet.

Joe pojechał, w skrytości ducha zadowolony, że ma pretekst, żeby znowu zobaczyć się z Niną, ale również urażony, że Vera nie powiedziała mu, na co wpadła. Zwykle była tak uradowana, że od razu dzieliła się z nim swoimi często idiotycznymi pomysłami. Kiedy dojechał do Newcastle, przez chwilę siedział w samochodzie przed budynkiem, w którym Nina mieszkała. Była pora lunchu i z prywatnej szkoły na końcu ulicy wyszły uczennice. Rozchichotane, minęły jego auto, roztrząsając stopami leżące na chodniku suche liście. Zaczekał, aż odejdą jeszcze dalej, wysiadł i zadzwonił domofonem.

Na widok Niny uznał, że była ubrana do pracy. Jego zdaniem wyglądała bardzo elegancko.

– To naprawdę okropny kłopot. – Była rozzłoszczona. – Musiałam odwołać zajęcia na uczelni, a po południu mam wywiad w radiu.

– Nie zajmę pani dużo czasu.

Niespodziewanie opuściła twarz w dłonie.

– Och Boże, przepraszam. Przecież to nie pana wina, poza tym cieszę się, że pan przyjechał. Boję się. Jestem totalnie przerażona. Obudziłam się w środku nocy i okazało się, że w moim mieszkaniu ktoś jest. Myślałam, że czeka mnie ten sam koniec, co tę zmarłą dwójkę.

– Wcale się pani nie dziwię, że się pani boi.

Wprowadziła go do dużego salonu z dużym oknem w wykuszu. Wszystkie meble były stare. Jedną ścianę zapełniał regał z książkami. Pod oknem stało biurko, długie niebieskie zasłony z aksamitu sięgały ziemi. Na podłodze leżał szary dywan.

– Widzę, że jest porządek – rzekł. – Niczego pani nie przestawiała?

– Nie wierzy mi pan? – Odwróciła się do niego i zobaczył, że jest bliska histerii.

– Oczywiście, że wierzę. Czy coś zginęło?

Pokręciła głową.

– O ile się orientuję, nie.

Pomyślał, że wiedziałaby, gdyby czegoś brakowało. W mieszkaniu panował wzorowy porządek. Nina była zorganizowaną osobą.

– Ale włamywacze coś przynieśli. – Wskazała szklaną misę, w której leżały małe owoce. Wyglądały tak perfekcyjnie, że gdyby nie zapach, pomyślałby, że nie są prawdziwe, że zrobiono je z drewna albo porcelany i pomalowano. – Stały na stole. Włamywacz je zostawił. Celowo. Dlatego wszedł najpierw do salonu. Potem chciał przejść do sypialni, ale wystraszyły go syreny.

– To morele, prawda? – Zastanawiał się, czy Nina Backworth przypadkiem nie traciła rozumu. Kiedy ją ostatnio widział, była tak spięta, tak roztrzęsiona, że wcale nie byłby zaskoczony.

– Tak.

– Po co włamywacz miałby przynosić morele? Może kupiła je pani wcześniej i po prostu o nich zapomniała. – Mówił łagodnym tonem. – Sądząc po zapachu, są bardzo dojrzałe. Mogły tu stać od tygodnia.

– Nie kupiłam ich – zaprzeczyła. Była nachmurzona i trochę zła, ale jednak całkiem przytomna.

– Nie ma żadnych śladów włamania. – Usiadł na porysowanym skórzanym fotelu.

– Nie, nie ma, czego również nie pojmuję. Jakby włamywacz był duchem i potrafił przenikać przez ściany.

– Bardziej prawdopodobne, że miał klucz – rzucił Ashworth. – Posiada pani zapasowe klucze? Dawała je pani komuś kiedykolwiek? Jakiemuś znajomemu? – Po głowie mu chodziło, że owoce mogą służyć za wiadomość. Może od kochanka. Albo od pijanego studenta, który uznał, że fajnie będzie wystraszyć profesorkę. Włamanie mogło nie mieć związku z dochodzeniem w Domu Pisarza.

– Nie, nigdy nikomu nie dawałam moich kluczy. I zawsze mieszkałam sama.

– Ale ma pani zapasowy komplet? Może to pani sprawdzić?

– Ma go sąsiad. Ale Dennis mieszka tu tak długo jak ja. Nie zrobiłby mi takiego kawału.

Dennis był niskim, schludnym panem po sześćdziesiątce. Pracował jako inżynier w stoczni, a po śmierci żony przeprowadził się do mieszkania na parterze w bloku Niny. Te informacje Nina przekazała Joemu, gdy schodzili na dół. Dennisa znaleźli na podwórku przed jego mieszkaniem, zajętego zamiataniem liści. Nina powiedziała mu o włamaniu i zapytała o klucze.

– Wiszą w kuchni, tam gdzie zawsze. – Mężczyzna wyglądał na urażonego, jakby to jego Nina oskarżała o włamanie. – Sama zobacz. – Przez zakończoną półkolem bramkę z boku domu zaprowadził ich do otwartych drzwi kuchennych. Nad zlewem wisiał rząd haczyków, każdy z własną etykietką. Ten, nad którym widniał napis „Nina", był pusty.

– A więc to nie duch – rzekł Ashworth. Znowu siedzieli w mieszkaniu Niny. Nina zrobiła kawę i kanapki. Żart był kiepski, ale Joe chciał rozweselić Ninę. Nie wiedział, czy poradziłby sobie, gdyby zaczęła płakać. – Zanim wyjdę, zaczekam na przyjście ślusarza.

– Tylko po co aż tyle zachodu? – Teraz była wściekła. Joe pomyślał, że tylko gniew trzyma ją w kupie. – Czekać, aż Dennis wyjdzie do ogrodu i zakraść się do mieszkania po klucz. A przede wszystkim, skąd włamywacz wiedział, że Dennis ma mój klucz?

– Mówiła pani komuś o tym? Znajomym?

Pokręciła głową.

– A więc włamywacz musiał sam na to wpaść – orzekł Joe. Ale myślał, że mają do czynienia z kimś inteligentnym. Lub doświadczonym. Ktoś starannie to zaplanował, zrobił wcześniej rekonesans obu mieszkań. I podobnie jak Nina, Joe zastanawiał się, dlaczego ktoś zadał sobie aż tyle trudu. – Jest pani pewna, że włamywacz niczego nie wyniósł?

– Stuprocentowo. – Podniosła wzrok znad kawy. – Chyba zdaje sobie pan sprawę, że byłam celem, tak jak Tony Ferdinand i Miranda? Gdyby włamywacza nie wystraszyły syreny, zabiłby mnie jak tamtych.

Ashworth nie odpowiedział. Wyczuwał, że Nina jest coraz bardziej przerażona, ale nie potrafił wymyślić, co powinien powiedzieć, żeby nie karmić jej strachu.

– Czy morele pojawiły się w jakimś tekście napisanym w trakcie kursu? – zapytał na koniec.

– Widzę, do czego pan zmierza. – Pokiwała głową z aprobatą. – Myśli pan, że włamywacz odtwarzał scenę z czyjegoś opowiadania w ten sam sposób, jak morderstwo na tarasie zostało wykradzione z mojej noweli. Ale nie, nie pamiętam, żebym gdzieś czytała o morelach. Oczywiście nie widziałam wszystkich prac. Chociaż kiedy zobaczyłam morele, przypomniało mi się coś innego, co czytałam, ale to było dawno.

– Gdzie znajdę te prace kursantów?

– Lenny przysłał mi swoją powieść w poczcie. Mogę ją panu teraz pokazać, jeśli pan chce. I już dostał pan ode mnie ten akapit, który Miranda czytała na przyjęciu.

Joe kiwnął głową.

– Tam nie było mowy o owocach – rzucił, z zadowoleniem stwierdzając, że wywołał u Niny słaby uśmieszek. – A co do Lenny'ego, to poproszę, żeby też mi przesłał swoją powieść. – Spojrzał na Ninę. – Ma pani jakieś miejsce, gdzie mogłaby pani się na jakiś czas przenieść? Może któraś przyjaciółka by panią przygarnęła?

– Myśli pan, że tu nie jest bezpiecznie? Nawet ze zmienionymi zamkami?

Ponownie starał się mówić lekkim tonem.

– Martwiłbym się o panią. – Nie był to do końca dowcip, ale Nina znowu lekko się uśmiechnęła.

Wydawało się, że początkowo pomysł uznała za nierealny, ale potem się zastanowiła.

– Zapytam Chrissie, mojego wydawcę. Ma duży dom. – Sięgnęła po telefon, ale nie wybrała numeru od razu. – Myślę, że ktoś mnie wczoraj śledził – powiedziała. – Skąd mam wiedzieć, że ten ktoś nie pojedzie za mną do North Farm?

– Przed wejściem obserwowałem ulicę – poinformował. – Nikogo tam nie było.

Stał na drodze i machał Ninie na pożegnanie. Teraz uczniowie z prywatnej szkoły wylewali się z bramy po skończonych lekcjach. Dwóch małych chłopców podrzucało kasztany zawieszone na sznurówkach. Kilku rodziców w luksusowych samochodach czekało na wyjście dzieci, ale żaden z samochodów nie odjechał za Niną. Joe wsiadł do własnego auta i wrócił do komisariatu.

W biurze była tylko Holly, wpatrzona w monitor komputera. Kiedy usłyszała, że wchodzi, podniosła wzrok.

– I jak tam Nina? Trzymała się?

Wzruszył ramionami.

– Była przerażona, ale udawała odważną.

– I co się tam wydarzyło? Zwykłe włamanie?

– Nie – zaprzeczył. – Wszystko, tylko nie to. – Był zdziwiony, że w biurze jest tak spokojnie. – Gdzie szefowa? – Wciąż nie potrafił mówić „Vera", było mu trudno nawet, gdy byli sami w pubie lub gdy Vera dzieliła się z nim swoimi pomysłami u niej w domu.

– Dzwoniła do Alexa Bartona, a potem zniknęła. Pojechała na wybrzeże, ale nie mówiła, dokąd dokładnie jedzie. Wiesz, jak czasami jest. Udaje nieodgadnioną. Powiedziała, że zobaczy się ze wszystkimi jutro na odprawie.

Joe zawsze czuł się nielojalny, obgadując Verę za jej plecami.

– A Charlie?

– Kto to wie? – Holly wyprostowała się i potarła kark.

Joe kiwnął głową w stronę monitora.

– Nad czym pracujesz?

– Próbuję odszukać wydawcę Mirandy. Nakłady jej powieści już są wyczerpane i nie ma ich na Amazonie. Nikt nie rozpoznał tego urywka, który czytała w Domu Pisarza. Nic nie potwierdza teorii Very, że Miranda znowu zaczęła pisać.

– Poza urywkiem, który odczytała.

– Hm – mruknęła Holly. – Mogła go napisać dawno temu.

– Szefowa ma tu gdzieś jedną z jej książek. – Ruchem głowy pokazał biuro Very. – Widziałem ją na jej biurku. *Okrutne kobiety*, taki miała tytuł. Całkiem adekwatny, moim zdaniem.

Holly nadal się uśmiechała, gdy wrócił z książką.

– Zdaje się, że podwędziła ją z domu Mirandy. Nazwa wydawnictwa powinna być wydrukowana na stronie tytułowej. – Otworzył książkę. – *Rutherford.* Niewiele ci to pomoże, jeśli próbujesz się dowiedzieć, czy Miranda chciała wydać nową książkę. Giles Rickard mówił szefowej, że Rutherford Press przejęło dawno temu duże międzynarodowe konsorcjum. – Odwrócił się do Holly, żeby sprawdzić, czy słucha. Nienawidziła, kiedy jej się mówiło, co ma robić. – Chociaż nadal mogą tam pracować ci sami ludzie. Warto zaryzykować.

Zamknął książkę i wsunął ją do kieszeni marynarki. Zastanawiał się, czy to kolejny zbieg okoliczności. Rutherford, który zarządzał firmą wydającą powieści Mirandy, był teściem Joanny Tobin. Był też ciekawy, czy Vera od początku znała nazwę wydawnictwa, ale chciała zobaczyć, jak długo Holly zajmie dotarcie do tej informacji. Nie, pomyślał, nawet Vera nie byłaby tak małostkowa.

– Dokąd się wybierasz z tą książką? – Powinien był się domyślić, że Holly, taka bystra, zauważy, co się dzieje.

– Chcę ją przeczytać – odparł. – Zobaczę, czy jest w niej coś o morelach.

31

Dalej na północy pogoda uległa nagłej zmianie: nadciągające od wschodu chmury zasłoniły słońce, zerwał się północny wiatr przeciskający się przez szpary wokół szyb land rovera. Zima wcześnie się zaczęła. Vera nie ostrzegła Gilesa Rickarda, że przyjeżdża, ale nie wydawał się zaskoczony, gdy zapukała do drzwi. Jego letniskowy dom stał w Craster, przodem do przystani. Na froncie rozciągał się wąski ogródek, rośliny były podwiędnięte i oblepione solą. Pojawiły się pierwsze krople deszczu.

– Mój ojciec przyjeżdżał tu każdej zimy – powiedziała Vera, spoglądając w dół na odsłoniętą plażę. – Po śródziemnomorską mewę. Przylatują tu jesienią, regularnie jak w zegarku.

Rickard nie odpowiedział.

– Czyli mam rozumieć, że nie interesuje pana obserwowanie ptaków? Aye, cóż, to faktycznie żadne hobby. Poza tym pewnie cały czas poświęca pan pisaniu. Ale te śródziemnomorskie mewy to takie długie ptaszyska. Nawet ciekawe. Niech pan kiedyś kogoś poprosi, żeby je panu pokazał. – Weszła za Rickardem do domu.

Dacza była nieduża i urządzona bez pretensjonalności. Z drzwi frontowych wchodziło się prosto do salonu, w którym stał piecyk na drewno, pod oknem stół i kilka foteli. Vera rozejrzała się, robiąc zdziwioną minę.

– A gdzie komputer?

– Już nie piszę, pani inspektor. Przeszedłem na emeryturę.

– To znaczy, że co? Obudził się pan pewnego dnia i stwierdził, że koniec ze snuciem opowieści?

– Tak – potwierdził. – Właśnie tak było.

– To co pan robi całymi dniami? – Naprawdę była ciekawa. Mieli z Rickardem wiele wspólnego. Brak rodziny. Mało znajomych. Mogła się czegoś od niego nauczyć, żeby w przyszłości łatwiej znosiła własną emeryturę.

– Czytam – odparł. – Rozmyślam. Wspominam.

– Aye, cóż, właśnie to mnie tu sprowadziło: pańskie wspomnienia.

– Naprawdę nie sądzę, żebym był w stanie pani pomóc, pani inspektor. Powiedziałem już wszystko, co wiem. – Mówił stanowczym tonem. – Kupiłem ten dom, żeby mieć spokój. W Londynie ciągle ktoś mnie nagabywał: dziennikarze, studenci. Myślałem, że to się skończy, gdy przestanę pisać, ale tak się nie stało. Tu właśnie umykam przed niepożądanymi rozmowami.

– Ale dla mnie proszę jednak zrobić wyjątek – rzuciła Vera. – Pokonałam długą drogę. – Zasiadła w jednym z foteli, wygodnie się w nim zatapiając, na znak, że trochę tu zostanie.

Rickard popatrzył na nią i chyba uznał, że dalszy opór nie ma sensu. Otworzył drzwiczki piecyka i wetknął do środka kawałek drewna.

– Mogę pani zaproponować coś do picia, pani inspektor?

– Ech, kotku, myślałam, że już pan nie zapyta. Whisky z odrobiną wody. Chyba że ma pan single malt, wtedy poproszę czystą. Ale niedużo, bo prowadzę.

Nalał whisky dla nich obojga. Bez wody. Vera zwróciła uwagę, że miał pewny uchwyt, dłonie mu się nie trzęsły. I poruszał się żwawiej niż w Domu Pisarza. Może na własnym terytorium czuł się swobodniej. Przyciągnął mały stolik, postawił na nim szklaneczki i usiadł w fotelu naprzeciwko. Verze przemknęło przez myśl, że ktoś zaglądający przez okno mógłby ich wziąć za parę. Szczęśliwe wieloletnie małżeństwo, popijające przed kolacją drinka przy piecyku. Na chwilę oddała się marzeniom. Jak by to było tak żyć? Te drobne domowe rytuały? Przyjemna cisza? Nudno, uznała. Byłoby cholernie nudno.

– Wcześniej rozmawiałam z Alexem Bartonem – powiedziała.

– Jak on się miewa? – Jakby rozmawiali o wspólnym znajomym. Może sąsiedzie. Nikim bliskim lub na kim by im zależało.

– Nie wiem. Jak dla mnie ten chłopak jest dziwny. Nie jestem pewna, czy chodzi o to, że właśnie zmarła mu matka, czy że zawsze był taki. Mimo to nie podoba mi się, że siedzi tam sam. Ale twierdzi, że wszystko jest w porządku. Jest dorosły. Nie mogę go zmusić, żeby znalazł sobie kogoś do towarzystwa, a nie sądzę, żeby czuł się dobrze z dala od domu. Mam wrażenie, że opuszcza go tylko wtedy, gdy musi zrobić zakupy. – Przekręciła się nieznacznie w fotelu, tak by mogła patrzeć na Rickarda. Zanim zrobił drinki, włączył boczne światło. Teraz wpatrywał się w piecyk, jego twarz ginęła w cieniu.

– Niektórzy wolą samotność. Lepiej wtedy funkcjonują – zauważył.

– Nigdy nie myślał pan o tym, żeby się ożenić.

– Nie, nigdy – odrzekł i zamilkł. Wyglądało, że się zamyślił. Zupełnie zapomniał o obecności Very. Potem nagle się ocknął i uświadomił sobie, że Vera czeka na coś więcej. – Kiedyś był taki ktoś, kto mi się bardzo podobał – rzekł. – Ale nic z tego nie wyszło. Teraz już się przyzwyczaiłem, że jestem sam. – Podmuch wiatru zatrząsł szybami w wysokich oknach. Rickard wolno podźwignął się w górę i zaciągnął zasłony.

– Alex opowiadał, że z początku pan odmówił, gdy zaproponowali, żeby poprowadził pan zajęcia w Domu Pisarza. Zmienił pan zdanie w ostatniej chwili.

– Przywilej kapryśnego starszego pana. Ale już o tym rozmawialiśmy, pani inspektor. Byłem zaintrygowany, kiedy zobaczyłem, że wśród kursantów jest Joanna Tobin.

– A więc nie miało to nic wspólnego z Paulem Rutherfordem?

Odwrócił do niej twarz.

– Co chce pani powiedzieć, pani inspektor? Jesteśmy oboje za starzy na takie gierki. O co naprawdę pani chodzi?

– Joanna próbowała szantażować Rutherforda – wyjaśniła Vera. – Przynajmniej on tak to przedstawia. Sama Joanna twierdzi, że tylko się domagała tego, co jej się słusznie należało. Nie wiem jeszcze, czego właściwie sprawa dotyczyła. Czy Rutherford poprosił pana, żeby pan porozmawiał z Joanną? Może trochę ją postraszył?

Przez chwilę Rickard nie odpowiadał. Siedział zwrócony do piecyka, z opuszczoną głową. Boże drogi, pomyślała Vera, może umarł. Dostał zawału albo wylewu. I co ja teraz zrobię?

– Panie Rickard?

Wolno się do niej odwrócił. Pomyślała, że jego twarz jest jak skorupa żółwia. Twarda i szara. Niczego nie zdradzała.

– Co pani insynuuje? Że postraszyłem Joannę, zabijając dwie obce osoby? – Jego ton był oschły, przesiąknięty sarkazmem.

– Niczego nie insynuuję! Pytam tylko, czy pojechał pan do Domu Pisarza na prośbę Rutherforda. Muszę oczyścić teren, żebym wiedziała, co naprawdę jest istotne. Po drodze nazbierało się zbyt wiele wątków.

Rickard znowu odwrócił wzrok w stronę piecyka, jakby nie zamierzał odpowiedzieć. Ale po chwili zaczął mówić.

– Tak, pojechałem do Domu Pisarza, bo Paul mnie o to poprosił. Joanna zadzwoniła do niego do biura i zażądała pieniędzy. Mówił, że znowu jej odbiło. Bał się tego, co mogłaby naopowiadać prasie, gdyby postanowiła się do niej zwrócić. A za kilka miesięcy są wybory. „Tak czy siak, siedzisz w Northumberland. To tylko kilka dni. Zorientujesz się, co się dzieje. Dlaczego po tylu latach znowu zaczęła się ciskać".

– Nie rozumiem tylko jednego – mruknęła Vera. – Dlaczego się pan zgodził? Jest pan na emeryturze. Nienawidzi pan spotkań z czytelnikami, tych całych marketingowych pierdół. Tak czy nie? Przed chwilą pan mówił, że właśnie dlatego kupił ten dom.

Pokiwał swoją żółwią głową.

– Tak, prawda, nienawidzę tych pierdół.

– Więc dlaczego nie powiedział pan Rutherfordowi, żeby się sam taplał we własnym gównie? – Vera nie rozumiała, dlaczego nagle zrobiła się wulgarna. To nie było w jej stylu. W życiu prywatnym potrafiła kląć jak szewc, ale w pracy starała się zachowywać profesjonalnie. Może sądziła, że ostry język rozbudzi Rickarda, wyrwie go z letargu, tak żeby zaczął żywiej odpowiadać na pytania.

Po chwili zastanowienia zaczął mówić. Nie patrzył na nią, a słowa z trudem dobywały się z jego ust. Vera domyśliła się, że jeszcze nigdy nikomu o tym nie mówił, dlatego chciał być dokładny, chciał precyzyjnie opisać sytuację. Więc milczała i słuchała.

– Paul Rutherford jest dla mnie prawie jak syn, którego nigdy nie miałem. – Zamknął na chwilę oczy, potem je otworzył. – Kochałem jego ojca. Nie jak przyjaciela, tylko jak kogoś o wiele, wiele bliższego. Był moją namiętnością. Rozumie pani, o czym mówię, pani inspektor?

Vera wolno pokiwała głową. Komentarz był zbędny.

– Myślę, że Roy zdawał sobie z tego sprawę, ale nigdy nic nie powiedział. A ja nigdy się nie ujawniłem. Nie wiedziałbym, od czego zacząć. Już w szkole mi się to zdarzało: durzyłem się w kolegach, w młodszych nauczycielach. Ale jako dorosły byłem zagubiony, straciłem grunt pod nogami. Oczywiście wtedy takie rzeczy były nie do przyjęcia, ale to nie to mnie powstrzymywało... – Zawahał się, ale zaraz znowu zaczął mówić. – Byłem tchórzem i nie chciałem się wychylać. Tak naprawdę nigdy nie chodziło w tym o eksperymentowanie z seksem, mimo moich fantazji. A snułem takie, że pewnie mocno by się pani zaczerwieniła, i zresztą mnie one też szokowały. Fantazjowałem o Royu. Chciałem z nim być. Służyć mu. I tylko jemu. Kontakt fizyczny nigdy nie był dla mnie ważny. Wystarczały mi drobne rzeczy: otoczenie ramieniem, uścisk dłoni. – Popatrzył na Verę. Zauważyła, że jego szklaneczka jest pusta. – Pewnie ma mnie pani za głupca. Ostatecznie Roy się ożenił. Miał syna.

– Uważam, że miał pan szczęście, że znalazł kogoś, kogo mógł pan pokochać.

Spojrzał na nią ostro.

– Pani się to nigdy nie przytrafiło?

Nastąpiła chwila ciszy.

– Nie mówimy o mnie – odrzekła w końcu. – Uważam tylko, że powinien pan doceniać to, co pan miał.

– Tak, chyba powinienem. Ale teraz Roy nie żyje, a mnie został tylko Paul. Czasami w jego gestach i minach, postawie widzę jego ojca. I jak nadopiekuńczy rodzic nie jestem mu w stanie niczego odmówić. Już mówiłem, stary głupiec ze mnie.

– Paul wie, co pan czuł? – zapytała Vera.

– Nie! Nie sądzę. – Rickard był zszokowany. – Uważa pani, że się domyślał?

– Młodsi są bardziej uświadomieni w tych sprawach niż starsze pokolenie. A wygląda, że był gotów wykorzystać pańskie uczucia do ojca. – Vera potrząsnęła szklaneczką i tym, co w niej jeszcze zostało. To było do niej niepodobne, że tak długo nie kończyła drinka. Pomyślała, że rozmowa z Rickardem jest dość dziwna. Kusiło ją, żeby też mu się z czegoś zwierzyć. – Dlatego niech pan lepiej uważa, w co się daje wciągać, dobrze?

– Joanna powiedziała Paulowi, że wygrała darmowy kurs w Domu Pisarza. Paul poprosił, żebym tam pojechał i się zorientował, w jakim jest stanie. To wszystko, pani inspektor. – Ton znowu był cierpki i zarazem wyniosły. – Nie prosił, żebym popełnił dwa morderstwa.

– Wiedział pan, że Rutherford był wydawcą Mirandy Barton? – Holly przysłała esemes; wiadomość znajdowała się w telefonie, gdy Vera wysiadła z land rovera w Craster.

– Każdy ma prawo do błędów. – Rickard podźwignął się i sięgnął po butelkę z whisky z pomocnika. Zaproponował Verze dolewkę, ale odmówiła. Więc odrobinę nalał sobie. – Nawet Roy.

– A więc to był błąd? – upewniła się Vera. – Że wydawał powieści Mirandy?

– Miranda nigdy nie była wielką pisarką. Ale też nie jakąś okropną, poza tym rynek w tamtych czasach był mniej wymagający. Jednak Roy założył swoje wydawnictwo, żeby promować literaturę tradycyjną, a Miranda w tym obszarze nigdy nie czuła się swobodnie.

– Może więc po prostu go zauroczyła jako kobieta, jak pan sądzi? Dlatego zgodził się zostać jej wydawcą? – Vera próbowała wyobrazić sobie, jak to wyglądało. Czy Ferdinand włączył się już na tym etapie? Wstawił się u Rutherforda za Mirandą? W tym śledztwie jest zbyt wiele powiązań, pomyślała. Dom Pisarza zebrał ich wszystkich razem i stąd miała teraz zbyt wielu podejrzanych połączonych wspólnymi przeżyciami.

– Gdy chodziło o wydawnictwo, Roy nie był podatny na uroki żadnej płci. – Rickard uśmiechnął się półgębkiem. – Straszliwie się uparł. Pewnie głęboko wierzył, że jej książki będą się sprzedawały. I przez jakiś czas tak było. Przez rok, po artykule Ferdinanda w „Observerze", stała się prawie gwiazdą.

– Tak jak pan teraz – zauważyła Vera.

– Ach, była o wiele bardziej sławna. I lubiła to.

Vera również się podniosła; stali i patrzyli na siebie. Na zewnątrz wiatr wzmógł się jeszcze bardziej; zawodził w kominie. Na dachu stukała poluzowana dachówka.

– Czy wie pan, co się wydarzyło w Domu Pisarza w zeszłym tygodniu?

Popatrzył na nią ostro.

– Gdybym wiedział, pani inspektor, sądzi pani, że bym pani powiedział?

Nie odpowiedziała na to, tylko mocniej opatuliła się kurtką i wyszła na wichurę.

32

W samochodzie Vera zobaczyła, że ma nieodebraną rozmowę od Joego. Oddzwoniła do niego.

– Gdzie pani jest? – zapytał natychmiast. Jakby była nastolatką, która urwała się z domu bez pozwolenia. Vera pomyślała, że córka Joego będzie miała ciężko, gdy osiągnie wiek, kiedy zacznie samodzielnie myśleć.

– Wpadłam do Rickarda – wyjaśniła. – Później ci o tym opowiem. – Być może. Niekoniecznie chciała, żeby orientacja pisarza stała się tematem żartów w kantynie. Wyobraziła sobie chichot Charliego i aż się wzdrygnęła.

– Włamanie do Niny Backworth to nie był przypadek.

Vera słuchała, jak opowiadał o owocach w misce i że nic nie zginęło.

– Kryminalni nic nie znaleźli?

– Nie, było czysto – odparł Joe. – Żadnych odcisków na misce i na biurku.

– I mówisz, że nic nie zginęło? – Nie potrafiła wydedukować, jakie to ma znaczenia, ale włamanie mogło mieć jakiś związek z zabójstwami w Domu Pisarza.

– Nina twierdzi, że nic.

A więc to już Nina, tak? Czy to na pewno ten nasz świętobliwy Joe?

Po jej przyjeździe do Craster rozpoczął się przypływ i fale, gnane wichurą, z hukiem obijały się o mury portu. Na land rover znienacka poleciał prysznic wody.

– A może Nina sama to zaaranżowała? – rzuciła nagle. – Wiedziała o kluczu u sąsiada. Zresztą bardzo to podobne do tego, co wypisuje w tych swoich powieściach. Świetny manewr, żeby nas zwieść, jeśli maczała palce w morderstwach.

– Nie! Niemożliwe – zaprzeczył z oburzeniem Joe. – Jest przerażona. Tak bardzo, że pojechała przenocować u swojej wydawcy w North Farm.

Kiedy się rozłączyła, Vera przez chwilę siedziała nieruchomo. Mogłaby wrócić do domu. Napaliłaby w kominku i żeby się odmóżdżyć, kilka godzin oglądałaby telewizję. W taką wietrzną pogodę, gdy padał deszcz, nie istniało przytulniejsze miejsce niż dom Hectora. Mogłaby wstawić pranie i wypić kilka drinków na lepszy sen. Whisky wypita u Rickarda tylko zaostrzyła jej apetyt.

Ale nie pojechała w głąb lądu, w stronę gór i domu. Przy samym wybrzeżu skręciła w kierunku Domu Pisarza. Droga dojazdowa była zasypana małymi gałązkami, które wiatr zdążył już połamać i strącić z drzew. W pewnym momencie musiała nawet jechać poboczem, tyle tego śmiecia było. Główny budynek tonął w ciemności, ale w dwóch oknach domku letniskowego – na dole i na piętrze – się świeciło. Zasłony nie były zaciągnięte, jednak nie dostrzegła żadnej postaci. I paliło się też w kaplicy. Alex Barton jeszcze się szwendał po swoim ogromnym opustoszałym gospodarstwie. Vera pomyślała, że jeśli nawet chłopak dotąd był normalny, to teraz na pewno mu odbije.

Kiedy wysiadła z wozu, uderzył w nią tak silny wiatr, że o mało jej nie przewrócił. Nawet z tak dużej odległości huk uderzających o brzeg fal był ogłuszający. To było podniecające stanowić część tego hałasu, tej zawieruchy. Pobiegła do domu i zapukała. Cisza. Pchnęła drzwi. Kuchnia wyglądała tak, jak ją zapamiętała. Bujany fotel przy kuchence, mały stół z plastikowym obrusem. Ale tłustego pręgowanego kota nie było. I pranie też się nie suszyło. Alex utrzymywał w kuchni większy porządek niż Miranda, chociaż przy zlewie leżały brudny talerz, jakieś sztućce i patelnia – trochę dziwne. Po samym Alexie ani śladu. Vera otworzyła drzwi na schody i zawołała. Z powodu wichury chłopak mógł nie usłyszeć nadjeżdżającego samochodu.

Nie doczekawszy się odpowiedzi, wspięła się na piętro. W pokoju Alexa było tak czysto i bezosobowo jak w pokoju hotelowym. Łóżko zasłane. Komputer włączony, wygaszacz ekranu pokazywał miskę do ubijania ciasta i pływające wokół drewniane chochle. Vera wcisnęła klawisz i pojawiła się strona Alexa na Facebooku. Miał dołączone swoje zdjęcie w białym kucharskim kitlu. Na stronie widniało kilka wiadomości, wszystkie z kondolencjami. Vera nie mogła sprawdzić, czy wiadomości przysłali prawdziwi przyjaciele, czy tylko osoby, które Alex poznał przez Internet. Wirtualni znajomi. Nigdy wcześniej nie wchodziła na Facebooka, chociaż raz w czasie pracy przyłapała na nim Holly. Na tablicy Alexa widniał post napisany dwa dni wcześniej: „Zła wiedźma nie żyje". Naprawdę aż tak nie lubił matki, czy raczej w ten sposób radził sobie ze smutkiem? Młody chłopak udający, że nic go nie rusza? Vera wciąż nie potrafiła tego ocenić.

Na zewnątrz wichura nadal szalała. Alex się nie pojawiał, ale przed domem stał jego samochód. W taką noc nie mógł daleko odejść. Ze szczytu nasypu Vera dostrzegła światło w kaplicy, więc ruszyła w tamtą stronę. Pomyślała, że to całkiem możliwe, iż krwawe wydarzenia w domu pchnęły Alexa w stronę religii. Zawsze uważała, że wiara może być źródłem pocieszenia dla ludzi, sama w młodości próbowała zwrócić się do Boga, zwłaszcza że Hector nie znosił kościoła, ale przekonała się, że nie jest w stanie uwierzyć. Racjonalizm stanowił jedyną perspektywę, co do której ona i jej ojciec się zgadzali.

Pociągnęła za drzwi, przypominając sobie, jak Alex przyprowadził ją do kaplicy w dzień po śmierci Ferdinanda, żeby urządziła w niej pokój do przesłuchań. W środku paliła się jedna lampa, zwisająca na długim kablu z wysokiego sufitu.

Kiedy otworzyła drzwi, wiatr wpadł do środka i zatrząsł lampą; łuna światła, rzucając długie cienie, przeskakiwała po pogrążonych w mroku krzesłach. Vera starała się nie zapominać, że jest osobą racjonalną. Wciąż nigdzie nie dostrzegała Alexa. Zawołała go, a jej głos rozszedł się głuchym echem po kaplicy.

Na kamiennej posadzce przed stołem w nawie coś leżało. Ale nie Alex. Coś mniejszego. Poza tym to coś błyszczało, odbijając poruszające się światło. Podeszła do stołu. Jej kroki na kamieniach brzmiały bardzo głośno.

Przyklękła i nagle zrobiło jej się niedobrze. Jak żółtodziobowi wysłanemu do pierwszego zabójstwa. Weź się w garść, Vero. To miejsce zbrodni, chyba go nie obrzygasz. Inaczej już na zawsze przylgnie do ciebie łatka mięczaka. To był pręgowany kot Mirandy. Żeby odwrócić uwagę od mdłości, Vera postanowiła przypomnieć sobie, jak się nazywał. Ophelia. Głupio. Po co nazywać kota imieniem szalonej kobiety z jakiejś sztuki. Utuczony kot wyglądał idiotycznie, leżąc na plecach. W jego trzewiach tkwił kuchenny nóż. Część ostrza wystawała i to od niego odbijało się światło lampy. Krwi nie było dużo, ale wnętrzności wyłaziły na zewnątrz.

Vera wstała i spostrzegła kolejne truchło, tym razem mniejsze. Leżało na białym stole. Rudzik. Brak krwi. Przypomniała sobie karmnik dla ptaków przed oknami salonu dużego domu i Alexa dosypującego do pojemników orzechy i ziarno. Zwabiał ptaki, żeby je zabijać? A może zabicie kota to zemsta za to, że kot zabił rudzika. W każdym układzie było to szalone.

Trzasnęły drzwi kaplicy, więc się wyprostowała.

– Co pani robi? – To był Alex. Stał w głębi. Wyglądał dziko, włosy miał potargane wiatrem. Był bez kurtki, w samym tylko grubym swetrze i szerokich dżinsach. Na nogach trampki. Stał tak, że blokował sobą wyjście.

– Chodźmy do pana, dobrze? – zaproponowała. – Zamordowałabym za kubek herbaty. – Pomyślała, że u Alexa będzie mogła zadzwonić. Wezwać pomoc. Chłopakowi pewnie wystarczy kilka dni w psychiatryku, żeby się pozbierał. Chyba że się okaże, że to on jest mordercą. Ale teraz, będąc z nim sam na sam, Vera wolała tak nie myśleć.

– Nie widziała pani kota? – zapytał ze wzburzeniem i prawie biegiem dopadł do nawy. – Widziała pani, co tu się stało?

– Pan to zrobił? – Starała się mówić nieosądzająco. Zresztą i tak nie lubiła kotów. – Proszę mi o wszystkim opowiedzieć.

– Nie! – Prawie krzyczał. Był sfrustrowany, chciał, żeby go zrozumiała. – Oczywiście, że to nie ja. Ktoś tu był. Słyszałem ich na dworze. – Vera nie odpowiadała, więc kontynuował. – Niech pani popatrzy na ptaka! To nie ma nic wspólnego ze mną. Przecież wie pani, jaki mam stosunek do ptaków. A kota nienawidziłem, ale przypominał mi o matce. Potrzebowałem go. Chciałem, żeby się tu kręcił. Nie oddałbym go nawet w dobre ręce!

Vera widziała, że chłopak jest bardzo przejęty, na granicy łez. Pomyślała, że kilka dni w szpitalu tak czy owak mu nie zaszkodzi. Przekona któregoś sympatycznego sanitariusza ze szpitala Wansbeck, żeby go przyjął na oddział. Ale nie teraz. Najpierw z nim porozmawia.

– Wyjdźmy stąd – jeszcze raz zaproponowała. – Później się wszystkim zajmę. A na razie chodźmy do domu.

W domu zwinął się w fotelu bujanym jak dziecko. Trudno było zobaczyć w nim tego pewnego siebie młodzieńca zarządzającego kuchnią w dużym domu. Vera w lodówce znalazła mleko, podgrzała je i zrobiła dla obojga gorącą czekoladę.

– Mówi się, że na szok dobrze jest się napić herbaty, ale to czekolada zawsze poprawia mi nastrój. – Paplała jak zwykle. Na dworze wciąż wiało, ale najgorszą wichurę mieli za sobą. Czuła się niezręcznie w obliczu smutku chłopaka. Prawdziwa kobieta – kobieta, która ma dzieci – wiedziałaby, jak się w takiej sytuacji zachować.

Usiadła na twardym kuchennym stołku i nachyliła się do Alexa.

– Da pan radę opowiedzieć, co tu się stało?

Pokiwał głową. Znad obrzeża kubka patrzyły na nią wielkie oczy. Alex wyglądał jak dziecko, które się obudziło z koszmaru i wciąż było skołowane, nie wiedziało, co jest snem, a co jawą.

– Zrobił pan sobie coś do jedzenia – podpowiedziała.

Znowu kiwnął głową.

– Omlet. Pieczone ziemniaki. Brokuły.

– Potem poszedł pan do swojego pokoju, do komputera.

Nie wydawał się zaskoczony ani zły, że potrafiła odgadnąć, co robił.

– Chciałem zajrzeć do Facebooka. Wiedziałem, że nie będę długo przy nim siedział, więc postanowiłem, że pozmywam później.

– I co było potem? – Mówiła łagodnie. Nie chciała go wystraszyć ani sprawić, że się zablokuje.

– Usłyszałem hałas na podwórku.

– Samochód? – Jak inaczej ktoś miałby tu dotrzeć? Zaczęła sobie przypominać, czy mijała jakiś pojazd na drodze. Z naprzeciwka na pewno nikt nie jechał.

– Nie – zaprzeczył Alex. – Kroki.

– Usłyszał je pan pomimo wiatru?

– Ktoś szedł po żwirowej ścieżce tuż pod moim oknem. A nie mamy w oknach podwójnych szyb.

Skinęła głową, żeby pokazać, że mu wierzy, i żeby zachęcić do kontynuowania.

– Kiedy wstałem, żeby wyjrzeć, nikogo już nie było. Pomyślałem, że tylko mi się zdawało, że coś usłyszałem. Jak się tu siedzi samemu, łatwo o paranoję.

– To prawda – zgodziła się Vera. – Każdy miałby pietra. Nie powinnam była pana tu zostawiać.

Przez chwilę siedzieli w milczeniu. Vera wierzchem dłoni otarła usta z mleka.

– A kot? – zapytała. – Był z panem w kuchni, kiedy szykował pan sobie jedzenie? Koty zawsze się kręcą w pobliżu, gdy się coś gotuje, prawda?

– Ophelia chciała na dwór – odparł. – Otworzyłem jej drzwi, żeby ją wypuścić do ogrodu. Nie lubiła wychodzić w złą pogodę, więc pomyślałem, że zaraz wróci, ale nie wróciła. Poszedłem na górę, ale miałem ją zawołać, gdy zejdę na dół.

– Przerwałam panu, przepraszam. – Vera odchyliła się i czekała na dalszy ciąg opowieści.

– Stałem przy oknie – rzekł Alex – i wyglądałem, ale nikogo nie zauważyłem. Potem w kaplicy zapaliło się światło.

– O mój Boże! Musiał się pan przerazić!

– Chciałem się pozamykać i zadzwonić na policję – przyznał. – Taki miałem plan na początku. – Vera pomyślała, że chłopak wreszcie zaczyna otrząsać się z szoku. Spuścił nogi na podłogę i chyba był zawstydzony swoim wcześniejszym wybuchem. Usiadł prosto i z czymś w rodzaju odrazy odstawił do połowy wypity kubek z czekoladą na stół. Na czekoladę też był zbyt dorosły.

– Całkiem rozsądny plan.

– Ale nie mogłem tego zrobić – kontynuował. – Nie mogłem tu tak siedzieć. Jak przyczajona kaczka. Bezradny, oczekujący na wejście zabójcy.

Vera powiedziała sobie w duchu, że chłopak naoglądał się za dużo horrorów. Albo potrafił zmyślać.

Popatrzył na nią z odrobiną dawnej pewności siebie w oczach. Znów miała przed sobą tego młodzieńca, który przy pierwszej wizycie przywitał ją w Domu Pisarza.

– Musiałem coś zrobić.

– Więc poszedł pan do kaplicy? – domyśliła się.

– Wiatr był taki głośny, że ledwie słyszałem własne myśli. W sumie to było niesamowite. Jakoś tak uwalniające. Czułem się jak w dzieciństwie, kiedy kąpałem się w morzu. Nic tylko szum fal. Na chwilę przestałem się bać. W końcu jakie to miało znaczenie?

– Więc poszedł pan do kaplicy? – podpowiedziała powtórnie. Wolała cichego, wystraszonego Alexa niż tego dotkniętego manią.

– Tak.

Myślała, że będzie go musiała ponaglać, ale powrócił do opowieści prawie natychmiast.

– Nikogo tam nie było. Ale światło było zapalone. Zobaczyłem Ophelię. – Spojrzał na Verę i krótko się uśmiechnął. – Tak ją nazwaliśmy. Pomysł matki. – Na moment umilkł. – Nie mogłem tego pojąć. Nie docierało do mnie, że ktoś mógł coś takiego zrobić. To wyglądało, jak złożenie ofiary. I jeszcze ten rudzik na stole.

– Co pan zrobił później? – Vera dokończyła czekoladę. Było oczywiste, że Alex nie chce swojej. Zastanawiała się, czy zauważyłby, gdyby wypiła i jego porcję.

– Nie mogłem tam zostać. Wyszedłem na zewnątrz. Krzyczałem. Chyba coś w stylu: „Gdzie jesteś? Wyłaź! Pokaż się!" Obiegłem dom dokoła, na taras.

– Było ciemno – zauważyła Vera. – Niczego pan nie mógł wiedzieć.

– Mieszkam tu od dziewiątego roku życia. Mogę chodzić po terenie nawet z zawiązanymi oczami. Dosłownie.

– I co dalej?

– Przez chwilę stałem na tarasie. Na wietrze. Wsłuchiwałem się w szum morza. Zastanawiałem się…

– Nad czym? – Vera sięgnęła po kubek Alexa i wypiła czekoladę. Bardzo jej smakowała. Lepiej niż własna. Kradzione zawsze smakuje lepiej.

Chłopak znowu na nią spojrzał.

– Zastanawiałem się, jak by to było, gdybym zbiegł na plażę prosto do morza i wszedł w głąb, aż bym utonął.

– Na pewno cholernie zimno – mruknęła Vera. – Tak by było.

– Nie zrobiłem tego.

– Nie – rzuciła. – Wykazał się pan rozsądkiem.

– Obszedłem dom, wyszedłem na dziedziniec i zobaczyłem, że drzwi kaplicy się zamykają.

– To pewnie byłam ja – podpowiedziała. Mówiła spokojnie, zwyczajnie, uważając, że chłopakowi dobrze zrobi więcej zwyczajności w życiu.

– Tak, to była pani. – Znowu podciągnął pod siebie nogi i siedział, nic nie mówiąc. Nie oponował, kiedy Vera powiedziała, że chciałaby, żeby kilka dni spędził w szpitalu. – Szok potrafi na nas dziwnie podziałać. – Może nawet mu ulżyło, że znalazł pretekst, żeby wyjechać z domu. Kiedy przyjechali sanitariusze, był spokojny. Poszedł do karetki z małą torbą ze spakowaną piżamą i szczoteczką; zachowywał się jak małe posłuszne dziecko.

33

Joe Ashworth nie potrafił się podniecać martwym kotem. Ani martwym ptakiem. Vera Stanhope chciała, żeby natychmiast przyjechał, w najgorszy sztorm tej jesieni, tylko po co? W taką pogodę jazda po śliskich drogach jest niebezpieczna.

Tłumaczył to Verze, ale spokojnie. Złoszczenie się na nią nie miało sensu. Vera lubiła prowokować i bawiło ją, gdy udawało jej się wyprowadzić go z równowagi. W końcu posunął się do kłamstwa.

– Zresztą i tak nie mogę prowadzić. Wypiłem kilka drinków.

Nawet Vera Stanhope nie mogła kazać mu jechać po czymś takim.

Nie bardzo rozumiał, co go zatrzymywało w domu, bo przecież lubił jeździć w wietrzną pogodę, lubił być powiernikiem Very i znajdować się w centrum wydarzeń. Tego dnia byłby nawet zadowolony, że ma pretekst, żeby uciec z domu. Podczas sztormów dzieciaki zawsze szalały, a nie mogły wyjść na dwór, więc cały dzień przesiedziały w swoich pokojach. Wyrzuty sumienia, pomyślał. Nikt nie ma większych skłonności do wyrzutów sumienia niż dobry katolik. Nie, żeby miał za co czuć się winny, nie licząc nieznacznego pociągu do uniwersyteckiej asystentki.

Mimo wszystko odprawił pokutę: zmył naczynia po kolacji, rozdzielił sprzeczające się dzieci, sam je wykąpał, poczytał im na dobranoc. Kiedy wreszcie zostali z żoną sami, usiedli razem na kanapie i tulili się do siebie jak para nastolatków. Joe uznał, że z nikim na świecie nie czuje się tak swobodnie jak z żoną. Nie potrafił sobie wyobrazić Niny Backworth oglądającej z nim stare odcinki *Simpsonów* i pokładającej się przy tym ze śmiechu. Później zabrał Sal do łóżka i kochał się z nią. A jeszcze później, leżąc obok żony, zasłuchany w jej równomierny oddech, mówił sobie w duchu, że kocha tę kobietę całym sercem, zarazem jednak odpychał od siebie myśl, że życie powinno mieć trochę więcej do zaoferowania niż tylko to.

Z rana w centrum dowodzenia pojawił się pierwszy. Znowu wyrzuty sumienia. Może jednak powinien był pojechać do Very. Holly też przyszła wcześniej, jeszcze przed przyjazdem pani inspektor.

– Szefowa dzwoniła do ciebie wczoraj? – zapytał. Wiedział, że Verę stać było na wyciągnięcie Holly z domu, nawet nocą.

– Nie, a dlaczego miałaby dzwonić?

– Była w Domu Pisarza. Mówiła, że ktoś zabił kota Mirandy Barton. Leżał w kaplicy, jak jakaś ofiara.

– Ohyda! – Holly skrzywiła nos, jakby była w kaplicy i czuła zapach wilgotnych kamieni i zwłok martwego kota.

– Rzeczywiście ohyda. – To był Vera, rześka i energiczna, jakby miała za sobą dwanaście godzin snu, chociaż prawdopodobnie w nocy wcale się nie kładła. Za nią wszedł Charlie, który wyglądał, jakby był na nogach całą noc, choć prawdopodobnie poprzedniego dnia zasnął przed telewizorem o dziewiątej wieczorem i obudził się dopiero rano, pół godziny przed wyjściem do pracy.

Vera podeszła do tablicy i przypięła do niej zdjęcie kota: nóż w brzuchu i wywalone na wierzch wnętrzności.

– A teraz pytanie: czy młodemu Alexowi odbiło i sam zabił to biedne zwierzę, czy raczej ktoś próbuje go porządnie nastraszyć? I jeśli to drugie, to po co? – Z bawełnianej torby wyciągnęła następne powiększone zdjęcie i je również przypięła. – Rozumiem, że ktoś ma coś do kotów, ale po co zabijać małego, nieszkodliwego ptaszka?

– To wygląda, jakby ktoś chciał nam coś w ten sposób przekazać – zauważyła Holly. – Morele, martwe zwierzęta.

– I ta chusteczka w miejscu, gdzie zginęła Miranda Barton – dodała Vera. – Nie zapominajcie o chusteczce!

– Ale w szklanym pokoju przy zwłokach Ferdinanda nie było niczego – rzekł Joe. – Czym się różniło tamto zabójstwo od następnego?

– Coś tam jednak było. – Joe pomyślał, że jeszcze nie widział Very tak podnieconej. Patrzyła na nich i machała rękami. – No co wy, ludzie! Ruszcie głowami!

– Nóż – powiedział wolno Joe. – Założyliśmy, że nóż został na miejscu zbrodni, żeby nas zmylić i rzucić podejrzenia na Joannę Tobin, ale to też mógł być znak lub wiadomość.

– Więc co tu się właściwie dzieje? – zapytała z naciskiem Vera. – I kto za tym stoi? Podrzućcie mi kilka pomysłów. Mogą być najgłupsze.

– To mógł być Alex – podsunął Joe. – Ma samochód i znał adres Niny, bo zameldowała się w ośrodku. Nie jest głupi, więc mógł wydedukować, gdzie są jej zapasowe klucze. Nie wiemy, gdzie był przedwczoraj. Mógł się zaczaić pod domem i obserwować. A potem włamał się do mieszkania.

– Tylko po co miałby to robić? – zapytała Holly.

Joe pomyślał, że Holly zawsze mu się sprzeciwia, nieważne, co powie. Zanim zdążył wymyślić sensowną odpowiedź, odezwał się Charlie:

– Bo to wariat, jak powiedziała szefowa. Jeśli zabił własną matkę, to czy miałby opory przed nadzianiem kota na nóż? Albo podrzuceniem drogich owoców. Jest kucharzem, a morele to żywność, tak czy nie? Jakiś związek jest. – Charlie na chwilę zamilkł. – A skoro już mowa o szaleńcach, to czy ktoś wie, co tamtej nocy porabiała Joanna Tobin?

– Jeśli dalej będziesz tak gadał, dopilnuję, żebyś trafił na najbliższe szkolenie z podnoszenia świadomości z zakresu różnorodności.

Joe mógłby się założyć, że Charlie chciał rzucić kolejną drwiącą uwagę, ale dotarło do niego, że Vera nie żartuje.

Znowu zapadła cisza, podczas której Vera z poirytowaniem bębniła palcami w biurko.

– Lenny Thomas siedział za włamanie – odezwała się Holly. Mówiła ostrożnym tonem. Na pewno pamiętała wcześniejszą reprymendę szefowej, że pochopnie wyciąga wnioski. – On mógł wykręcić tę sztuczkę z kluczami.

– Lenny nie ma samochodu. – Joe czuł irracjonalną potrzebę bronienia Lenny'ego. Tylko dlatego, że był u niego w mieszkaniu i wypił herbatę? Bo lubiła go starsza pani, jego sąsiadka?

– Ale ma znajomych. – Głos Holly, jasny i triumfujący, wciął się w jego rozmyślania. – Znajomych, którzy też siedzieli za włamania.

– Przestańcie się zachowywać jak banda dzieciaków. – Vera karciła ich tonem udręczonej matki. – Powinniśmy trzymać jedną stronę, a nie się kłócić. I jeśli już mowa o włamaniach, to śmiem twierdzić, że Winterton też co nieco o nich wie. Musimy sprawdzić, gdzie był w tamtą noc, gdy się włamano do mieszkania Niny. I jeszcze została nam Chrissie Kerr, chociaż za nic nie potrafię sobie wyobrazić, jaki miałaby motyw. Poza tym pozostaje na peryferiach sprawy. – Vera popatrzyła po podwładnych. – Wygląda, że chyba będziemy musieli odwołać się do starych dobrych metod śledczych. Trzeba zasięgnąć języka, posprawdzać, co robili nasi podejrzani. Nudy, ale mogą doprowadzić do ujęcia zabójcy.

Nudy, pomyślał Joe, których przez całą swoją zawodową karierę unikałaś jak ognia.

– A co z Jackiem Devanneyem? – zapytał, po części, żeby dopiec Verze. – Nie włączyliśmy go do oryginalnej listy podejrzanych, ale wszyscy się zgodziliśmy, że mógł być w Domu Pisarza w czasie, gdy doszło do morderstw. Wyobrażacie sobie, że zabija kota i ptaka, i odwala ten dowcip w mieszkaniu Niny?

– Och, tak – mruknęła Vera. – Myślę, że byłby zdolny do wszystkiego, gdyby myślał, że w ten sposób ochroni Joannę. I w jego pojęciu te przedmioty na miejscu zbrodni byłyby sposobem na odwrócenie naszej uwagi. Jeśli chce, potrafi być przebiegły.

– Więc zostaje Rickard – rzekł Joe. – Jedyny z listy, o którym jeszcze nie rozmawialiśmy. Pani go wczoraj odwiedziła, prawda?

– I jest jedynym, którego możemy sobie odpuścić. – Vera napisała nazwisko pisarza na tablicy i dopisała obok krzyżyk. – Nie mógł dotrzeć z Craster do Domu Pisarza przede mną i jeszcze zaaranżować tę scenerię w kaplicy. Nawet gdyby był sprawniejszy, a nie jest. Facet ledwie powłóczy nogami.

Joe chciał pociągnąć temat, zapytać, o czym Vera rozmawiała z Rickardem. I w ogóle dlaczego do niego pojechała? Ale zobaczył jej spojrzenie i postanowił się nie odzywać. Zapyta później, gdy będą sami.

– To znaczy, że z podejrzeń o morderstwa też możemy go zwolnić? – Holly podniosła wzrok znad notatnika. Mówiła bezbarwnym tonem, żeby nie narazić się na gniew Very, w razie gdyby opacznie ją zrozumiała.

– Szczerze mówiąc, nie bardzo to widzę, żeby był w stanie kogoś zadźgać – rzuciła Vera. – Z takim artretyzmem byłoby trudno. Ale może gdyby był wystarczająco wściekły lub zdesperowany... – Urwała i spojrzała na nich. – Ale to tylko spekulacje. Zatem rozdzielmy zadania na resztę dnia. Warzywniaki i karty kredytowe – masz jakieś wieści na ten temat, Joe?

– Same negatywne. Jeśli ktoś kupował morele w Jesmond, to płacił gotówką.

– No jasne – mruknęła Vera do siebie. – Nasz zabójca jest zbyt przebiegły, żeby dać się na tym złapać. Nie sądzę, żebyśmy szukali, jak to ujął Charlie, wariata. A przynajmniej nie typowego wariata. Więc to kwestia pokrążenia po okolicy i popytania, kto kupował dużą torbę moreli za gotówkę. Porozdawajcie zdjęcia. I zajrzyjcie też do supermarketów. Charlie, to chyba zadanie dla ciebie.

Charlie skinął głową.

– Joe, jedź na farmę Myers i porozmawiaj z Joanną i Jackiem.

Joe był zaskoczony.

– Chce pani, żebym pojechał sam? – Sądził, że Vera wolałaby mu towarzyszyć.

– Nie martw się – burknęła. – Oni nie gryzą.

Pomyślał, że w przypadku Jacka to niekoniecznie jest prawda.

– I ty, Holly. Zadzwoń do Cumbrii. Każ im sprawdzić, co w ostatnich kilku dniach porabiał Mark Winterton. Jeśli będą upierdliwi, skieruj ich do mnie. Albo, jeśli masz ochotę się przejechać, jedź tam i sama się tym zajmij.

Charlie gwałtownie poderwał głowę.

– Ja mam tam kontakty.

– Wiem, że masz – przytaknęła Vera. – I dlatego wyznaczyłam to zadanie Holly. – Uśmiechnęła się słodko do Joego. – Musimy pilnować, żeby nie było konfliktu interesów.

Kiedy Joe przyjechał, Jack akurat przekopywał warzywniak. Ziemia była mokra, więc robota musiała być ciężka. Rzędy poczerniałych pędów leżały pokotem na ziemi, spłaszczone wichurą z poprzedniego dnia. Przez chwilę Jack udawał, że nie zauważył policyjnego wozu, chociaż musiał widzieć, że nadjeżdża. Potem podniósł wzrok. Pomimo chłodu był spocony.

– Szefowej nie ma! – zawołał.

– Przyjechałem do was. Do pana i Joanny.

Jack podniósł wyżej łopatę, trzymał ją niczym broń. Potem jednak zmusił się do opanowania.

– W takim razie zapraszam. Joanna pisze. – Ostatnie słowo wypowiedział tak, jakby pisanie było jakąś dziwaczną, nienaturalną czynnością. Przy domu usiadł na stopniu przed drzwiami i zaczął ściągać ubłocone buty. Joe zrozumiał, że Jack będzie chciał być przy przesłuchaniu, i pomyślał, że to może być jedyna okazja na porozmawianie z nim na osobności.

– O tej porze roku na farmie pewnie za wiele roboty nie ma?

Jack spojrzał na niego podejrzliwie.

– Tylko że to nie jest do końca prawdziwa farma. Poza tym tu zawsze jest coś do zrobienia.

– Czyli że raczej nie macie czasu, żeby się gdzieś wyrwać na dzień lub dwa?

– Niech pan posłucha, z takimi jak pan miałem do czynienia już jako młody chłopak w Liverpoolu. – Jack mówił znużonym głosem. – Poza tym jestem stary. Stary jak te góry. Więc niech pan nie owija w bawełnę, tylko gada, o co chodzi.

– Ktoś się włamał do mieszkania Niny Backworth, a potem do kaplicy w Domu Pisarza – wyjaśnił Joe. – Włamanie było przedwczoraj w Jesmond, drugie wczoraj późnym popołudniem. Gdzie pan i Joanna byliście w tych dniach?

Jack znowu spojrzał na Joego. Nadal siedział na stopniu, jeden but wciąż miał na nodze.

– Nina Backworth pomaga Joannie znaleźć wydawcę. Składają wspólnie książkę. Coś jak zbiór prac z Domu Pisarza. Dlaczego mielibyśmy robić coś, co mogłoby zniweczyć te działania.

Joe wolałby nie stać nad mężczyzną. Czuł się jak łobuz próbujący go zastraszyć.

– O nic was nie oskarżam – zapewnił. – Chcę tylko wiedzieć, co wtedy robiliście.

– Wczoraj po południu mnie nie było – odparł Jack. – Pojechałem do sklepu rolniczego w Kimmerston. Po ściółkę dla kur. Często u nich kupuję, więc na pewno mnie zapamiętali. Przedwczoraj oboje z Joanną byliśmy w domu. – Ściągnął drugi but i zaprosił Joego do środka. – Proszę wejść i porozmawiać z Joanną. Siedzi przy komputerze od rana, usiadła do niego zaraz po wstaniu. Może dobrze, że pan z nią pogada, bo zrobi sobie przerwę. Pochłonęło ją to pisanie, jakby się w nim zapomniała.

Joe zdał sobie sprawę, że Jack musiał się naprawdę martwić, bo wyglądał na niemal uradowanego, że wpuszcza policjanta do domu.

Joanna siedziała przy stole kuchennym przy laptopie. Była w dużych okrągłych okularach, które zsuwały jej się z nosa.

– Sierżant Ashworth przyszedł z tobą porozmawiać – poinformował ją Jack.

Joanna oderwała wzrok od laptopa, ale widać było, że jest zupełnie gdzie indziej, w pełni pochłonięta tym, o czym pisała.

– Zrobię mu kawę, co? – zapytał Jack, próbując przywołać partnerkę do rzeczywistości,

– Tak, zrób – zgodziła się Joanna, ale zarazem zmarszczyła brwi i spojrzała na Joego. – Długo pan zabawi?

– Mam tylko kilka pytań. – Usiadł przy stole obok niej.

– Muszę się spieszyć, żebym zdążyła dotrzymać terminu – wyjaśniła. Była podekscytowana. Zdaniem Joego nie wyglądała najlepiej. Czyżby znowu przestała brać lekarstwa? – Chrissie Kerr chce wydać zbiór naszych prac. To coś w rodzaju próbki tego, czym się zajmowaliśmy. Żeby rozreklamować Dom Pisarza i prowadzone w nim kursy. Każdy kawałek ma mieć najwyżej tysiąc słów, ale musi być dobry. To okazja, żebym pokazała, że potrafię pisać. Taka moja wizytówka. Piszę coś nowego. Krótką nowelę kryminalną.

– Alex Barton trafił do szpitala – rzekł Joe.

Wreszcie udało mu się odciągnąć uwagę Joanny od monitora.

– Dlaczego? Co się stało?

Joe upewnił się, że Jack również słucha.

– Ktoś zadźgał nożem kota jego matki i ułożył go w kaplicy jak jakąś ofiarę wraz z martwym rudzikiem. Chłopaka to przeraziło. Zresztą nic dziwnego.

– I uważa pan, że my moglibyśmy coś takiego zrobić? – Jack stanął wyprężony przy stole, gromiąc Joego wściekłym spojrzeniem.

– Nie sądzę, żeby miał pan opory przed zabiciem zwierzęcia – odparł Joe. – W końcu robi pan to codziennie.

– Tylko że to nie to samo, co ukręcenie łba kurze, która przestała się nieść. – Twarz Jacka znalazła się tak blisko twarzy Joego, że Joe widział włosy w nosie mężczyzny i złotą plombę w jego uzębieniu. – To, o czym pan mówi, to jakieś bestialstwo!

– Alex dobrze się czuje? – zapytała Joanna. Joe i Jack spojrzeli na nią, zapominając na chwilę o wymianie nienawistnych spojrzeń. – Jest jeszcze bardzo młody, a tyle przeszedł.

– Sierżant Ashworth chce wiedzieć, gdzie byliśmy wczoraj po południu – rzucił Jack.

– Jacka nie było. – Kobieta się uśmiechnęła. – Jak co tydzień pojechał do Kimmerston. Choć raz w tygodniu może ode mnie odpocząć. Robi zakupy na potrzeby farmy, potem kolacja w Czerwonym Lwie. Siedzi tam i gada z kumplami. Opowiadają sobie, co się działo w ciągu tygodnia, co, Jack? Bo przecież nasze życie jest takie ekscytujące.

– A pani? – Joe nie był pewien, jak się powinien zwracać do Joanny. Per pani? Po imieniu? W końcu uznał, że „pani" będzie lepiej. – Gdzie pani wczoraj była?

– Tutaj – odparła. – A gdzie miałabym być? Mamy tylko jeden samochód, sierżancie. Bez samochodu jestem uwięziona.

Joe pomyślał, że już raz uciekła z farmy taksówką, ale nic nie powiedział.

Przed wyjściem spojrzał przez ramię w monitor laptopa i przeczytał pierwszy akapit. Opisywał martwego mężczyznę, leżącego na ławce. Twarz miał w zadrapaniach. „Jakby go zaatakował wilk". Taki był pomysł Joanny na interesującą lekturę.

34

Chrissie nie chciała nawet słyszeć, że Nina wróci do siebie do Jesmond.

– No coś ty. Przecież tam krąży ten psychol. Nie wybaczyłabym sobie, gdyby coś ci się stało.

Więc Nina dała się przekonać. I po kilku dniach stwierdziła, że dobrze jej w dużym domu na wsi. Nie musiała gotować ani robić zakupów, a ponieważ Kerrowie zatrudniali sprzątaczkę, już naprawdę nic nie odciągało jej od pisania. Miała wrażenie, jakby się zatrzymała w bardzo przyjaznym hotelu. Dostała pokój gościnny na drugim piętrze, własną łazienkę i nawet maleńki gabinet, gdzie mogła pracować. Matka Chrissie dobrze gotowała; zbierała i odtwarzała przepisy z zapałem gorliwej uczennicy. Ojciec był uprzejmy, miał łagodny charakter. Ninie pobyt u Chrissie kojarzył się z tamtym latem u dziadków, gdy napisała swoją pierwszą powieść. Obecna, kryminał, cały czas się rozrastała. Była zupełnie inna od wszystkiego, co Nina napisała wcześniej, ale może lepsza. Forma sensacji nadawała powieści strukturę, której brakowało poprzednim dziełom Niny.

Przy posiłkach rozmowy toczyły się wokół tematu zbioru krótkich opowiadań, który Chrissie zamierzała wydać, żeby uczcić pracę Mirandy i ustanowić swoje prawa do Domu Pisarza. Nina od samego początku wiedziała, że to był główny cel wydania zbioru. Chrissie chciała powiększyć swoje imperium i z jakiegoś powodu Dom Pisarza stanowił jądro jej planów. Nie potrafiła mówić o niczym innym. Miała obsesję na tym punkcie.

– Dzwoniła ta policjantka – oznajmiła.

Siedzieli przy kolacji. Nina cały dzień była na uczelni. Zaraz po przyjeździe poczęstowano ją kieliszkiem wina, a teraz na stole przed nią stała lasagnie, tak smaczna, że lepszej jeszcze nie jadła. Pieczywo ze specjalistycznej piekarni w Morphet. Sałatka w dużej szklanej misie.

– Ta gruba, inspektor Stanhope. Chce, żebyśmy ustaliły datę uroczystego pożegnania Mirandy Barton. Zresztą pomysł uroczystości wyszedł od niej. To ona zasugerowała, żebym urządziła przyjęcie promujące antologię i pracę, jaką Miranda wkładała w rozwój początkujących pisarzy. Mówiła, że Alex się zgodzi. Wrócił już do domu i czuje się o wiele lepiej. Zasugerowałam ten piątek i powiedziałam, że odwiedzę biednego Alexa, żeby omówić szczegóły. Co o tym sądzisz?

– Zdążysz do tego czasu wydać zbiór? – Nina miała jeszcze inne obiekcje, ale przypuszczała, że Chrissie obchodziła jedynie strona praktyczna przedsięwzięcia. Książka do tego momentu ze skromnego zbioru rozrosła się do sporej objętości antologii; Chrissie zwróciła się z prośbą o pomoc do byłych wykładowców i kursantów, potem całymi nocami ślęczała nad korektą nadesłanych tekstów. Okładkę wybrały wspólnie. Czarno-białe zdjęcie Domu Pisarza zimą, drzewa nagie, morze gładkie i szare.

– Byłam dzisiaj w drukarni. – Chrissie nalała sobie wina do kieliszka i uniosła go w geście żartobliwego toastu. – Więc, jak uważasz? Następny piątek będzie dobry na przyjęcie?

– Gdzie chcesz je urządzić? – Nina myślała, że chodzi o jedno z typowych miejsc: Sage, kawiarnia w Baltic lub biblioteka Lit & Phil.

– Oczywiście w Domu Pisarza. – Chrissie popatrzyła na nią jak na wariatkę. – A gdzieżby indziej? Sądziłam, że rozumiesz, na czym polega mój plan.

Jak dotąd Nina dawała się ponosić entuzjazmowi przyjaciółki. Wysłuchiwała jej pomysłów dotyczących zaproszenia ważnych osób z branży i mediów i jak powinien wyglądać przebieg wieczoru. Ale teraz odstawiła kieliszek.

– Nie możesz tam urządzić przyjęcia! To koszmarny pomysł. Poza tym inspektor Stanhope nigdy nie wyrazi na to zgody.

– Już wyraziła. – Chrissie patrzyła na Ninę z rozbawieniem. – Oczywiście, zanim zaczęłam cokolwiek organizować, najpierw zapytałam, czy mogę. Przyjęcie musi się odbyć w Domu Pisarza. Przy takim nagłośnieniu w prasie miejsce zapełnimy, gdy tylko roześlę zaproszenia. Nawet *Culture Show* jest zainteresowany. Robią specjalny program ku pamięci Tony'ego Ferdinanda. – I potem: – Ale czytania nie będzie. Nie ma nic bardziej nużącego niż słuchanie początkujących pisarzy, czytających urywki własnych książek. Ze dwie krótkie przemowy powinny wystarczyć. Ty też coś powiesz, Nino, dobrze? Opowiesz im, jak ważną rolę spełnia ośrodek dla rozwoju literatury na północnym wschodzie kraju?

I Nina się zgodziła, ponieważ uważała, że nie ma wyboru. Jak mogłaby odmówić, skoro mieszkała u Chrissie, korzystając z gościnności jej rodziców; skoro to właśnie Chrissie była tą osobą, która miała ją uratować przed włączeniem w szeregi utalentowanych pisarzy, którzy nigdy nie wydali żadnej książki?

Jednak później, gdy już wróciła do swojego pokoju i rozmyślała nad rozdziałem, który miała napisać następnego dnia, jej niepokój w związku z przyjęciem zaczął narastać. Zginęły dwie osoby. Zabójca nie został złapany. Ekscytacja Chrissie, jej chęć rozwijania firmy i podniesienia sprzedaży wydawały się nie na miejscu. Poza tym Nina nie chciała nigdy więcej postawić stopy w Domu Pisarza.

W następnych dniach im bliżej do przyjęcia, tym większy był jej niepokój. Nie chciała spotkać aktorów dramatu. Lenny, Giles Rickard, Joanna i Jack, Mark Winterton i Alex Barton – ich miejsce było teraz gdzie indziej. Nie mieszkali w Cumbrii, Red Row czy Craster, tylko w jej wyobraźni. Byli paliwem napędzającym jej opowieść. Nie stworzyła postaci dokładnie odwzorowujących realne osoby, ale atmosfera zagrożenia, którą zapamiętała z pobytu w ośrodku, te osobliwe tarcia i konflikty – to wszystko zawarła w powieści.

Wszyscy pisarze to pasożyty, myślała.

Bała się, że gdy spotka realnych ludzi, czar pryśnie i straci to, co stanowiło jądro jej powieści.

Ale to przecież chore. Czy wszyscy pisarze są również szaleńcami?

Następnego dnia poranek miała wolny. Powinna oceniać prace studentów, ale pogoda była tak piękna, tak słoneczna, że przyłączyła się do Chrissie i razem z nią wybrała się na spacer z psem. Dla Chrissie był to rytuał i jedyne ćwiczenia fizyczne. Obchodziła z psem tereny niegdyś należące do North Farm. Była to niecała mila, ale Chrissie wracała ze spaceru czerwona i zdyszana, jakby całą drogę biegła. I w zasadzie biegła, a raczej szła szybkim krokiem, jakby jak najprędzej chciała wrócić za biurko; Nina ledwie za nią nadążała.

– Uważasz, że to dobry pomysł, tak szybko wydać antologię i prosić o wsparcie w utrzymaniu ośrodka? – zapytała, podejmując kolejną próbę zatrzymania rozwoju wydarzeń prowadzących do urządzenia przyjęcia. – Nie lepiej zaczekać, aż policja złapie zabójcę? Urządzanie promocji teraz to chyba trochę niesmaczne posunięcie.

Chrissie zatrzymała się i pochyliła, żeby odpiąć psa ze smyczy.

– Ależ koniecznie musimy to zrobić właśnie teraz! – orzekła. – To po prostu mus. – Odwróciła się do Niny; jej oczy błyszczały ekscytacją, a nawet, pomyślała Nina, jakimś szaleństwem. – Mamy takie czasy, że siedziby dużych graczy z branży już nie muszą się mieścić w Londynie. Ale żeby mnie zauważono, żebym miała taką reklamę, na jaką mam teraz szansę, musiałabym wydać fortunę. Rano się dowiedziałam, że „Bookseller" zgodził się zamieścić artykuł o North Farm. Chcą go zatytułować: Regionalna działalność wydawnicza: zbawienie dla branży? To jest również w twoim interesie, nie rozumiesz? Przecież chcesz, żeby twoje powieści trafiały do dużych księgarń? I planujesz rzucić uczelnię i pisać na pełny etat.

Tak było. Nina rzeczywiście miała takie plany. Ale krocząc za Chrissie skrajem świeżo zaoranego pola, zdała sobie sprawę, że przyjaciółka manipuluje nią tak samo jak przed laty Tony Ferdinand. Była tylko jedna różnica – Chrissie miała na sercu jej dobro.

Któregoś dnia, w kilka dni po rozmowie z Chrissie, wychodząc ze swojego gabinetu na uczelni, Nina natknęła się na Joego Ashwortha. Właśnie skończyła seminarium dla dojrzałych studentów. Prowadziła pewną kobietę w średnim wieku, bardzo zapiekłą w swoich poglądach na temat pisarstwa, która nigdy nie powinna była zostać przyjęta na kurs. Nina była tak wściekła i sfrustrowana, że zauważyła sierżanta dopiero w ostatnim momencie. Stał w korytarzu, wpatrzony w tablicę ogłoszeniową dla studentów. Wisiały na niej stare plakaty o wyborach do prezydium Brytyjskiego Zrzeszenia Studentów i nowe o zabawach i występach na koniec semestru. Wkrótce studenci wyjadą i na uczelni zrobi się cicho. Joe Ashworth odwrócił się i dopiero wtedy Nina zobaczyła jego twarz. Zatrzymała się w pół kroku.

– Pan do mnie? – zapytała i od razu miała ochotę kopnąć się w kostkę. A do kogo innego miałby przyjechać? Pytanie było idiotyczne. – Ma pan jakieś wieści? Wiecie już, kto się do mnie włamał? Złapaliście zabójcę?

– Nie – odparł. Pomyślała, że wygląda starzej, niż go zapamiętała. Na pewno był bardziej zmęczony. – Ma pani czas, żeby napić się kawy?

– Oczywiście! – Nie spieszyło się jej z powrotem do North Farm. Chrissie groziła, że jeśli Nina wróci na czas, to pojadą razem do supermarketu po wino na przyjęcie w Domu Pisarza. A Chrissie, z jej niespożytą energią i niemalejącym entuzjazmem do realizacji projektu, z każdym dniem coraz bardziej działała Ninie na nerwy.

Zabrała Ashwortha do małej kawiarenki w bocznej uliczce między uniwersytetem a szpitalem. W środku panował półmrok, wystrój przypominał wiktoriański salon. Kawiarnię prowadził starszy pan: piekł przepyszne ciasta i bułeczki, a kawa była bardzo dobra, ale staruszek nie miał pojęcia, jak należy traktować klientów. Może cierpiał na zespół Aspergera lub inne zaburzenie, przez które dziwnie się zachowywał w sytuacjach społecznych. „Czego?" – pytał nieuprzejmie, gdy ktoś wchodził. I nienawidził czekać, aż gość złoży zamówienie. Za to uwielbiał czytać; irytowało go, że goście wchodzą i odrywają go od lektury, jakby nie był w pracy, tylko w domu. Ale gdy już obsłużył klientów, zostawiał ich w spokoju.

Usiedli przy oknie. Na ulicy nagle zapłonęły latarnie. Wystawy w sklepowych witrynach zapowiadały już święta Bożego Narodzenia. Gdy zamówienie zostało zrealizowane, Nina powąchała swoją herbatkę rumiankową, przy okazji patrząc, jak sierżant Ashworth z zapałem dorywa się do swojej kawy, zupełnie jakby miała mu uratować życie. Przyglądając się, jak posmarowawszy serową bułeczkę masłem, szybko ją pochłania, zaczęła się zastanawiać, czy policjant jadł cokolwiek w ciągu dnia.

– W czym mogę panu pomóc? – zapytała, bo sądziła, że sierżantowi Ashworthowi pomoc jest potrzebna. Siedział naprzeciwko niej z bułeczką przy ustach i patrzył na nią niepewnie i niespokojnie.

– To przyjęcie w Domu Pisarza…

– Tak?

– Jak to ma w zasadzie wyglądać?

– To będzie zwykłe przyjęcie – odparła. – Takie jak przy promocji książki, tylko promowana będzie grupa autorów, a nie pojedyncza osoba. A wiodącą ideą jest pomysł utworzenia fundacji na rzecz kontynuacji wizji Mirandy. Czyli żeby Dom Pisarza mógł nadal funkcjonować. – Po drugiej stronie ulicy Nina dostrzegła jakąś kobietę, trzymającą za rękę małą dziewczynkę. Dziewczynka podskakiwała, prawie tańczyła na chodniku. Nina zaczęła sobie wyobrażać, jak by się czuła, ściskając taką małą rączkę, potem pomyślała, że pewnie nigdy się o tym nie przekona.

– Rozmawiałyście panie o tym pomyśle z Alexem? – Ashworth przełknął bułeczkę i dokończył kawę. Teraz wpatrywał się w Ninę badawczo.

– Ja nie, ale Chrissie pewnie tak. Wczoraj wspominała, że się do niego wybiera. To jej projekt. – Nina wciąż nie potrafiła wydedukować, czego chciał od niej policjant. Może przysłała go ta jego gruba przełożona? A może Alex zmienił zdanie w sprawie przyjęcia? Nina wcale by mu się nie dziwiła. Chrissie opowiadała, że to będzie poważna uroczystość pożegnalna, ale jednak przyjęcie to przyjęcie. Czyżby Alex poskarżył się policji, że jest wciągany w coś, czego nie chce?

Ashworth nic na to nie powiedział. Przekręcił twarz w stronę okna i Nina zauważyła, że też przyglądał się kobiecie z dzieckiem.

– Czy w dochodzeniu pojawiły się nowe fakty? – zapytała. Cisza między nimi zaczynała być krępująca. – Chyba powoli zacznę myśleć o powrocie do domu. Nie mogę w nieskończoność mieszkać w North Farm.

Sierżant Ashworth gwałtownie odwrócił do niej głowę.

– Proszę tam jeszcze trochę zostać. Przynajmniej do czasu przyjęcia.

– Dlaczego akurat do przyjęcia? – zdziwiła się. – Co może zmienić promocja książki?

– Prawdopodobnie nic. – Ashworth dziwnie się zaśmiał. Nerwowo. A może zakrywał śmiechem fakt, że ją okłamywał. – Po prostu liczymy, że do tego czasu będziemy już mieli jakieś wyniki.

– A więc jesteście już blisko? – Popatrzył na nią, jakby nie zrozumiał, więc dodała, używając jego słów: – Uzyskania wyników?

Nie odpowiedział i zamiast tego zadał własne pytanie.

– Kto z kursu „Ostre cięcie" będzie na przyjęciu?

– Wszyscy, którzy przekazali swoje teksty do antologii: Giles Rickard napisał nowe opowiadanie; Mark Winterton z jego nowelą sensacyjną; Lenny Thomas, Joanna Tobin i ja. I oczywiście Chrissie, mimo że niczego nie napisała. A dlaczego pan pyta? To coś ważnego?

– Prawdopodobnie nie.

Ale Nina widziała, że w tym momencie jest to dla Ashwortha najważniejsza rzecz na świecie.

– Dlaczego odszukał mnie pan na uczelni? – Pytanie zostało zadane jakby pod wpływem impulsu, słowa wypadały jej z ust ostro niczym wystrzały z pistoletu.

Wydawał się zaskoczony jej bezpośredniością.

– Chciałem sprawdzić, czy wszystko u pani w porządku.

– Przysłała pana pani inspektor?

– Nie! – zaprzeczył gwałtownie. – Sam to zasugerowałem.

– Ale ona wie, że pan tu jest? – Nina pomyślała, że sierżant jednak przybył po informacje. Dlaczego Vera Stanhope sama nie zajmie się swoją brudną robotą? Przecież była w kontakcie z Chrissie. Nina wstała. Jej zdaniem ta rozmowa prowadziła donikąd. – Muszę jechać do North Farm. Obiecałam Chrissie, że pójdą z nią na zakupy. Po zaopatrzenie na przyjęcie.

Ashworth również się podniósł; przez chwilę stali obok siebie. Właściciel kafejki nadal był pogrążony w lekturze, nieświadomy, zdawałoby się, atmosfery napięcia w lokalu, chociaż Nina wyraźnie ją czuła. Była jak wyładowania elektryczne.

Ashworth położył jej rękę na ramieniu.

– Proszę na siebie uważać – rzekł. – Dobrze? – I szybko opuścił kawiarnię, wchłonięty na ulicy przez tłum osób spieszących na świąteczne zakupy. Nina jeszcze przez chwilę stała w kawiarni, nadal nie do końca wiedząc, dlaczego Ashworth się z nią spotkał. Czyżby chodziło o jego ostatnie słowa? Przyjechał do miasta tylko po to, żeby ją ostrzec?

35

Joe Ashworth szybko przemierzał zatłoczone ulice, powtarzając sobie w duchu, że niepotrzebnie przyjeżdżał do miasta. Na co on liczył? Co chciał osiągnąć? Na chwilę przystanął przed domem towarowym Fenwick, zwabiony tam tłumem gapiów zapatrzonych w witrynę. To był symbol Newcastle – świąteczna wystawa okienna w Fenwicku. Razem z Sal przywozili tu dzieci, żeby ją zobaczyły, i ta wycieczka wyznaczała początek okresu świątecznego. W tym roku tematem przewodnim był kosmos: mechaniczni astronauci skakali po Księżycu, wirujące gwiazdy i rakieta startująca w jednym oknie i lądująca w drugim. Silnik strzelał prawdziwymi iskrami. Święty Mikołaj i renifery w kosmicznych hełmach. Dzieciaki byłyby zachwycone.

Ale pozwolił sobie na tę chwilę odskoczni tylko na moment, potem zaczął się przepychać między babciami, ciągnącymi za sobą spacerówki z przypiętymi w środku wielkookimi wnukami, między ulicznymi sprzedawcami, ludźmi pracy, którzy wyszli z biur wcześniej, żeby uniknąć godzin szczytu. Zwykle lubił przyjeżdżać do miasta, ale dzisiaj się w nim dusił. Zbyt dużo czasu spędzał z Verą i przejął od niej jej uwielbienie dla gór i wolnych przestrzeni.

Co do wizyty u Niny Backworth, to zajrzał do niej na prośbę Very:

– Wpadnij do tej swojej szpanerskiej koleżanki z uczelni, co, kotku? – poleciła z rozbawieniem. – Dowiesz się, co knuje. Albo co knuje jej wydawca. To przyjęcie na wybrzeżu to jeden ze sposobów, żeby rzeczy ruszyły z miejsca. Coś w rodzaju reakcji chemicznej. Potrząsasz butelką i czekasz, aż roztwór zacznie musować. – Chwila zastanowienia. – Muszę mieć pewność, że na miejscu będę miała wszystkie składniki. Wszystkich podejrzanych. Sama nie chcę więcej kontaktować się z tą Kerr, bo już i tak się dziwi, że tak się tym interesuję. Ale twoja Nina będzie wiedziała.

Ona nie jest moja, chciał odpowiedzieć, tylko że wtedy na pewno usłyszałby kolejny uszczypliwy komentarz.

Zamiast tego bronił się w jedyny sposób, jaki znał, wykorzystując słowa Very przeciwko niej samej.

– Myślałem, że załatwimy to tradycyjnymi metodami. Pochodzimy po domach, pogadamy ze świadkami.

– Aye, cóż. – Popatrzyła na niego, marszcząc czoło. – To by zbyt długo trwało. A znasz mnie, cierpliwość nie jest moją mocną stroną.

Więc zadzwonił na uczelnię i dowiedział się, że panna Backworth ma zajęcia przez cały dzień. I potem natychmiast wyjechał, wiedząc, że jeśli da sobie trochę czasu na zastanowienie, to jakoś to w sobie upchnie. Wielokrotnie odtwarzał w pamięci swoją ostatnią rozmowę z Niną. Swoje pożądanie, które cuchnęło zdradą. Gdyby jego koledzy wiedzieli, pękaliby ze śmiechu! Każdy z nich miał na koncie przynajmniej jeden skok w bok, a on jeszcze nigdy nawet nie dotknął obcej kobiety.

Dotarł do piętrowego parkingu i zaczął się zastanawiać, jak obecnie wyglądają jego uczucia do Niny Backworth. Kiedy ją zobaczył na uniwersytecie, wychodzącą z pokoju, przeszedł go dreszcz podziwu. Zgrabna, proste plecy, szyty na miarę kostium, wąska spódnica, czarne skórzane botki. A potem? Nic tylko strach, że robi z siebie idiotę. Siedziała w tej kawiarni, zimna jak bryła lodu, a on zadawał głupie pytania.

Jego telefon zadzwonił, gdy dotarł do auta. Oczywiście Vera. Wciąż niecierpliwa. Wciąż niedowierzająca, że potrafi wypełnić najprostsze zadanie.

– Tak? – Stał, opierając się o betonowy filar i patrząc w dół, na miasto.

– I jak ci poszło? – zapytała.

– Będą wszyscy. Rickard, Winterton, Thomas, Joanna Tobin, Chrissie Kerr.

– A twoja przyjaciółka Nina?

– Oczywiście też będzie – odparł, chociaż nie potrafił traktować Niny jako podejrzanej. Była ofiarą, dlatego musiała się wyprowadzić do obcego domu, dlatego nie mogła wrócić do siebie.

– Jutro z rana jadę do Domu Pisarza – poinformowała Vera Stanhope. – Chcę porozmawiać z Alexem. I jeszcze raz obejrzeć miejsce. Masz ochotę się zabrać?

– Jasne.

– A jakie masz plany na resztę popołudnia?

– Bo co? – Joe po tonie głosu Very wyczuwał, że coś dla niego przyszykowała. Nie powiedział, że w jego odczuciu był raczej wieczór, a nie popołudnie, i że wkrótce kończyła się jego zmiana.

– Chciałabym, żebyś wpadł do Lenny'ego Thomasa – wyjaśniła. – Nie ma alibi na martwego kota i włamanie do Backworth, a Holly mówiła, że wyglądał podejrzanie, kiedy z nim rozmawiała. Ale znasz Holly: nie jest najdelikatniejsza przy przesłuchaniach. Ja też się przy niej denerwuję i zaczynam mieć rozbiegany wzrok. Chciałabym usłyszeć opinię kogoś innego.

Ashworth poczuł, że się uśmiecha. Nad jego głową na zachodzie samolot podchodził do lądowania na lotnisku Newcastle, podwójne światełka po bokach migały tak regularnie jak światła latarni.

Zdawał sobie sprawę, że Vera, jak każda kochanka, jest niestała w uczuciach, ale lubił być u niej w łaskach. Nic na to nie mógł poradzić.

– Jasne – powtórzył.

W mieszkaniach domu w Red Row panowała cisza, większość okien była pozasłaniana. Wchodząc po schodach, zza zamkniętych drzwi Joe co jakiś czas słyszał szmer telewizora. W wiadomościach już się nie mówiło o morderstwach w Domu Pisarza, pojawiły się nowe tematy. Chociaż zainteresowanie prasy wciąż było duże, ale głównie była to prasa miejscowa. Na jednych z drzwi ktoś zawiesił świąteczny wianek. Joe pomyślał, że zwiędnie do grudnia, ale gdy podszedł bliżej, przekonał się, że wianek jest z plastiku. Nagły płacz małego dziecka przypomniał mu o żonie i dzieciach w domu. Potem znowu zrobiło się cicho.

Lenny otworzył od razu. Stał w wąskim korytarzu mieszkania i był w płaszczu.

– Wychodzi pan? – zapytał Joe.

– Nieee... właśnie wróciłem. – Przez chwilę stał nieruchomo, potem uciekł wzrokiem od spojrzenia Joego. Joe pomyślał, że Lenny faktycznie zachowuje się podejrzanie. – A o co chodzi?

– Mam kilka pytań. Wie pan, jak to jest.

– No nie bardzo.

Lenny spochmurniał. Joe był ciekawy, czym się tak przejął. Skąd u niego ta mina, jakby zrobił coś złego? Może znalazł sobie nową kobietę i, choć rozwiedziony z Helen, uważał, że dopuścił się zdrady. Helen mówiła, że jest romantykiem, marzycielem. Jak ja? – pomyślał Joe, a potem: Na rany boskie, chłopie, tobie nic tylko seks w głowie.

– Usiądziemy? – Joe zamknął za sobą drzwi i ruszył w głąb mieszkania. Lenny wciąż nie okazywał chęci zdjęcia płaszcza.

– Aye, no dobrze. – Wyglądało, jakby utracił całą swoją energię i entuzjazm małego dziecka. – Ale jest zimno. Dopiero włączyłem ogrzewanie.

– Zamordowałbym dla szklanki herbaty. Herbata szybko by nas rozgrzała.

W pokoju naprawdę było zimno. Lenny włączył światło i zaciągnął zasłony. Panował tu jako taki porządek, choć na gzymsie kominka leżała warstwa kurzu, a na dywanie okruchy ciastek. Lenny zauważył, że Joe patrzy na okruchy.

– Przepraszam za bałagan. – Przez chwilę znowu był sobą, skruszony i podlizujący się. – Nie odkurzałem w tym tygodniu. – Wciąż w płaszczu przeszedł do kuchni i nalał wody do czajnika.

Joe został tam, gdzie stał. Zastanawiał się, jakie to uczucie mieszkać samemu; od rodziców wyprowadził się od razu do wspólnego domu jego i Sal. Pod oknem stał stół, na którym leżało kilka kartek zadrukowanego papieru, na jednej widniało błyszczące zdjęcie domu otoczonego ogołoconymi z liści drzewami. Zdjęcie zrobiono od strony, której Joe nie widział, więc dopiero wydrukowany wymyślnymi literami tytuł – *Krótkie cięcie z Domu Pisarza* – sprawił, że rozpoznał dom. Odwrócił się i stwierdził, że Lenny przygląda mu się z drzwi kuchni.

– To tekst do korekty – wyjaśnił. – Przysyłają z drukarni i trzeba wyszukać błędy. Zdjęcie będzie na okładce.

– A więc będzie pan na przyjęciu?

– Będę – odparł Lenny z niejakim wahaniem. Czajnik zaczął gwizdać, potem się wyłączył, ale Lenny nie zwrócił na to uwagi. – Nawet się zastanawiałem, czy nie zaprosić Helen. Mojej byłej. Nie wierzyła, że mi się uda, a tu proszę, moje nazwisko jest na okładce książki. Tylko czy ona nie pomyśli, że się popisuję, że chcę jej dogryźć, pokazać, że się myliła. Nie chciałbym, żeby to tak wyszło.

– Sądzę, że chciałaby, żeby ją pan zaprosił – orzekł Joe. – Byłaby dumna. Naprawdę.

– Może w takim razie zaryzykuję – mruknął Lenny. – Może tak zrobię. – I zniknął przyszykować herbatę.

Później, z kubkiem opartym na kolanie, Joe zapytał:

– Co pan ostatnio porabiał, panie Thomas. – Kiedy usłyszał samego siebie, o mało się nie skrzywił. Jego głos brzmiał protekcjonalne z domieszką tej wymuszonej wesołości, z jaką starzy kawalerowie i księża zwracają się do dzieci. Lenny natychmiast nabrał podejrzliwości.

– A niby co miałem robić?

– Ależ nic, nic! – Jednak Lenny'emu należały się jakieś wyjaśnienia. – Ktoś zabił kota Mirandy i podrzucił go do kaplicy w Domu Pisarza. Może to tylko chory żart, niemający nic wspólnego z morderstwami, ale przepytujemy wszystkich, co robili w tamto popołudnie. I mniej więcej w tym samym czasie ktoś włamał się do mieszkania Niny Backworth. Rozumie pan. Wszelkie informacje mogłyby nam pomóc wyśledzić zabójcę.

Znowu to zmarszczenie brwi i pochmurna mina.

– Ja bym czegoś takiego nie zrobił. Zresztą nie miałbym jak dojechać do Domu Pisarza. Nie mam samochodu.

– Wcześniej była u pana moja koleżanka. Pytała, co pan robił tamtego dnia, a pan odpowiedział, że nie pamięta.

– Ta młoda laska – burknął Lenny. – Zarozumiała krowa. Nawet nie chciała usiąść. Pewnie się bała, że coś złapie.

– Gdzie pan wtedy był, Lenny? – Joe starał się mówić beztroskim tonem. Lubił tego wielkoluda. – Nie prowadzi pan aż tak intensywnego życia towarzyskiego, żeby nie mógł pan sobie przypomnieć.

Lenny chwilę milczał. Joe pomyślał, że wymyśla odpowiedź, ale w ostatnim momencie Lenny pokręcił głową.

– Przykro mi – rzucił. – Kiedy się ciągle siedzi w domu, jak ja, każdy dzień wygląda tak samo. – Wstał. – Ale ja bym czegoś takiego nie zrobił. Nie skrzywdziłbym Niny ani Alexa. To dobrzy ludzie.

Joe zorientował się, że Lenny nie odpowiedział na pytanie. Możliwe, że nie mógł się zmusić do powiedzenia kłamstwa. Ale doskonale wiedział, gdzie był w tamte dni. Tylko nie chciał tego wyjawić.

Joe wyciągnął z kieszeni wizytówkę.

– Tu jest numer mojego telefonu komórkowego. Proszę zadzwonić, jeśli coś się panu przypomni. – Zdawał sobie sprawę, że gdyby teraz naciskał na Lenny'ego, Lenny tylko jeszcze bardziej zamknąłby się w sobie. Lenny nie podniósł wizytówki ze stołu, gdzie Joe ją odłożył, ale kiwnął głową.

Po wyjściu Joe pomyślał, że ten dzień był jednym wielkim fiaskiem. Jedna porażka za drugą. A tak chciał dostarczyć Verze pomyślnych wieści, żeby wiedziała, że słusznie w niego wierzyła. Już w samochodzie pewna myśl kazała mu odwrócić się i spojrzeć na blok. Zobaczył, że Lenny lekko rozchylił zasłony i patrzy w dół.

Chce mi coś powiedzieć, pomyślał, ale się boi. Czego taki wielki facet jak on może się bać?

Kiedy dotarł do domu, dzieciaki były już przygotowane do snu, ale jeszcze nie spały, tylko na niego czekały. Sal dla starszych włączyła DVD i siedziała obok nich, karmiąc najmłodsze. Wszyscy podnieśli głowy, gdy wszedł, ale żadne z dzieci nie wydawało się podekscytowane tym, że wrócił. Po kąpieli były ospałe, bardziej je interesował film w telewizorze. Kreskówka o owadach olbrzymach. Ucieszył się, że w domu jest tak spokojnie, ale zarazem poczuł się zawiedziony.

– Zjadłam z dziećmi – poinformowała Sal. – Nie wiedziałam, o której będziesz.

Mówiła bezbarwnym tonem, dlatego nie potrafił rozpoznać, czy go przepraszała, czy raczej miała pretensję.

– Nie ma problemu. Zrobię sobie coś, jak się położą. – Wziął na ręce synka, środkowe dziecko, i posadził go sobie na kolanach. Mały ssał palec i już prawie zasypiał.

Muszę z nimi spędzać więcej czasu. Kiedy śledztwo się skończy... Cały wieczór – z dziećmi, a potem, kiedy jadł jajecznicę na kanapie obok Sal – czuł się jak podglądacz własnej rodziny. Jakby stał w ogródku i obserwował ich przez okno. Jakby był w tym domu kimś zupełnie obcym.

Sal wcześnie poszła się położyć, ale on powiedział, że jeszcze trochę posiedzi. Był nakręcony i wiedział, że przeszkadzałby żonie zasnąć.

– Pijesz za dużo kawy. – To był cały komentarz, jednak Joe miał świadomość, że Sal jest przykro. Słyszał ją na górze: kroki w sypialni, woda spuszczona w toalecie. Każdy odgłos jak zarzut.

Zabrał się do czytania powieści Mirandy Barton *Okrutne kobiety*, lecz książka mu się nie podobała. Zbyt wiele słów, których nie rozumiał. I niewiele się działo. Była to opowieść o samotnej matce próbującej utrzymać się w Londynie. Pierwszy rozdział opisywał poród, ale Joe uważał, że opis był przekoloryzowany. Sal rodziła bez robienia z tego wielkiego halo. Ciąg dalszy to opowieść o relacjach kobiety z kolegami z pracy i kochankami. Nawet sceny łóżkowe były nudne.

Była już jedenasta, ale do przeczytania został mu tylko jeden rozdział. Więc czytał dalej; chciał mieć pewność, że gdy pójdzie na górę, Sal będzie mocno spała. W tej scenie Samantha, główna bohaterka, zostaje porzucona przez kochanka. Osuwa się na podłogę. Zakończenie było niejasne. Być może Samantha popełniła samobójstwo, a może tylko zemdlała. Joe czuł się oszukany.

Mimo to jeszcze raz przeczytał ostatni rozdział, pilnując, żeby nie umknęło mu ani jedno słowo. Nie dlatego, że powieść go wciągnęła – nawet przez chwilę nie mógł uwierzyć w postać Samanthy i w jej rozpacz – ale dlatego, że sceneria była bardzo znajoma. Spotkanie odbywało się w domu przyjaciela, w oranżerii. Ustawienie mebli i roślin, kolor nowego dywanika na podłodze, gazeta na stole, wszystko doskonale pasowało do wyglądu pomieszczenia, w którym Miranda znalazła zwłoki Tony'ego Ferdinanda. I ułożenie ciała Ferdinanda, w rogu, odzwierciedlało ułożenie fikcyjnej Samanthy. Po raz kolejny wyglądało, że ktoś przywołał do życia scenę z powieści.

W pierwszym porywie Joe chciał dzwonić do Very Stanhope. Inni detektywi zawiłości w śledztwie traktowali jako odciąganie od głównego toku dochodzenia, ich pojawienie się składając na karb zbiegu okoliczności. Vera była nimi podekscytowana. Nienawidziła, gdy śledztwo przebiegało zbyt łatwo. Bo gdzie w tym wyzwanie? Potem uznał, że nie ma pośpiechu. Niech szefowa się wyśpi, będzie piękniejsza. Połączenie Very i urody w jednej myśli wywołało na jego twarzy uśmiech. Gdy szedł na górę, wciąż się uśmiechał. A kiedy położył się w łóżku obok Sal, ciepłej i miękkiej, nie czuł się już w swoim domu jak ktoś obcy.

36

Oczywiście wiedziałam, że ta powieść jest ważna – zapewniała Vera. – Dlatego zabrałam ją z pokoju Mirandy. – Nie obchodziło jej, czy Joe jej wierzy, czy nie. Gdy usłyszała jego opis ostatniego rozdziału *Okrutnych kobiet*, w jej głowie rozpaliły się fajerwerki. Wprowadzając zamęt. Sądziła, że zbliża się do rozwiązania sprawy. Czy nowe fakty potwierdzają jej teorię, czy będzie zmuszona znowu się zastanowić? Jechali land roverem Hectora, łamiąc wszystkie przepisy dotyczące używania na służbie prywatnego samochodu, ale Vera miała plany na później i nie chciała być przywiązana do wozu służbowego.

Spojrzała na Joego, oczekując, że zarzuci jej kłamstwo, ale Joe przemilczał kwestię. Pewnie uznał, że w końcu i tak zmusiłaby się do przeczytania powieści Mirandy. Żeby pokonać strome zbocze, włączyła napęd na cztery koła. W nocy padał grad i szosa nadal była śliska.

– A więc to dlatego Miranda wpadła w taką histerię, gdy znalazła zwłoki profesora – rzuciła Vera. – Musiała się czuć, jakby się przeniosła do własnej powieści. Albo do koszmaru.

– Podobnie jak Nina, gdy znalazła Mirandę na tarasie i rozpoznała scenerię ze swojej noweli.

Vera szybko spojrzała na Joego. Nie umiała dojść, co się dzieje między nim a tą Backworth. To była kolejna sprawa, która budziła w niej zakłopotanie. Jeszcze miesiąc temu założyłaby się o wszystko, że Joe Ashworth to wierny małżonek. Teraz nie była już taka pewna. I nigdy by nie przypuszczała, że poleci na kościstą intelektualistkę.

– Aye. – Dotarli na szczyt wzniesienia, więc ponownie zmieniła bieg.

– Myśli pani, że to zbieg okoliczności? – zapytał Joe. – To że pisarze znajdują zwłoki? A może zabójca specjalnie tak to obmyślił?

– Pierwsze ciało mogła znaleźć Joanna. – Vera pomyślała, że nie powinna przypominać o tym Joemu. Tracił koncentrację. Nie skupiał się na sprawie jak należało. – I taki był plan. To całe zamieszanie z nożami i wiadomością. Miranda przyszła później i swoim wrzaskiem postawiła na nogi cały dom. Nie sądzę, żeby to był zamiar mordercy. – Vera teraz już wyraźnie widziała, że histerii nie wywołało przygnębienie, tylko szok, bo Miranda rozpoznała scenerię; sama ją wymyśliła. Poza tym otrząsnęła się szybciej, niż ktokolwiek mógłby się spodziewać. Dlatego że wcale jej nie zależało na Ferdinandzie.

– Dlaczego nam nie powiedziała, że to była scena z jej powieści? – Joe zmarszczył czoło; wyglądał jak uczniak przeprowadzający w myślach skomplikowane obliczenia. – Męczy mnie to od chwili, gdy przeczytałem ten ostatni rozdział.

– Może się bała, że uznamy, że to ona zabiła. – Vera na chwilę zamilkła. – A potem postanowiła wykorzystać sytuację. Jeśli się domyśliła, kto się tak zabawiał z jej powieściami.

– Szantaż?

– Od początku miałam wrażenie, że był to motyw drugiego zabójstwa. – Ale Vera pomyślała, że nie to było w tym wszystkim najważniejsze. Podstawowe pytanie brzmiało: dlaczego zabójca odwzorowywał sceny z książek. Zwichrowane poczucie humoru? Czy może kryło się za tym coś istotniejszego? I to samo pytanie można było zadać w odniesieniu do przedmiotów, które morderca zostawiał na miejscach zbrodni.

Teraz byli już w najwyższym punkcie drogi, skąd rozciągał się widok na wybrzeże i dom poniżej. Sztorm sprzed kilku dni odarł drzewa z liści, więc zarys budynku był wyraźniejszy, niż Vera pamiętała. Było dziwnie tu wracać, gdy miejsce praktycznie opustoszało. Żadnych policjantów, kursantów, na parkingu dla gości stał tylko ich samochód. Alex usłyszał, że nadjeżdżają, i wyszedł z domu, żeby ich przywitać. Wydawał się całkiem spokojny, chociaż jakby lekko oszołomiony. Vera pomyślała, że pewnie wciąż jest na środkach uspokajających. A może chodziło o utratę matki, z którą nigdy nie był blisko.

– Właśnie rozmawiałem z Chrissie – poinformował. Głos miał obojętny, nieobecny. – Ostatnio dzwoni co najmniej trzy razy dziennie. Tym razem pytała, o której dostawcy mogą przyjechać w piątek. Nie rozumiem, dlaczego tak się podnieca tym przyjęciem.

Och, ale ja rozumiem, pomyślała Vera. To jej wielka szansa.

– Czyli że to nie pan będzie gotował? – Joe martwił się o chłopaka. Pewnie miał Verę za bezduszne krówsko, że się zgodziła na urządzenie przyjęcia w Domu Pisarza. Widziała, że nie bardzo pojmował, po co w ogóle tu przyjechali. I chyba nie potrafiłaby mu na to odpowiedzieć.

– Chrissie mi to proponowała – wyjaśnił Alex. – Mówiła, że normalnie mi zapłaci. Ale uznałem, że mogę sobie nie poradzić. Przez te ostatnie wydarzenia nie wiedziałbym, od czego mam zacząć.

– Jest pan pewien, że chce pan tego przyjęcia? – Vera zadała pytanie, mimo że wiedziała, że nie odwoła imprezy. Koniecznie chciała, żeby się odbyła. Podobnie jak Chrissie postrzegała ją jako swoją ostatnią szansę. Jedyną okazję, żeby dopaść zabójcę. Co by zrobiła, gdyby Alex powiedział, że nie jest pewien, że nie chce, żeby jego dom nawiedziła banda obcych ludzi?

Ale Alex zareagował dokładnie tak, jak liczyła:

– Matka byłaby zachwycona. Cała ta pompa na jej rzecz. Przynajmniej tyle mogę dla niej zrobić. A potem może ruszę z miejsca. – Ostatnie zdanie zabrzmiało banalnie, niepewnie, jak rada podsunięta przez lekarza ze szpitala.

– W takim razie proszę nas oprowadzić, dobrze, kotku? Niech nam pan pokaże, gdzie to przyjęcie się odbędzie.

I Alex zrobił to, co mu kazano; oprowadził ich po eleganckich pokojach, niczym agent nieruchomości potencjalnych nabywców, jakby w ogóle nie był związany emocjonalnie z tym domem.

O książce Mirandy mieli czas porozmawiać, dopiero gdy poszli do kuchni napić się kawy. Vera trochę się niecierpliwiła, bo musiała pojechać w jeszcze jedno miejsce.

– Czy pan czytał kiedyś powieść matki? – zapytała. – Tę sławną, która została zaadaptowana do telewizji?

Alex wydawał się zaskoczony pytaniem.

– Lata temu, jako nastolatek. Przynajmniej próbowałem. Nie jestem pewien, czy doczytałem ją do końca.

I Vera na tym poprzestała, mimo że czuła, iż Joe chciałby, żeby pociągnęła temat. Bo chyba przecież po to tu przyjechali. A nie po to, żeby łazić za Alexem po domu. Już nawet otwierał usta, żeby zadać kolejne pytanie, ale Vera szybko popędziła go na zewnątrz.

– Pospiesz się, człowieku! – wołała. – Muszę zdążyć na pociąg. – I potem pojechali prosto na dworzec w Alnmouth. Dotarli na miejsce, akurat gdy podjeżdżał pociąg do Londynu, więc Vera na Joego zrzuciła zadanie odstawienia land rovera na parking. On sam miał wrócić do komisariatu taksówką. Gdy pociąg ruszał i Vera wyjrzała przez okno, zobaczyła, że Joe wciąż ma na twarzy wyraz zastanowienia.

Londyn. Vera całkiem dobrze potrafiła się po nim poruszać. Jeśli Hector czegoś ją nauczył, to było to czytanie map. A miasto jej nie przerażało. Wiedziała, że na złych ludzi można się natknąć wszędzie. Po prostu nie za bardzo lubiła Londyn. W ogóle nie lubiła miast. Nawet wyjazdy do Newcastle ją irytowały i była zadowolona, gdy wracała do siebie.

Najpierw udała się do St Ursula. Uczelni zajmującej budynek z jasnoczerwonej cegły, położonej w północnej części Londynu. Kasztanowce i platany pozrzucały już liście i popołudniowe słońce słało cienie gałęzi na chodnik. Vera umówiła się na uczelni z Sally Wheldon, którą zastała w małym biurze, siedzącą za biurkiem obłożonym stosem książek. Wcześniej Vera kupiła tomik poetki w niezależnej księgarni w Kimmerston i ze zdziwieniem stwierdziła, że jej się podobało. Większość wierszy mówiła o sprawach przyziemnych, były dowcipne. Jeden nawet rozśmieszył ją do łez. Sally była drobna, ciemnowłosa i ciemnooka. Sugerując się jej głosem, Vera spodziewała się zobaczyć postawniejszą osobą, i musiało minąć kilka chwil, nim zdołała pogodzić wyobrażony obraz z rzeczywistością.

Dopiero zdążyła się przedstawić, gdy ktoś zapukał do drzwi. Młody chłopak w grubych okularach i ze skołtunionymi półdługimi włosami.

– Jestem zajęta, Ollie – ostrzegła Sally. W jej głosie pobrzmiewało rozbawienie i lekkie zniecierpliwienie. – Na pewno możesz z tym zaczekać do zajęć. – Chłopak westchnął i wyszedł, a Sally odwróciła się do Very. – Przepraszam. Niektórzy z nich bardzo się przejmują. Czasami mam ochotę im powiedzieć, żeby zajęli się prawdziwym życiem, wtedy przynajmniej mieliby o czym pisać.

– Widzę zatem, że daje sobie pani radę? Pomimo braku Tony'ego Ferdinanda?

– Ledwie, ledwie. – Uśmiech, żeby pokazać, że mówi z sarkazmem, ale bez złośliwości. Verze się to spodobało. Sally kontynuowała: – Może wyjdziemy się przejść po placu? W ten sposób nikt nam nie będzie przeszkadzał.

Wyszły na zewnątrz i odszukały wolną ławkę, żeby usiąść.

– Zaproponowano mi, żebym przejęła seminarium Tony'ego – poinformowała Sally.

– I zgodzi się pani?

– Chyba tak. Ale na krótko. Praca ze studentami jest męcząca. Wysysają z człowieka energię. Ale potraktuję to jak urlop, odpoczynek od pisania. Chciałabym jednak wprowadzić w kursie zmiany, trochę go złagodzić, dodać pozytywną nutę. Jeśli mi się uda, to znaczy, że warto było spróbować. – Kobieta na chwilę umilkła. – I oczywiście podniesie się mój status zawodowy.

– Co pani wie o rodzinie Tony'ego Ferdinanda? – zapytała Vera. – Rozmawiał z panią o bliskich? Nie udało nam się nikogo odnaleźć.

– Tony nie miał rodziny. Był jedynakiem i jego rodzice zmarli dawno temu. Nie ożenił się.

– Dzieci też nie miał? – Vera nie potrafiła się powstrzymać.

– Jeśli nawet, to nigdy ich nie uznał. – Sally lekko się uśmiechnęła. – Mówiłam pani, że wtedy, gdy na niego napadli, tylko ja go odwiedzałam w szpitalu. Większość literatów i wydawców w Londynie by go rozpoznała, może nawet opisałaby jako przyjaciela, ale tak naprawdę z nikim nie był blisko. Trochę to smutne.

– Gdzie miał miejsce ten napad? – Vera nie miała pojęcia, dokąd to pytanie ją zaprowadzi i czy w ogóle było istotne.

– Niedaleko stąd. Przecinał plac, wracając do domu. Nie było jakoś bardzo późno, około ósmej wieczorem, ale po zakończeniu zajęć plac pustoszeje. To było zeszłego roku w lutym, była mgła. Ferdinand mógł gorzej oberwać, ale akurat szedł jeden z pracowników biurowych i wystraszył oprycha.

– To na pewno był mężczyzna?

– Musiał być, prawda? – Sally obrzuciła Verę zaskoczonym spojrzeniem. – Kobiety chyba raczej rzadko napadają na ludzi?

– No tak. – Ale Vera myślała o czymś innym. – Tak, oczywiście. – Zaczynało się robić zimno, więc mocniej zaciągnęła poły płaszcza. – Czy znała pani Mirandę Barton? Pracowała tu w bibliotece, zanim została pełnoetatową pisarką.

– Nie, to było, nim się tu zjawiłam.

– Dziwny zbieg okoliczności – mruknęła Vera, ale chyba raczej mówiła do siebie. – Obie ofiary były powiązane z uczelnią.

– Ale to na pewno tylko przypadek – zauważyła Sally. – Miranda już od dawna tu nie pracowała.

– Aye. – Vera jednak nie była przekonana. – Na pewno się tu o nich mówiło, nawet gdy pani zaczęła pracować na uczelni. O Tonym i Mirandzie. Że z dnia na dzień uczynił z niej gwiazdę. Jak w jakiejś bajce. O co chodziło z tym dwojgiem? I dlaczego po tylu latach nadal trzymali się razem? Dlaczego Ferdinand zgodził się pojechać na północ, żeby prowadzić zajęcia na jakimś pustkowiu?

– Przykro mi, pani inspektor. Staram się nie słuchać wydziałowych plotek.

– Myśli pani, że mieli romans?

– Możliwe, ale Tony nigdy nie był romantykiem, nawet przy kobietach, z którymi sypiał.

Minęła je grupa roześmianych, żartujących studentów. Wyglądało, że nie zwrócili uwagi na dwie siedzące na ławce kobiety w średnim wieku.

– Czy Miranda pojawiała się czasami na uczelni? – spytała Vera.

– Zdarzało się. Tony zabierał ją na lunch. Ale nigdy jej nie zapraszał na uczelniane imprezy i przyjęcia.

– Niby że się jej wstydził?

– Być może. – Sally wstała. – Ale szczerze mówiąc, nie powinnam tak spekulować. Za mało znałam ich oboje. A teraz niech mi pani wybaczy, pani inspektor, ale muszę wracać do pracy. Mam wieczorem zebranie i powinnam się przygotować.

– Czy na uczelni znajdę kogoś jeszcze, kto może pamiętać Mirandę? – Vera również się podniosła. Nie była usatysfakcjonowana rozmową. Czekało ją jeszcze spotkanie z osobą z administracji, chciała zajrzeć do akt, co mogło się okazać bardziej owocne, ale na razie wyglądało, że tłukła się pociągiem tak daleko zupełnie na próżno.

– Jonathan Barnes, bibliotekarz. Pracuje tu od bardzo dawna. Z nim niech pani porozmawia.

Biblioteka uniwersytecka mieściła się w nowym budynku na tyłach uczelni. Barnes był niskim, krępym mężczyzną z wielkim wystającym brzuszyskiem. Zrobił Verze kawy w swoim biurze, po czym przeszedł do plotek – on najwyraźniej nie miał oporów przed ich powtarzaniem.

– Jasne, że pamiętam Mirandę. W tamtym czasie była całkiem wytworną kobitką. Błyszczący makijaż i burza włosów. Wiedzieliśmy, że ma ambicje i chce pisać. Tego dnia, gdy znalazła wydawcę, przyniosła szampana. Uważała, że teraz jej życie się zmieni. Niestety książka przepadła bez śladu.

– Do czasu aż Ferdinand napisał o niej artykuł. – Vera siorbnęła kawę.

– Dokładnie tak! Musiał coś w niej dostrzec, czego cała reszta nas nie zauważyła. Zawsze miał dryg do wyczuwania nastrojów czytelników. Nie było tak, że to on kreował bestsellery. Raczej potrafił wyczuć, jaka książka się spodoba. To jednak różnica, nie uważa pani?

Vera nie odpowiedziała. Głowę miała zajętą innymi sprawami.

– Czy Ferdinand i Miranda byli kochankami? – zapytała.

– Ależ skąd – obruszył się Barnes. – Przynajmniej nie wydaje mi się. Miranda miała już wtedy dziecko, a Tony za nic na świecie nie dałby się wrobić w dzieciaka.

– Kto był ojcem dziecka? – Vera podniosła wzrok. Barnes miał okrągłą twarz i jak na jego wiek, bardzo gładką.

– Miranda nigdy nam tego nie zdradziła. To był jej wielki sekret. Ale zawsze sugerowała, że to ktoś ważny z branży wydawniczej, ale ja jej nie wierzyłem.

– Dlaczego nie?

– Och mój Boże, bo w życiu nie udałoby jej się tego utrzymać w tajemnicy. Przypuszczam, że chłopiec był owocem jednorazowego plugawego numerku, i dlatego Miranda nie chciała o tym mówić.

Vera była przekonana, że Barnes mógłby długo jeszcze tak opowiadać, ale była umówiona z kobietą z kadr, a potem czekało ją nudne przekopywanie się przez uczelniane akta w nadziei, że znajdzie kolejne powiązania między Mirandą,

Ferdinandem i którymś z podejrzanych w sprawie. Dopiła kawę do końca i wyszła.

Później tego dnia spotkała się ze znajomym, który kiedyś z nią pracował, ale potem zrobił się ambitny i przeniósł do policji w Londynie. Wylądowali w pubie na tyłach dworca, żeby nie miała daleko do pociągu, gdy już spotkanie dobiegnie końca. Pili ciemne piwo, bo facet tęsknił za domem, a ona chciała, żeby było mu słodko. Pod koniec wieczoru była o wiele bardziej trzeźwa od niego. Jeszcze jedna butelka, a zacząłby śpiewać *Blaydon Races* i pisać prośbę o przeniesienie z powrotem na północ.

Ale wyprawa do Londynu zaowocowała informacjami, o które jej chodziło. Tłukąc się nocą pociągiem w towarzystwie zmordowanych biznesmenów i dwóch wkurzonych gospodyń domowych, które cały dzień spędziły na kupowaniu świątecznych prezentów, powtarzała sobie, że chyba już wie, co się wydarzyło w Domu Pisarza. Teraz musiała to tylko udowodnić.

37

Nina Backworth na piątek, dzień przyjęcia w Domu Pisarza, załatwiła sobie zwolnienie. Kusiło ją, żeby udać, że jest chora, ale w końcu postawiła na szczerość, poszła do dziekana i wszystko wyjaśniła.

– Weź urlop okolicznościowy – zaproponował dziekan. Był stary, zmęczony i liczył dni do emerytury. Nie musiał się bawić w kotka i myszkę z kierownictwem. – Byłaś przy tym, gdy ta kobieta zginęła, więc to zrozumiałe, że chcesz jej oddać szacunek i uczestniczyć w uroczystościach żałobnych.

„Uroczystości żałobne" kojarzyły się Ninie z zimnym kościołem i ponurymi śpiewami. Uroczystość, którą organizowała Chrissie, miała wyglądać zupełnie inaczej. W Domu

Pisarza od wielu dni toczyły się przygotowania. Chrissie namówiła matkę i kilka jej koleżanek z koła kobiet, żeby przygotowały bukiety z kwiatów, z wielkich lśniących kuli dalii i chryzantem, gałązek jeżyn i barwionych liści – bardzo podobne do tych, pomyślała Nina, jakie stały w ośrodku w dzień śmierci Mirandy. Kwietne kompozycje były już zapakowane do wynajętej na tę okazję furgonetki.

– Alex chce uroczyście pożegnać matkę – tłumaczyła Chrissie. – Musimy uszanować jego wolę, nie uważasz?

Teraz, siedząc w kuchni North Farm, Chrissie była podniecona niczym małe dziecko, niecierpliwie wyczekujące na rozpoczęcie przyjęcia urodzinowego. Nie potrafiła usiedzieć na miejscu. Ta ekscytacja zdaniem Niny była obrzydliwa. Chciała, żeby już było po wszystkim, i żałowała, że kiedy jeszcze mogła to uczynić, nie odwiodła przyjaciółki od pomysłu urządzenia przyjęcia.

W tej chwili rozmowa dotyczyła ubrań.

– Co założysz, Nino? Wiem, kochanie, że twój styl to czerń, ale błagam, załóż dzisiaj coś w innym kolorze. Czerń jest taka pogrzebowa.

Nina pomyślała, że pogrzebowy strój byłby jak najbardziej na miejscu, ale na szczęście Chrissie przerwała wypowiedź, żeby odebrać komórkę. Dzięki temu Nina nie musiała od razu odpowiadać. Dzwonił producent lokalnego oddziału BBC z potwierdzeniem, że wysłał już na miejsce reportera z kamerzystą. Gdy tylko się rozłączyła, Chrissie niestety powróciła do tematu ubrania.

– Co powiesz o czerwonej sukience? Tej, którą założyłaś na promocję książki. Wyglądasz w niej oszałamiająco.

– Nie mogę jej założyć. Miałam ją na sobie w ten wieczór, gdy zginęła Miranda.

– To chyba jeszcze lepiej, nie sądzisz?

– Nie, nie sądzę! – Nina pomyślała, że Chrisse zwariowała albo się upiła. – Przecież nie odtwarzamy tamtego wieczoru. Chyba nie liczysz na kolejne morderstwo?

– Oczywiście, że nie, kochanie! To ma być przyjęcie. Uroczystość.

Nina pomyślała, że czas wracać do siebie, do miasta. Nie była stworzona do życia w komunie. Ten dom na wsi z jego wspólnie spożywanymi posiłkami i brakiem prywatności zaczynał tracić na atrakcyjności. Tęskniła za samotnością. Powtórka z włamania nagle nie wydawała się jej już tak przerażająca.

Chrissie załatwiła dużą taksówkę. Miała zawieźć osoby, które wniosły swój wkład do powstania antologii, na miejsce, a potem je odwieźć. Marzyło jej się, żeby goście zostali na noc w Domu Pisarza, ale Alex się na to nie zgodził. Nalegał, żeby przyjęcie rozpoczęło się wcześnie i żeby do dziesiątej wieczorem wszyscy opuścili ośrodek. Jakby był męskim Kopciuszkiem i bał się, że wraz z północą przemieni się w dynię, opowiadała Ninie Chrissie, kiedy wróciła z rozmowy.

Nina postanowiła jechać własnym samochodem. Chciała mieć pewność, że w każdej chwili będzie mogła uciec. Przepuściła furgonetkę prowadzoną przez ojca Chrissie przodem, odczuwając ulgę, gdy auto zniknęło z widoku. Wreszcie była sama. Jechała wolno, odwlekając moment przyjazdu i dyskusje o poczęstunku i ustawieniu krzeseł. Moment, gdy będzie zmuszona przywołać uśmiech na twarz i witać zjeżdżających się gości.

Jechała wybrzeżem w ostatnich promieniach słońca. Gdy dotarła na miejsce, dom już spowijał cień. Ten widok sprawił, że zapragnęła zawrócić i odjechać. Od czasu znalezienia zwłok na tarasie, obraz głowy Mirandy – z poderżniętym gardłem – nawiedzał jej wyobraźnię w najmniej spodziewanych momentach. Teraz znów powrócił, tak przerażający, że Nina zatrzymała samochód na środku drogi. I ruszyła znowu tylko dlatego, że jadąca za nią furgonetka z cateringiem zaczęła błyskać światłami i trąbić. Zresztą i tak nie mogła się już wycofać. Z domu na ich powitanie wybiegła Chrissie. Była ubrana w sięgającą kolan złotą sukienkę z obcisłym staniczkiem i rozkloszowanym dołem. Na to fartuszek, więc wyglądała jak perfekcyjna pani domu z filmów z lat pięćdziesiątych.

Nina postanowiła zająć się detalami. Przetarła szkło, otworzyła butelki z winem, rozłożyła egzemplarze antologii na stołach w holu i w salonie, przyglądała się, jak Chrissie poprawia kwiaty w bukietach. Przy okazji Chrissie cały czas mówiła, bardzo dużo mówiła, ale Nina nie słuchała. Na szczęście Chrissie tylko od czasu do czasu domagała się odpowiedzi. Alex Barton też tam był, ale jakiś nieobecny, jakby na ten wieczór dom i jego zawartość scedował na Chrissie, jakby bardzo mu odpowiadało, że może być tylko obserwatorem. Raz, gdy się niespodziewanie obejrzała, Ninie udało się przechwycić jego spojrzenie. Patrzył na nią porozumiewawczo, z ironią w oczach, jakby chciał powiedzieć: pani i ja, oboje wiemy, jak bardzo to wszystko nie ma znaczenia.

Niedługo potem zapadł zmierzch i Nina uznała, że może już zaciągnąć zasłony w oknach wychodzących na taras. Ciągnęło ją, żeby to zrobić już od przyjazdu. Na zewnątrz zerwany kawałek taśmy policyjnej, zaczepiony jednym końcem o metalowy stół, powiewał i skręcał się na wietrze, niczym biało-niebieski ogon latawca. Nina lekko zadrżała, zsunęła razem zasłony i powiedziała sobie w duchu, że teraz już taras nie będzie jej straszył.

Myślała, że przedstawiciele policji również się pojawią. Vera Stanhope, duża i nieruchliwa, Joe Ashworth i być może ta odpicowana młoda dziewczyna, która w dzień śmierci Mirandy udawała, że chce się z Niną zaprzyjaźnić. Ale nie było po nich śladu. Możliwe, że Chrissie dała im wyraźnie do zrozumienia, że nie będą mile widziani. Zaczęli się zjeżdżać goście. Przytrzymując poły płaszczy, szybko przebiegali przez parking do wejścia, każdy trochę spięty i zakłopotany, ale też podekscytowany, że znalazł się w miejscu, o którym przez ostatnie kilka tygodni ciągle trąbiły media.

Nina znała wielu z przyjezdnych. Byli wśród nich wykładowcy akademiccy, poeci, mecenasi sztuki. Nina spotykała ich na różnych imprezach, rozmawiała z nimi o literaturze, polityce, wydawcach, zwykle na stojąco i najczęściej trzymając w ręce kieliszek białego wina. Dzisiaj jednak animuszu dodawała sobie sokiem pomarańczowym oraz myślą, że na zewnątrz stoi jej auto, więc gdyby zrobiło się nieprzyjemnie, w każdej chwili miała możliwość stąd czmychnąć.

Dzisiaj rozmowy toczyły się wokół osoby Mirandy oraz tego, jakie to istotne, aby Dom Pisarza nadal funkcjonował i wspierał działania utalentowanych początkujących literatów. Ale Nina doskonale wiedziała, że tylko nielicznym chciałoby się tak daleko jechać z Newcastle, gdyby ośrodek nie był rozsławiony zabójstwami. Ci dystyngowani i opanowani mężczyźni i kobiety, znawcy literatury i teatru, byli dociekliwi, równie wścibscy, jak czytelnicy brukowców. Nina przypomniała sobie wybuch Jacka Devanneya ostatniego dnia kursu podczas kolacji. Też miała ochotę zrobić scenę, wykrzyczeć na głos: Was wcale nie obchodzi Miranda Barton i ten ośrodek, chociaż mielibyście z tego korzyść, gdyby nadal istniał. Przyjeżdżalibyście tu jako wykładowcy, doradcy, promowalibyście swoje dzieła i za to wszystko kasowalibyście niezłe pieniądze. Ale dzisiaj jesteście tu tylko dlatego, że chcieliście zobaczyć miejsce, w którym popełniono dwa morderstwa. Nie miała jednak odwagi Jacka. Przyklejona plecami do ściany stała, uśmiechała się i obserwowała.

Chrissie zaczynała panikować, bo duża taksówka z pisarzami ciągle nie przyjeżdżała. Ale Mark Winterton był już na miejscu; przyjechał z Cumbrii własnym samochodem i w czarnym garniturze, zdaniem Niny, prezentował się naprawdę dobrze. Uśmiechnął się do niej przez szerokość pokoju i już ruszał w jej kierunku, lecz akurat przybyła reszta, z opowieścią o kierowcy, który kompletnie pomylił drogę. Wszyscy byli roześmiani: grupa ludzi po wspólnie przeżytym pomniejszym dramacie. Chrissie nalewała im wina do kieliszków, odbierała płaszcze i nagle w pokoju się ociepliło, atmosfera zrobiła się naturalniejsza. Może mimo wszystko wieczór miał szansę się udać.

Lenny przyjechał z kobietą. Dziewczyna? Na pewno nie żona, bo mówił, że jest rozwiedziony. Kobieta w porównaniu z nim wydawała się bardzo drobna, a Lenny był dumny. Ze swojej towarzyszki i z siebie. Zaprowadził partnerkę do stołu, gdzie leżały egzemplarze antologii, podniósł jeden z taką czcią, jakby to było coś ogromnie cennego, i otworzył na stronie tytułowej. Kobieta uśmiechnęła się i wzięła go za rękę.

Te wszystkie historie, pomyślała Nina, odgrywające się na moich oczach.

Joanna i Jack byli w dobrej formie, oboje flirtowali z innymi gośćmi, wymieniali uściski dłoni, pocałunki w policzek, objęcia. Grają, pomyślała Nina. Obmyślili wcześniej scenariusz i uznali, że te uściski, fizyczny kontakt są niezbędne, żeby wypadli w swoich rolach wiarygodnie. Ale zarazem, mimo że tryskali humorem, byli czujni. Co jakiś czas Joanna, wyższa od większości mężczyzn w pokoju, rozglądała się dokoła. Niczym zwierzę wyczuwające zagrożenie. Surykatka na pustyni.

Przez chwilę Nina myślała, że Giles Rickard postanowił się nie pojawić. Bo też, jaki miałby w tym interes? Nie potrzebował reklamy. Był sławny, zamożny i podczas pobytu w Domu Pisarza nie nawiązał bliższych relacji z żadnym z rezydentów – ani z tymi, którzy już nie żyli, ani z tymi wciąż żyjącymi. Nina nie postrzegała go jako sentymentalnego starszego pana, który odczuwałby potrzebę przybycia na przyjęcie, żeby wesprzeć resztę. A jednak Ricard tam był. On też przyjechał taksówką, ale być może najpierw poszedł do szatni, żeby uniknąć tłoku przy wejściu do salonu. Chrissie, upojona sukcesem, jaki na razie odnosiło przyjęcie, podeszła do niego, żeby go powitać. Nie miała już na sobie fartuszka i wyglądała pięknie. Kojarzyła się Ninie z fikcyjną postacią, tylko Nina nie mogła sobie przypomnieć z jaką. Aż nagle ją olśniło: Samantha, tytułowa okrutna kobieta z powieści Mirandy. Nina znalazła w domu stary egzemplarz i była w trakcie czytania. Taki hołd w uznaniu dla powieściopisarki, która zmarła. Nadal uważała, że powieść jest kiepska, ale wizualny opis głównej bohaterki utkwił jej mocno w pamięci.

Teraz Chrissie przywoływała zebranych do porządku. Zaklaskała w dłonie i rozmowy ucichły. Dlaczego tak się stresowałam tym wieczorem? – pomyślała nagle Nina. Mogłam przyjechać taksówką z resztą gości, pić wino, zrelaksować się, śmiać i wspominać z innymi zmarłych. Nic strasznego się tu nie wydarzy.

Przemowa Chrissie była krótka i wyważona: doskonały tekst przewodni dla wiadomości lokalnej telewizji. Chrissie wychwalała w niej świetność Mirandy jako pisarki i mentorki początkujących literatów.

– Sprzedajemy tę antologię, żeby uczcić jej pamięć oraz aby kontynuować jej działalność.

Potem Chrissie poprosiła Ninę, żeby powiedziała kilka słów o Tonym Ferdinandzie.

– Nie możemy go tak zupełnie przemilczeć, a był twoim promotorem, nawet jeśli nie ukończyłaś kursu.

Nina nie potrafiła się zmusić do wygłaszania pochwał na temat Ferdinanda nawet po jego śmierci, ale zamiast tego opowiedziała krótko o pisarzach, którzy studiowali w St Ursula, o nagrodach, jakie zdobyli, o ich ogromnym talencie. Na koniec przemowy otrzymała oklaski. Bardziej dlatego, że goście byli jej wdzięczni, że mówiła zwięźle, dzięki czemu mogli powrócić do picia wina, niż z uznania dla jakości przemowy.

I wkrótce potem nastąpił koniec imprezy. Książki zostały sprzedane. Dziennikarze odjechali. Do Newcastle była długa droga, a pogoda zaczynała się psuć. Pracownicy firmy cateringowej zbierali kieliszki. W salonie pozostały tylko główne postaci dramatu: grupa osób, które były obecne przy tragedii, oraz była żona Lenny'ego, Helen. Alex powrócił do swojej roli i wniósł tacę z dzbankami z kawą. Przyjęcie skończyło się wcześniej, niż zakładali, i do przyjazdu taksówki zostało jeszcze pół godziny. Wszyscy byli raczej skrępowani, nie wiedzieli, o czym mają ze sobą rozmawiać.

Pierwszy ruch wykonał Mark Winterton. Oznajmił, że ma daleko do Cumbrii i że reszta na pewno mu wybaczy, że się będzie zbierał. Wtedy nagle wszyscy się ożywili. Jack i Joanna powiedzieli, że pomogą w kuchni, Lenny zapytał Alexa, czy może pokazać coś żonie w domu. Nina pomyślała, że ona również mogłaby się grzecznie ulotnić, więc wstała, żeby się pożegnać. Ale Chrissie miała inny pomysł.

– Alex powiedział, że na razie możemy przechować egzemplarze antologii w kaplicy. Pomożesz mi je tam zanieść? – Potem, klasycznie, po wypowiedzeniu prośby ktoś ją odciągnął i Nina musiała sama spakować książki do kartonów i wrzucone na wózek wywieźć na zimne podwórze. Od chłodu rzęziło jej w płucach, oddech zamieniał się w białe obłoczki pary. Kaplica nie była zamknięta, ale w środku się nie paliło. Światło z głównego budynku wystarczyło, żeby dowiozła wózek do kaplicy, jednak gdy do niej weszła, zaczęła szukać włącznika. Zanim zdążyła go znaleźć, drzwi za nią zamknęły się z hukiem i wszystko pogrążyło się w ciemności. Wydało jej się, że słyszy zgrzyt przekręcanego w zamku klucza, i poczuła pierwsze ukłucia paniki. Ale może to wyobraźnia spłatała jej figla. Kilka metrów dalej był dom pełen ludzi. Chrissie wiedziała, że Nina jest w kaplicy. Potem usłyszała kroki, powolne, ostrożne. Słyszała je za sobą, odcinały jej drogę do drzwi. I nagłe jaskrawe światło, gdy ktoś poświecił jej latarką prosto w oczy, tak że niczego nie widziała. I jeszcze słaby, ale wyraźny zapach dojrzałych moreli.

– Chrissie? To ty?

Bo kto inny? Kto oprócz Chrissie wiedział, że będzie w kaplicy? Nina powiedziała sobie w duchu, że zachowuje się idiotycznie, że reaguje przesadnie. Tworzy w wyobraźni scenariusz do kiepskiego horroru, przesyconego dziwnymi odgłosami i nieoczekiwanymi zapachami. A to była tylko jej koleżanka, jej wydawca, która wreszcie przyszła jej pomóc. Albo zażartować z niej w niewybredny sposób.

– Chrissie, poświeć tą latarką gdzie indziej, dobrze? Oślepiasz mnie.

Ale kroki zabrzmiały jeszcze bliżej, a Nina nadal nic nie widziała.

Kroki ucichły, światło zgasło. Po oślepiającej jasności, mrok był gęsty i nieprzenikniony. Nina nasłuchiwała. Nic. Na zewnątrz ludzie z cateringu pakowali sprzęt do furgonetki, śmiejąc się i pokrzykując do siebie, ale mury kaplicy były tak grube, że Nina ledwie to słyszała. Gdyby zaczęła krzyczeć, jej też nikt by nie usłyszał. A odnosiła wrażenie, że osoba, która stała obok niej na kamiennej posadzce, chciała, żeby krzyczała. Dlatego tego nie uczyniła. Taki drobny akt przekory. Próba bycia odważną.

Znowu usłyszała kroki. Ktoś ją minął i przeszedł do stołu stojącego w miejscu ołtarza. Nie poruszyła się. Tym razem nie była to brawura, po prostu zrozumiała, że to bezcelowe. Okazało się, że jednak wcale sobie nie wyobraziła odgłosu przekręcanego klucza. Rozległo się kliknięcie, które w ciszy zabrzmiało jak wystrzał z pistoletu. Potem muzyka, rozpoznawalna od pierwszego taktu. Ulubiona piosenka matki Niny, śpiewała ją Ninie na dobranoc jako kołysankę: *Lucy In the Sky with Diamonds.* Tym razem panika sprawiła, że miała ochotę wybuchnąć śmiechem. Czuła, jak narasta w niej chichot. Gdyby któryś ze studentów zawarł w opowiadaniu taką melodramatyczną scenę jak ta i dał jej opowiadanie do oceny, przekreśliłaby wszystko i dopisała na czerwono: Napięcie należy budować stopniowo i subtelnie.

Muzyka ucichła. Rozległ się inny odgłos: trzask zapalanej zapałki. Płomień był tak słaby i tak migotał, że widziała tylko dłoń trzymającą zapałkę i knot świecy, do której zapałka się zbliżała. Potem, gdy świeczka zapłonęła, płomień zrobił się stabilniejszy. Oświetlił nieduży obszar wokół świecy. Biały obrus na stole. Szklana miska z morelami. Długi, ostry nóż. Chęć do śmiechu natychmiast jej przeszła.

– Toż to niedorzeczne. – W strachu zawsze miała tendencje do wyniosłości. – Chyba nie sądzisz, że ci się to upiecze?

– Zdziwiłabyś się, gdybyś wiedziała, ile rzeczy uchodzi ludziom na sucho. – Głos zabójcy brzmiał rzeczowo. Szaleniec. – A poza tym to bez znaczenia. Nie zależy mi, czy mnie złapią, czy nie. Najważniejsze, żebyś zginęła.

Dłoń znowu pojawiła się w kręgu światła; zaciskała na nożu. Tym razem Nina zaczęła krzyczeć.

38

Vera i Joe Ashworth dotarli do Domu Pisarza w środku przyjęcia. Na parkingu stało już wtedy tyle samochodów, że ich był niezauważalny, ginął między innymi. Joe cały dzień ponaglał Verę, chciał, żeby już jechali.

– Moglibyśmy przyjechać przed imprezą i ukryć się w przybudówkach albo gdzie indziej.

– Nie bądź głupi – strofowała go Vera. – Holly wcześniej rozejrzała się po terenie. Wiemy, na co czekamy. Poza tym mój pęcherz już nie wytrzymuje długich obserwacji. A jeszcze nigdy nie sikałam w obecności podwładnego i nie zamierzam tego zmieniać. To źle wpływa na dyscyplinę.

Joe się uśmiechnął, ale Vera widziała, że nie jest szczęśliwy. Coś się kroiło między nim a tą pisarką. Ostatnią rzeczą, jakiej potrzebowała, to żeby w paradę weszły im emocje i żeby Joe, odgrywając bohatera, ratował kobietę. Właśnie dlatego nie o wszystkim mu powiedziała. Nie zniosłaby kłótni.

– To co teraz robimy? – zapytał.

Nadal siedzieli w land roverze. W przebiegu tego śledztwa Vera wykorzystywała prywatne auto coraz częściej.

„Siedzenia są wyższe niż w wozach patrolowych", tłumaczyła, gdy Joe zapytał, dlaczego woli jechać własnym samochodem. „Będziemy mieli lepszy widok".

Teraz Joe wykonał ruch, jakby chciał wysiąść.

– Zostajemy w samochodzie – rzuciła ostro Vera. – I czekamy. Niestety.

– Nie ochronimy ich, jeśli będziemy tu tkwić.

– A jeśli wejdziemy do środka, nic się nie wydarzy i nigdy nie złapiemy mordercy. – Vera odwróciła się do Joego, żeby na niego spojrzeć. – Tego chcesz? Żeby podwójny morderca pozostał na wolności?

Przejechała do najodleglejszego krańca parkingu, żeby mieli dobry widok na dziedziniec. Widzieli główny budynek, cały w światłach, domek Bartonów, pogrążony w mroku, i róg kaplicy. Vera sięgnęła po torbę, wyciągnęła termos z kawą, dwa plastikowe kubki i paczkę sklepowych ciastek z jabłkiem.

– I nie mów, że nigdy ci nic nie daję.

– A po kawie nie będzie się pani chciało siku?

– Bezczelny małpiszon – burknęła, ale usta miała pełne ciasta i nie była pewna, czy ją usłyszał.

Gdy ludzie zaczęli wychodzić, czuła, że Joe jeszcze bardziej się spiął. Obserwował odjeżdżające auta gości, odprowadzając je spojrzeniem do chwili, aż znikały z widoku. Parking pustoszał. Wkrótce została na nim tylko garstka pojazdów. Joe bębnił rękami w deskę rozdzielczą, znak, że był zestresowany.

– Spokojnie, chłopcze. Nic się nie wydarzy, dopóki jest publiczność.

Chwilę później telefon Very zapikał, dając znać o nadejściu wiadomości tekstowej. Przeczytała ją, nie pokazując Joemu.

– Od Joanny – powiedziała. – Mojego kontaktu w środku. Wygląda, że się zaczęło. – Starała się ukryć samozadowolenie w głosie, ale nie do końca jej się to udało. – Tak jak zakładałam.

Jej wzrok przyzwyczaił się już do ciemności, a światło dobiegające z odsłoniętych okien w dużym domu pozwalało jej odróżnić w mroku postać wolno przecinającą dziedziniec w kierunku kaplicy. Szturchnęła Joego i ze zdziwieniem stwierdziła, że mówi do niego szeptem, choć od dziedzińca dzieliła ich spora odległość:

– I co, nie mówiłam? – Była uradowana jak dziecko, że się okazało, że miała rację.

– Więc chodźmy, zanim komuś stanie się krzywda.

– Jeszcze nie. Zaczekaj.

I czekali. Ludzie z cateringu ładowali furgonetkę i za każdym razem, gdy któryś z pracowników wyłaniał się z kuchni, Joe, coraz bardziej nakręcony, nerwowo podrygiwał.

Otworzyły się drzwi w głównym budynku i tym razem na dziedziniec wyszła Nina Backworth, z trudem coś za sobą ciągnąc. Vera spodziewała się ją zobaczyć, ale i tak rozpoznałaby sylwetkę: nikt inny nie był tak wysoki i szczupły.

– Co się tam dzieje? – wymamrotała, mówiąc do siebie. Potem do Joego: – Czekaj!

Kobieta dotarła do kaplicy i zniknęła za jej drzwiami. W środku zapaliło się światło, potem zgasło. W wybuchu nagłej aktywności Vera wyskoczyła z samochodu i pobiegła do kaplicy. Joe, który tak długo miał powtarzane, żeby czekał, dopiero po chwili się zorientował, co się dzieje. Wyskoczył z land rovera za Verą, ale dogonił ją dopiero przy kaplicy. Pomimo tuszy i wieku pokonała odcinek tak samo szybko jak on. Podniecenie i strach dodały jej skrzydeł.

Drzwi były zamknięte na klamkę. Vera nacisnęła na nią i pchnęła drzwi, ale te ani drgnęły. Były zamknięte od wewnątrz na klucz.

Joe Ashworth wyglądał, jakby postradał zmysły. Napięcie oczekiwania w land roverze i niepokój o Ninę Backworth, sfrustrowanie śledztwem, wszystko to sprawiło, że napierając całym ciężarem na drzwi, zaczął wściekle przeklinać. Używał słów, których Vera nigdy u niego nie słyszała. Wiedziała jednak, że jego wysiłki są bezcelowe. Kaplicę zbudowano tak, aby wytrzymała atak napastników, dzikich najeźdźców z północy. Jeden człowiek nie był w stanie wyważyć drzwi. Za matowymi szybami w oknach migotało słabe światło. Świece. Potem rozległ się kobiecy krzyk. Był słabo słyszalny z powodu grubych murów, ale słychać było, że kobieta jest przerażona.

Joe zaczął walić w drzwi pięściami.

– Policja! Otwierać! – Darł się tak głośno, że Vera była pewna, że nazajutrz będzie miał zdarte gardło i nie będzie mógł mówić przez wiele następnych dni. Odwrócił się do niej, wściekły, że jest taka spokojna.

– Są tu jakieś inne drzwi?

Pokręciła głową. Nie miała odwagi się odezwać; nie chciała mu pokazać, że jest tak samo przerażona jak on.

– Chyba zdaje sobie pani sprawę – zaczął, nagle bardzo spokojny – że poświęciła pani tę kobietę na rzecz śledztwa. I że już nigdy więcej nie będę mógł z panią pracować.

Odczuła te słowa fizycznie, jakby ktoś ją uderzył w splot słoneczny. Potem rozległ się zgrzyt klucza przekręcanego w zamku. Drzwi się otworzyły i Nina Backworth, blada i roztrzęsiona, runęła w stronę Joego Ashwortha. Miała krew na rękach, które wyciągnęła, żeby się chwycić ramion Joego. Potem zemdlała.

Vera zostawiła ją z Joem i szybko wbiegła do kaplicy. Nie mogła zapomnieć o podejrzanym. W środku było prawie ciemno, nie licząc słabego światła, jakie rozsiewała dokoła stojąca na ołtarzu pojedyncza świeczka. Na białym obrusie stała miska z morelami. A na krześle z wysokim oparciem siedział Mark Winterton, w ciemnym ubraniu wyglądający prawie jak ksiądz. Za nim stała Holly i ściskając ramieniem jego szyję przystawiała mu do niej nóż. Winterton już nie walczył.

– Spóźniłam się – rzuciła Holly, prawie płacząc. – Dopadł tę kobietę, zanim zdążyłam go dosięgnąć.

– Bardzo ją zranił?

Vera pomyślała, że schrzaniła sprawę. Joe cały czas miał rację. Jest arogancką idiotką. Wyciągnęła telefon z torby i najpierw wezwała pogotowie, potem zadzwoniła do ekipy w furgonetce zaparkowanej przy nabrzeżu niedaleko ośrodka.

– Nie wiem! – To było jak okrzyk rozpaczy. Potem Holly znowu powtórzyła: – Dopadł ją, zanim zdążyłam go powstrzymać.

Vera czuła, że jej tętno pędzi jak szalone.

Winterton siedział teraz nieruchomo, gapiąc się przed siebie. Pozwolił Holly skrępować sobie ręce na plecach. Holly odłożyła nóż na stół.

Vera zakończyła rozmowę i odwróciła się do podwładnej. W jej głosie brzmiał gniew. Musiała się na kimś wyżyć, kiedy była nabuzowana.

– Dlaczego nie zabrałaś klucza z drzwi? Trzeba zawsze zostawiać sobie drogę ucieczki. – Na chwilę zamilkła, ale cisza wręcz tętniła jej furią. Potem jednak zapanowała nad emocjami. To nie była wina Holly.

– Joe! – Jej okrzyk rozniósł się dudniącym echem po ogołoconej kaplicy. – Odezwij się, Joe. Mów, co z nią?

Ale Joe nie odpowiedział.

39

Następnego dnia z samego rana wszyscy byli w komisariacie. Vera i Joe, którzy w ogóle się nie kładli, Winterton i adwokat, który przyjechał z Carlisle. Vera zastanawiała się, czy nie jest to przypadkiem nowy kochanek byłej żony. Kobieta na pewno nie chciała rozgłosu, jaki niósłby ze sobą głośny proces sądowy, i Vera odnosiła wrażenie, że adwokat przybył nie po to, żeby bronić Wintertona, tylko raczej, żeby go przedstawić jako osobę, której nie da się bronić.

Nina Backworth była w szpitalu, ale miała zostać z niego wypuszczona jeszcze tego samego dnia. Nóż ugodził ją w górną część ramienia. Joe nadal nie odzywał się do Very. Od tamtego momentu, gdy nie odpowiedział na jej pytanie, wciąż zachowywał ponure milczenie. Zdaniem Very dręczyły go mieszane uczucia. Oczywiście, że był wściekły, że Vera naraziła Ninę, ale jeszcze bardziej go bolało, że to Holly ją uratowała. Uważał, że Vera powinna jemu pozwolić ukryć się w kaplicy. To on powinien być wybawcą, dzielnym rycerzem w srebrnej zbroi.

Winterton miał na sobie papierowy kombinezon. Usiłował zachować resztki godności, ale siedząc obok swojego adwokata, coraz bardziej się załamywał. Zagiął palce, tak że paznokcie dotykające blatu biurka przed nim wyglądały jak szpony. Vera nachyliła się do niego.

– Może opowie nam pan o Lucy? – zaproponowała. – Pańskiej Lucy.

– Była najmłodsza – rzekł. – Była moim maleństwem. – Zdjął na chwilę okulary, żeby je wytrzeć o syntetyczny materiał kombinezonu; wzrok miał rozproszony, zamglony.

– Była bystrą dziewczynką – ponaglała go Vera. – Wszyscy mówili, że była bardzo zdolna.

– Zawsze z nosem w książkach. – Winterton z zapałem pokiwał głową. – I ciągle o czymś opowiadała.

– Więc to dlatego na emeryturze zapisał się pan na wieczorowe zajęcia z literatury angielskiej? Żeby mieć kontakt z córką.

– Tak! – Znowu gwałtowanie pokiwał głową. – Była żona tego nie rozumiała. Mówiła, że powinienem iść naprzód.

– Wszyscy mamy jakieś sposoby na radzenie sobie z żałobą. – Tylko co ja mogę o tym wiedzieć, pomyślała Vera. Kiedy Hector zmarł, chciało mi się skakać z radości. Bezduszne ze mnie krówsko. – Proszę opowiedzieć o śmierci córki.

– Nigdy dobrze nie radziła sobie ze stresem. – Nawet głos Wintertona brzmiał inaczej. Mówił tak, że słowa zlewały się ze sobą. – Przed maturą miała epizod. Tak to nazywali lekarze. Epizod psychotyczny na tle nerwowym. Musiała powtarzać maturę. Margaret, była żona, tego nie rozumiała. Ona w stresie kwitnie.

– Ale pan rozumiał? – Vera już spotykała takich policjantów jak Winterton. Takich, co to kurczowo trzymają się przepisów. Sztywnych i nieugiętych. Tacy ludzie tak bardzo się boją popełnić błąd, że pozwalają, żeby system za nich decydował. I to oni się załamywali, kiedy system zawodził.

– Nie dostałem opieki nad Lucy – wyjaśnił. – Kiedy Margaret odeszła, bardzo szybko powtórnie wyszła za mąż. Stworzyli nową rodzinę. Dzieciaki nawet przyjęły nazwisko ojczyma. Ale Lucy zawsze była moim dzieciątkiem.

– Lucy musiała w końcu zdać maturę – rzekła Vera. – Bo dostała się na uniwersytet.

– Na literaturę angielską w Manchesterze – potwierdził Winterton tym samym szalonym tonem. – Na początku dobrze sobie radziła. Dzwoniła do mnie co jakiś czas i opowiadała, co u niej. Pod koniec drugiego roku przyjechała do domu i wtedy się z nią spotkałem. Wydawało mi się, że schudła. Później się dowiedziałem, że już wtedy brała heroinę. Powinienem był się zorientować, prawda? – Przerwał, żeby wziąć oddech, i zazgrzytał paznokciami o blat. – Policjant z wieloletnim doświadczeniem. Powinienem był zauważyć oznaki.

– To nie była pańska wina – pocieszyła go Vera.

Ale Winterton pogrążył się w myślach i jej nie słyszał.

– Mówiła, że pisze powieść – zaczął znowu, ale z nagłym uniesieniem. – Byłem z niej bardzo dumny. To tłumaczyło jej nerwowość, rozumie pani. Pisarze nie są tacy jak reszta ludzi. Są wrażliwsi.

Vera tego nie skomentowała.

– Lucy skończyła studia – ciągnął Winterton. – Poszedłem na rozdanie dyplomów, ale mnie nie wpuścili. Były tylko dwa bilety wstępu i wykorzystali je Margaret i jej mąż. Lucy wróciła do Carlisle, ale jakoś nie mogła znaleźć sobie miejsca. Nadal pisała swoją powieść. – Spojrzał na Verę. – Marzyła o studiach w St Ursula. To było jak obsesja. Zobaczyła Tony'ego Ferdinanda w telewizji. Sądziła, że Ferdinand znajdzie jej wydawcę. – Galopujące słowa chyba go wyczerpały, bo zamilkł i spuścił głowę.

– I co się działo potem, Mark? – Vera musiała mieć to na taśmie.

Podniósł głowę, znów zdjął okulary i popatrzył na nią oszalałym wzrokiem.

– Dostała się na te studia – rzekł. – Bardzo się ucieszyłem. Myślałem, że dzięki temu lepiej się poczuje. Zawiozłem ją do Londynu, a ona była podekscytowana jak małe dziecko. „To mój nowy początek". Tak mówiła, gdy ją zostawiałem.

– I co dalej?

Vera już wiedziała, co się wydarzyło. Poświęciła kilka godzin na czytanie akt studentów w archiwum uczelni St Ursula. Zmienione nazwisko początkowo ją zmyliło – wszyscy zmarnowali przez to wiele czasu – ale wiedziała, czego szuka, a potrafiła być wytrwała, gdy się już na coś zawzięła.

– Zabili ją – rzekł Winterton.

Vera wyjrzała przez okno. Pokój znajdował się na pierwszym piętrze komisariatu. Okna wychodziły na rzekę. Dostrzegła latarnie po drugiej stronie ulicy. Wkrótce zacznie świtać i miasto zaroi się ludźmi spieszącymi do pracy. Powróciła spojrzeniem do pokoju.

– To nie do końca prawda, co, Mark? Lucy sama się zabiła.

– Oni ją dręczyli – rzekł. – Rozdzierali na strzępy.

– Reżim był ostry – zgodziła się Vera. – Nie każdy to wytrzymywał. Nawet Nina Backworth odeszła, nie ukończywszy kursu.

– Ta...! – Winterton zerwał się na nogi i zawisł nad Verą. – Ona była jednym z dręczycieli. Lucy myślała, że ma w niej przyjaciółkę, jedyną na uczelni, a Backworth na koniec ją zabiła. To najgorszy rodzaj zdrady.

– Proszę opowiedzieć, jak to wyglądało – poprosiła Vera.

– Mieli tam tę sesję – kontynuował. – Wszyscy na kursie. Ferdinand przyprowadził wizytującego nauczyciela, dawną przyjaciółkę. I wybrali pracę Lucy do omówienia. Usiadła przed nimi, jakby to było jakieś przesłuchanie. I szukali błędów w jej powieści. Zdanie po zdaniu przez trzy godziny. Lucy włożyła w tę książkę całe serce. Niszcząc jej powieść, niszczyli ją. – Winterton zamilkł. – Powiedziała mi, że to było, jakby się obnażyła, jakby jej skóra była ze szkła, a oni mogli zajrzeć w jej duszę.

– Jak się nazywała ta wizytująca nauczycielka? – zapytała Vera. Wiedziała, kto to był, ale potrzebowała odpowiedzi na nagraniu.

– Miranda Barton. – Winterton prawie pluł. – Wielka powieściopisarka. Najokrutniejsza z kobiet.

– Lucy zrezygnowała ze studiów.

– Tego samego dnia. Nawet nie poszła do swojego pokoju po rzeczy. Zadzwoniła do mnie około północy. Próbowała wcześniej, ale byłem w pracy, a jej matka wybrała się w jakiś rejs z tym swoim lalusiem. – Znowu przerwał. – Płakała, gdy mi o tym opowiadała. Zanosiła się płaczem. A ja nie mogłem jej pomóc. – Winterton podniósł wzrok. – Wtedy rozmawiałem z nią po raz ostatni. Próbowałem ją łapać komórką, ale nie odbierała. Tydzień później znaleźli ją w mieszkaniu w opuszczonym budynku niedaleko King's Cross. Nie żyła. Przedawkowała heroinę.

Vera milczała. Nie miała pytań. Były współpracownik, teraz pracujący w stołecznej policji, przekazał jej wszystkie fakty.

Rzuciła szybkie spojrzenie w stronę Ashwortha. Przesłuchanie zostawił jej. Wciąż się dąsał. I teraz był blady. Jak kreda. Wiedziała, że myśli o własnych dzieciach, o tym, że kiedyś opuszczą dom i znajdą się poza jego kontrolą i opieką.

Winterton nadal opowiadał.

– Było dochodzenie, ale nie doszło do rozstrzygającego wyniku. Możliwe, że Lucy chciała się zabić, ale mógł to być też tragiczny wypadek. Tak naprawdę to bez znaczenia. Wiem, kto ponosi odpowiedzialność. Gdyby jej nie zszargali na uczelni, wciąż by żyła.

– Tego nie może pan wiedzieć – mruknęła Vera.

Ale Winterton nie słuchał. Był przekonany, że morderstwa, które popełnił, były usprawiedliwione. Całe życie poświęcił systemowi kryminalno-sądowniczemu. Teraz tworzył własne prawo.

– I dlatego oni wszyscy musieli zginąć – ciągnęła Vera. – Ferdinand, Barton i Backworth. Musiał pan pomścić śmierć córki.

– To nie była zemsta – zaprzeczył. – Wymierzyłem sprawiedliwość.

Chodziło tylko o książkę. Nie warto się było przez coś takiego zabijać. I nie warto było zabijać innych.

– Ten wieczorowy kurs, na który się pan zapisał, gdy przeszedł na emeryturę – zaczęła Vera. – Z literatury angielskiej. Rozmawiałam z prowadzącym. Kurs nosił tytuł „Tragedie klasyczne". Pewnie to pana pociągało.

– Szekspir. – Winterton jakby się nieco uspokoił. – *Makbet* i *Otello*.

– Czyli dość ciężka lektura.

– Lucy przerabiała *Otella* na pierwszym roku. Rozmawialiśmy o tej sztuce. O zazdrości, która doprowadziła Otella do szaleństwa.

– Potem zajęliście się tragediami zemsty. Webster. Księżna *D'amalfi* i *Biała diablica*. Bardzo krwawe. W porównaniu z tym teraźniejsze filmy przemocy to bajki dla dzieci. – Vera popatrzyła na Wintertona. – Ale pan już wtedy wiedział, że chce się zemścić, prawda? Nie potrzebował pan literatury, żeby wprowadzić plany w czyn.

– Marzyłem o tym od śmierci Lucy – odparł Winterton. Mówił rozmarzonym głosem. – Całe życie łapałem morderców, żeby ponieśli sprawiedliwą karę. Ci ludzie byli winni śmierci Lucy. Oni ją zabili, to tak samo pewne, jak gdyby wstrzyknęli jej heroinę w żyły.

– Nie, nieprawda – zaprzeczyła Vera. – Postąpili źle, byli okrutni, ale nie chcieli nikogo zabić. Przynajmniej nie w takim sensie, który łamałby prawo. A prawo jest wszystkim, co mamy, żeby świat trzymał się w kupie.

Winterton pokręcił głową i Vera zrozumiała, że jest szalony. Równie szalony jak bohater ze sztuki Webstera, który myślał, że jest wilkiem i wykopywał zwłoki z ziemi.

– Już wcześniej próbował pan zabić Ferdinanda – rzuciła Vera. – W zeszłym roku w lutym.

– Ale to nie było to – obruszył się Winterton. – Czułem się jak zbir. Nie tak to się miało odbyć.

– A potem się pan dowiedział, że Ferdinand będzie w Domu Pisarza.

– To było jak zrządzenie losu – odparł. – Nauczyciel z wieczorowych zajęć przyniósł ulotkę o kursie.

– A pan rozpoznał nazwiska – domyśliła się Vera. – Tony Ferdinand, Miranda Barton i Nina Backworth. Wszyscy razem w jednym miejscu. Więc się pan zapisał. – Niespodziewanie poczuła się bardzo zmęczona. Co by się stało, gdyby Winterton przegapił tamte zajęcia? Gdyby miał grypę lub rozstrój żołądka i nie zobaczyłby ulotki Domu Pisarza? Czy Ferdinand i Barton nadal by pracowali i pisali?

– Kiedy tam przyjechałem, dom, morze, ta cała sceneria wydała mi się idealna do tego, co chciałem zrobić. – Winterton znowu mówił jak szaleniec. Wytarł czoło rękawem papierowego kombinezonu. – Ta atmosfera, ten przepych. Doskonała oprawa do wymierzenia sprawiedliwości.

Vera przyjrzała się Wintertonowi i zrozumiała, że nie ma sensu z nim dyskutować. Niech dokończy swoją opowieść.

– Wykradł pan środki nasenne z pokoju Niny Backworth i w trakcie lunchu wrzucił je Ferdinandowi do kawy.

Wiedział pan, że zawsze po posiłkach siedział w szklanym pokoju. Zabił go pan, a potem wszystko ustawił tak, żeby pokój wyglądał jak scena z powieści Mirandy Barton.

Kiwnął głową.

– I zostawiłem nóż. Żeby zyskać na czasie, ale też na znak jego przewin. Jak w *Makbecie*.

– Och, kotku – mruknęła Vera. – Świat nie potrafił odczytać pańskich znaków i przesłań. Sama się z tym męczyłam i okazało się, że jestem prawie tak samo tępa jak pan.

Winterton spojrzał na nią, ale widziała, że słyszał tylko to, co chciał usłyszeć.

– Puścił pan jakąś piosenkę – ciągnęła. – *Lucy in the Sky with Diamonds.* Puścił ją pan dla Ferdinanda? Żeby sobie przypomniał i zrozumiał, co zrobił?

– To była jej piosenka – rzucił Winterton. – Puściłem ją dla niej.

– Napisał pan liścik do Joanny z nadzieją, że zauważy nóż i go podniesie. – No dalej, pomyślała Vera. Kończmy to. Chciało jej się płakać na myśl o daremności tego, co zrobił Winterton. Poza tym czuła, że jeśli zaraz czegoś nie zje, zemdleje. – Wyjaśnijmy, co znaczyła ta chusteczka na tarasie. Ta, którą pan tam zostawił po zabiciu Mirandy – powiedziała ze zniecierpliwieniem. – To z jakiejś kolejnej sztuki?

– *Otello.*

Vera uśmiechnęła się półgębkiem, jakby od początku wiedziała; pomyślała, że Google to wspaniały wynalazek.

– Chusteczka Desdemony – rzuciła. – Biała, haftowana w truskawki. A my myśleliśmy, że to było serduszko. Mistrzem haftu to pan nie jest, co, kotku?

Adwokat odchrząknął, żeby przeczyścić gardło. Wszyscy na niego spojrzeli. To miała być jego pierwsza wypowiedź.

– Nie bardzo wiem, co znaczyły morele – rzekł.

Vera uśmiechnęła się do niego z wyższością.

– To też ze sztuki – wyjaśniła. – *Księżna D'amalfi.* Tragedia zemsty. A martwy rudzik z *Białej diablicy.*

Winterton odchylił się na oparcie, zamknął oczy i wyrecytował:

Wezwij rudzika o szkarłatnej piersi i strzyżyka wezwij,
Co nad mrocznymi grobami się unoszą
I liśćmi, kwieciem obsypują
Bezpańskie ciała niepochowanych.

Wyprostował się.

– To Kornelia opłakująca zmarłe dziecko.

W pokoju było bardzo cicho. Nikt nie wiedział, co ma powiedzieć. Ciszę przerwała Vera.

– Jedno jest pewne: nieźle pan wystraszył Mirandę. Zabić Ferdinanda w scenerii z jej najpopularniejszej powieści. Bardzo dziwaczny pomysł.

– Kiedy usłyszałem jej krzyk – zaczął Winterton – byłem tak szczęśliwy, jak nigdy od śmierci Lucy.

– Wszyscy myśleli, że Ferdinanda zabiła Joanna. Miranda pewnie uznała, że sceneria to zbieg okoliczności – kontynuowała Vera. – Ale gdy Joanna została wypuszczona z aresztu, musiały ją ogarnąć wątpliwości.

– To była głupia, chciwa kobieta – rzucił Winterton.

– Próbowała pana szantażować.

– Snuła wielkie plany. Dotyczące Domu Pisarza i jej własnej pracy. – Winterton wykrzywił się w pogardzie. – Potrzebowała pieniędzy. Myślała, że tylko Ferdinanda obwiniałem o śmierć Lucy.

– I tym razem wykorzystał pan scenę z noweli Niny Backworth. – Vera pomyślała, że w tamtym momencie Winterton był już całkowicie opanowany przez żądzę zemsty. Chociaż na zewnątrz jeszcze się trzymał – opowiadał Joemu hipotezy o tym, że Miranda straciła dziecko, posyłając ich przez to w błędnym kierunku.

Winterton podniósł na nią wzrok.

– Wydawało mi się, że tak będzie stosownie – rzekł i się uśmiechnął. – W końcu oni są tacy drażliwi na punkcie swoich dzieł. Dla Lucy to była kwestia życia i śmierci.

Vera nie odpowiedziała. Spojrzała na Joego, żeby się przekonać, czy chce o coś zapytać. Pokręcił głową. Winterton siedział prosto, nieruchomo. Już go nie obchodziło, co się z nim stanie.

Vera pomyślała, że najwyższa pora coś zjeść. Może Joe jej wybaczy, jeśli postawi mu porządne śniadanie.

40

Joe złapał Ninę w jej mieszkaniu w Jesmond. Sądził, że będzie z Chrissie Kerr w North Farm, że po przejściach z Wintertonem będzie chciała mieć towarzystwo. Ale była sama. Siedziała w oknie wychodzącym na cmentarz. Rękę miała zabandażowaną, na ramionach, zarzucony jak szal, czerwony kardigan. Na ulicy grupa dziewcząt w wieku szkolnym spieszyła na plac zabaw.

– Może nie chce pani, żebym pani przeszkadzał? – zapytał. – Nie mam nic takiego, co by nie mogło zaczekać.

– Nie, proszę wejść!

Zrobiła mu kawy i zaprosiła do stołu.

– Oczywiście zastanawiałam się, kto był mordercą – opowiadała. – Ale Marka umieściłam na końcu listy. Wydawał się taki łagodny.

– A kto był na początku? – Joe dziwił się, że nie poruszyli tej kwestii w trakcie śledztwa.

Nina przez chwilę milczała, jakby była zakłopotana.

– Lenny Thomas – odrzekła w końcu. – Okropne, prawda? Snuć takie domysły tylko dlatego, że siedział w więzieniu.

– Też go przez chwilę podejrzewaliśmy. – Joe wiedział, że nie powinien tego ujawniać, ale nie sądził, żeby Nina opowiedziała o tym prasie. – Nie chciał powiedzieć, gdzie był w tę noc, gdy się do pani włamano, i w to popołudnie, gdy znaleźliśmy kota w kaplicy. Okazało się, że pracował u kolegi, hydraulika z Ashington. Na czarno. Nie zgłosił tego fiskusowi.

– Mark był taki porządny, taki uprzejmy – rzuciła Nina. Odwróciła się do Joego. – Wie pan, w jaki sposób ściągnął mnie do kaplicy?

Joe pokręcił głową. Myślał o tym, że pokój, w którym siedzieli, jest bardzo wygodny. Uzmysłowił sobie, że nigdy tego nie miał. Własnej przestrzeni. Ciszy. Spokoju. Nie sądził, że tego potrzebuje.

– Powiedział Chrissie, że chyba się we mnie zakochał. Wszyscy wiedzieliśmy, że jest rozwiedziony. Był zbyt nieśmiały, żeby ze mną porozmawiać podczas kursu. Ale powiedział, że nie chce wracać do Cumbrii, nie wyjawiwszy mi, co czuje. Chrissie wiedziała, że był policjantem, i nawet przez sekundę nie pomyślała, że mógłby być zabójcą. A z niej jest taka romantyczka, zawsze bawi się w swatkę. Wrobiła mnie. Poprosiła, żebym zawiozła książki do kaplicy, wiedząc, że Winterton tam będzie.

Nina podniosła wzrok.

– On by mnie tam zabił. Uważał, że przyczyniłam się do śmierci jego córki. – Zamilkła. – Pamiętam to, te zajęcia, na których rozdarliśmy na strzępy jej powieść. Przypomniałam je sobie już wtedy, gdy mi pan pokazał ten strzępek z artykułem, który znaleźliście na plaży. Miranda była na zdjęciu o wiele młodsza, i to mi przypomniało, że tamtego dnia była wizytującym nauczycielem. Zawsze czułam się winna, że dałam się wtedy wciągnąć w krytykę. Przyjaźniłyśmy się z Lucy i do tamtego dnia zawsze się wspierałyśmy. Nienawidziłam osoby, jaką się stałam tamtego dnia. Zachowałam się paskudnie.

– Inspektor nie powinna była pozwolić pani wejść do tej kaplicy! – Joe z trudem panował nad gniewem. – Zabawiła się w Pana Boga, ryzykując ludzkie życie. Powiedziałem jej, że jest szalona.

– Odwiedziła mnie w szpitalu, gdy już przesłuchaliście Wintertona – wyjawiła Nina. – Przepraszała mnie, ale powiedziałam, że ją rozumiem. Wykonywała swoją pracę.

– Ma cholerne szczęście, że nie chce jej pani pozwać. Albo złożyć oficjalnej skargi.

Nina się uśmiechnęła.

– Mówiła mi, że się pan na nią obraził.

Joe nie wiedział, co ma na to odpowiedzieć.

– *Lucy in the Sky with Diamonds* – mruknęła Nina. – To właśnie puścił w kaplicy. Jak rozumiem, ulubioną piosenkę córki.

Przez chwilę siedzieli w milczeniu. Zabrzmiał dzwonek, obwieszczający początek zajęć lekcyjnych w pobliskiej szkole.

– Strasznie mi głupio, że nie rozpoznałam odniesienia do moreli – wyznała nagle Nina. – Wprawdzie sztukę oglądałam dawno temu, ale zawsze. I ta chusteczka.

– Inspektor wyszukała informacje w Google. – Popatrzyli na siebie i oboje szeroko się uśmiechnęli. Moment intymności. Joe wstał. – Powinienem już iść. Powiedziałem żonie, że będę w domu wcześniej.

41

Vera jadła spóźnione śniadanie w Myers Farm z Jackiem i Joanną. Joe odrzucił jej propozycję, żeby zjedli razem, więc pojechała do hippisów, uważając, że jest im winna wyjaśnienia. I że Joanna przynajmniej jedno winna jest jej. Jedli miejscowy bekon, parówki i farmowe jajka i dopiero po jakimś czasie Vera mogła poświęcić pełną uwagę sprawie.

– A więc w tym wszystkim chodziło o zemstę – rzuciła Joanna, gdy już usłyszała całą historię. – Mark miał się za anioła zemsty, działającego w imieniu zmarłej córki.

– Aye. – Vera raczej nie potrafiła dojrzeć w Wintertonie aspektów anielskich. – Coś w tym stylu. Chociaż podejrzewam, że psychiatrzy uznają, że jest zbyt szalony, żeby stanął przed sądem, i od razu wyślą go do czubków.

Joanna nic na to nie odpowiedziała. Vera pomyślała, że pewnie przypomniał jej się własny pobyt w klinice psychiatrycznej.

Na dworze znów było zimno, ale w kuchni panowało przyjemne ciepło, na szybach zebrała się para, więc Vera nie mogła zobaczyć, co się dzieje na podwórku.

– A jak to było z tobą? – zapytała. – Też kierowałaś się zemstą, kiedy pisałaś swoje opowiadanie?

– Nie! – Joanna była oburzona. – Chodziło o zrozumienie. I przelanie tego na papier.

– Ona świetnie pisze – odezwał się Jack. – Już jej mówiłem, że jeśli będzie nadal pisała, pewnego dnia stanie się sławna i bogata. Będzie utrzymywała nas oboje. – Pogłaskał Joannę po dłoni, wstał, przeszedł do drzwi i wciągnął buty. – Ale nie mam czasu tak tu siedzieć i plotkować. Robota na mnie czeka.

Vera zaczekała, aż drzwi się za nim zamkną. W ciepłej kuchni czuła się tak, jakby za chwilę miała zasnąć. Joanna też sprawiała wrażenie, jakby chciała wrócić do pracy.

– No to mów, o co chodziło? – zagaiła. – Z tymi pieniędzmi i że przestałaś brać lekarstwa.

– To chyba nie twoja sprawa, Vee – rzuciła Joanna, znowu odgrywając wyniosłą. – A już na pewno nie policji.

– Ale ja chcę wiedzieć. Nie cierpię niedokończonych spraw. Chodzi o faceta? – Vera nie zniosłaby, gdyby Jackowi stała się krzywda. Ani tego, że łaziłby wtedy po farmie jak zbity pies i zawracał jej głowę swoją rozpaczą.

– Ależ skąd! – Joanna odrzuciła głowę i wybuchnęła śmiechem. – Po co mi inny facet? Jestem całkowicie szczęśliwa z tym, którego mam, a poza tym jaki inny by mnie chciał?

– No więc, co się dzieje? – Potrafię być tak samo uparta, jak ty, paniusiu.

Być może Joanna zdawała sobie sprawę, że Vera nie odpuści. A może chciała przedyskutować sprawę, ująć ją w słowa.

– Chcę mieć dziecko – wyznała. – Zanim będzie za późno. Ale nie zajdę w ciążę, biorąc lekarstwa. No i pomyślałam, że powinnam mieć jakieś finansowe zabezpieczenie, zanim sprowadzę na ten świat potomstwo. Więc zwróciłam się do Paula. I to wszystko, o co w tym chodziło.

– A Jack wie?

– Nie ma sensu mu o niczym mówić, dopóki nie podejmę decyzji – odparła. – Będzie tak podekscytowany, że nie będzie w stanie mówić o niczym innym.

– Więc co teraz?

– Umówiłam się na wizytę u lekarza, żeby omówić, co mam do wyboru. Bardzo rozsądna decyzja. Powinnaś być ze mnie dumna, Vee.

Vera wstała i ziewnęła. Potrzebowała kilku godzin snu, zanim znów wróci do komisariatu. Joanna odprowadziła ją do drzwi.

– A jak było z tobą? – zapytała, gdy obie stały w drzwiach i patrzyły na dolinę. – Nigdy nie chciałaś mieć dzieci?

– Ech, kotku, a jaka byłaby ze mnie matka?

Vera ruszyła w stronę domu. Obie wiedziały, że to nie była żadna odpowiedź.

Podziękowania

Dziękuję wszystkim, których pomoc przyczyniła się do powstania tej książki.

Szczególnie chcę podziękować Julie, Helen, Naomi i Catherine z wydawnictwa Macmillan i Sarze Menguc oraz jej zespołowi.

Wyrazy wdzięczności dla Paula Rutmana za inspirację oraz dla Brendy, Davida, Wunmi i Elaine za pomoc w przedstawieniu Very szerszej rzeszy czytelników.